Ma vie selon Moi

Sylvaine Jaoui
Illustrations de Colonel Moutarde

Ma vie selon Moi

La soirée dont j'ai tant rêvé

RAGEOT

Cet ouvrage a été imprimé sur un papier
issu de forêts gérées durablement,
de sources contrôlées.

Une première édition de ces textes
a paru sous les titres
Minuit moins une, *L'amour ! L'amour ? L'amour...*,
et *Cœurs en coloc'* (Bac and Love).

Notes et articles de Sylvaine Jaoui.

ISBN : 978-2-7002-3764-1

Pour Antoine.

LE CASTING

Le club des CIK (lire cinq ou « c'est un cas » au choix)

Justine : seize ans. Un mètre soixante-dix pour cinquante kilos. Toujours en jean et en Converse. Fleur bleue, gaffeuse et rêveuse. Aime les films et les chansons d'amour. Vit avec ses parents et son frère Théo. Terminale S sans conviction. Meilleure amie : Léa (et aussi Patou, la girafe du zoo).

Léa : dix-sept ans. Petite et plutôt ronde. Porte de la dentelle noire, des Doc et de gros bijoux d'argent. Surnommée la sorcière, elle s'intéresse à la voyance et au paranormal. Vit avec sa mère et sa grand-mère depuis la mort de son père. Terminale L spécialité théâtre.

Nicolas : dix-sept ans. Dom Juan. A un langage de charretier. Adore tout ce qui est informatique et bricolage. Cousin de Justine et meilleur ami de Jim. Vit avec son père depuis un an à cause de disputes fréquentes avec sa mère. Terminale STI.

Jim : dix-sept ans. Brun musclé. Vrai gentil qui a toujours des attentions pour chacun mais grand nerveux. A arrêté ses études et travaille au *Paradisio* en attendant de passer son monitorat de judo. A traversé une période difficile (fugues nombreuses) et a avec son père une relation exécrable.

LE CASTING

Ingrid : dix-sept ans. Bimbo du groupe. Passe son temps à tester son pouvoir de séduction sur tous les garçons ce qui a le don d'agacer toutes les filles. Enfant unique d'un couple âgé. Préoccupée par la mode, les vêtements et les chanteuses à succès. Est sortie avec Jim et Nicolas, il y a longtemps. Terminale ES.

Les autres personnages

Thibault : beau garçon châtain, élégant et énigmatique.
Adam : étudiant en lettres. Très attiré par Léa.
Peter : prof d'art dramatique de Léa. Joue avec son cœur.
Anna : double d'Yseult, son amie. Vit pour chanter.
Yseult : double d'Anna, son amie. Vit pour chanter. (Anna et Yseult sont surnommées les jumelles.)
Patou : la girafe du zoo, animal fétiche de Justine.
Claire : mère de Léa.
Eugénie : grand-mère infernale et géniale de Léa.
Laurent et Sophie : parents de Justine.
Théo : petit frère surdoué de Justine.

Tu parles
d'un cadeau...

Justine – Mais pourquoi c'est à toi de t'en occuper?

Léa – Parce que ma mère travaille aujourd'hui et que ce weekend, ça sera de la folie. Comme Noël tombe un dimanche soir, les gens vont faire leurs courses au dernier moment. Déjà que ma mère crise quand il y a trois personnes à la caisse du Monop, tu l'imagines avec son caddie derrière cinquante personnes?

Justine – Et comment tu vas tout rapporter chez toi?

Léa – Jim m'accompagne en voiture.

Justine – Ah bon? Il ne m'en a pas parlé.

Léa – Pourquoi il l'aurait fait? Il a des comptes à te rendre maintenant?

Justine – Non.

Léa – Rassure-moi, il ne s'est rien passé récemment entre vous? On est bien d'accord, Thibault est l'homme de ta vie et Jim juste un bon copain?

Justine – Ben... Euh... oui.

Léa – Je ne sens pas une franche détermination dans ta voix.

Justine – Euh... Si.

Léa – Justine?

Justine – Oui?

Léa – Tu as fait ton choix, non?

Justine – Quel choix ?

Léa – Le choix entre Thibault et Jim ! Si je me souviens bien de ce que tu m'as dit la dernière fois, ça donnait à peu près ceci : « Je ne suis pas faite pour vivre deux histoires à la fois. Jim est un ami et c'est très bien comme ça. Thibault est l'homme de ma vie. Je l'ai compris quand j'ai cru que Jim allait avouer à Thibault que nous avions eu une petite love affair ensemble. »

Justine – Ah oui ? J'ai dit ça, moi ?

Léa – Oui. Tu veux aussi que je t'aide à te souvenir du cauchemar atroce qui t'a perturbée pendant plusieurs jours ?

Justine – Pas la peine.

Léa – Mais si, une piqûre de rappel te fera le plus grand bien ! Les garçons se battent violemment pour toi puis se réconcilient grâce à l'intervention de Nicolas. Ils décident de te quitter tous les deux. Tu ne le supportes pas et tentes de les rattraper. Le sol et les murs deviennent mous. Tu cours vers Jim qui s'envole et se colle au plafond, Thibault rebondit comme un ressort. Nicolas se moque de toi alors tu lui enfonces la tête dans le parquet à coups de massue.

Justine – À coups de marteau...

Léa – Et je t'épargne le hurlement strident que tu as poussé quand Jim est entré dans la chambre et que tu as cru soudain que ce mauvais rêve était prémonitoire.

Justine – Heureusement, ce n'était pas le cas.

Léa – On a frôlé le désastre !

Justine – Je me suis fait un film sans raison. Le scoop de Jim n'avait rien à voir avec moi.

Léa – Peut-être mais tu joues quand même avec le feu.

Justine – Je rêve ou tu me fais la morale, mamie ?

Je n'ai pas eu l'occasion de répéter ma petite remarque si spirituelle, Léa m'a raccroché au nez. Je l'ai rappelée aussitôt. Elle m'a dit d'une voix blanche :

Léa – Tu m'énerves.

Justine – Oui, mais tu as décroché.

Léa – Uniquement pour éviter que tu me harcèles en m'appelant non-stop, que tu me noies sous trois milliards de SMS d'excuses et que tu finisses par me télépather.

Justine – Par te quoi ?

Léa – Me télépather : essayer de me joindre par la pensée. Quand tu fais ça, ça me pollue l'esprit.

Justine – N'importe quoi.

Léa – Ne crois pas ça ! La plupart du temps je sens avant que tu ne me le dises que tu vas mal.

Ça, je ne peux pas le nier. Léa n'a même pas besoin qu'on soit ensemble pour deviner que je déprime. C'est une sorcière, c'est clair. Mais de là à prétendre que je la télépathe comme d'autres lui téléphonent, il y a un fossé !

Léa – Alors oui, je t'ai répondu pour avoir la paix, mais je n'apprécie pas du tout que tu me fasses passer pour une mère La Morale. Je me moque que tu aies un, deux ou douze petits copains. Le problème n'est pas là. Si Thibault et Jim étaient d'accord pour former un joli couple à trois avec toi, ça ne me regarderait pas. Ce qui est ennuyeux, c'est que Thibault ignore qu'il est un intermittent dans ta vie, il pense y avoir une vraie place. Quant à Jim, il est persuadé que tu es en train de quitter Thibault en douceur pour le rejoindre. Il y a des chances pour qu'ils soient furieux et déçus quand ils apprendront qu'ils sont en coloc dans ton cœur. Et que se passera-t-il à ton avis à ce moment-là ?

Justine – Pourquoi veux-tu qu'ils l'apprennent ? Je peux être très discrète, tu sais.

Léa – Impossible ! Tout finit toujours par se savoir. Et ce jour-là, vous serez tous très malheureux.

Justine – T'es fâchée ?

Léa – Non, mais je n'aimerais pas vous voir en guerre tous les trois. Sans compter les dommages collatéraux, parce que, alors, fini le club des CIK+I.

Justine – Bon, très bien, j'aime Thibault !

Léa – Tu aimes qui tu veux. Le problème n'est pas de me faire plaisir.

Je n'ai pas pu m'empêcher d'ajouter :

Justine – Alors j'aime aussi Jim.

La sorcière m'a de nouveau raccroché au nez, mais cette fois-ci elle m'a ignorée lorsque je l'ai rappelée deux secondes plus tard.

Oh ça va... C'était de l'humour... A priori, elle n'a pas saisi la dimension comique de ma répartie.

Je n'ai eu droit qu'à sa boîte vocale dans la demi-heure qui a suivi. Au début, ça m'a fait rire de lui laisser des messages du genre « Pardon maman, je ne le referai plus » ou bien « J'ai décidé d'entrer dans les ordres, je compte sur toi pour l'annoncer aux garçons » mais le silence obstiné de Léa a fini par me lasser. Je déteste qu'elle soit fâchée contre moi.

À trois heures, quand j'ai compris qu'elle ne décrocherait pas, je l'ai appelée sur le portable de Jim. J'aurais peut-être plus de chances de la joindre sur son téléphone à lui.

Justine – Allô Jim ? Salut, c'est Justine.

Jim – Coucou Justine... Je ne peux pas te parler, je suis en voiture et j'ai oublié mon kit mains libres.

Justine – Ça tombe bien, c'est pas à toi que je voulais parler, c'est à Léa.

Jim – Eh ben appelle-la sur son portable !

Justine – Elle ne répond pas. Je croyais qu'elle était avec toi.

Jim – Elle m'attend en bas de chez elle. On va faire les courses pour sa mère à l'hyper.

Justine – Je sais. Super activité pour un mercredi après-midi.

Jim – Tu viens avec nous ? Tu veux que je vienne te prendre ?

Justine – Ben...

La perspective de rangées de jambons sous vide et de pyramides de coquillettes à perte de vue ne m'a pas franchement réjouie, mais c'était l'occasion ou jamais de me réconcilier avec Léa... et de passer en plus un moment avec Jim.

Justine – OK !

Jim – Alors descends tout de suite, j'arrive à la maison bleue dans trois minutes.

Léa n'a pas souri lorsqu'elle m'a vue assise dans la voiture et elle ne m'a même pas remerciée quand je me suis glissée à l'arrière pour lui laisser ma place.

Jim – Désolé pour le petit retard Léa, je suis allé chercher Justine.

Léa – Oui, je vois ça.

Jim – Elle n'arrivait pas à te joindre alors elle a appelé sur mon portable pour te parler et...

Léa – Elle n'arrivait pas à me joindre parce que je n'avais pas envie de lui répondre.

Jim a tourné rapidement la tête vers Léa puis il m'a regardée dans le rétroviseur. J'ai haussé les épaules, ennuyée.

Jim – Ah... Je vois. Et quelle est la cause gravissime du conflit entre les deux meilleures amies du monde ?

Aïe aïe aïe... Il va falloir que je m'explique clairement sur mes sentiments alors que jusqu'ici, j'ai réussi à louvoyer.

Léa – Justine s'est mêlée de ma relation avec Peter et je n'ai pas apprécié.

Quoi ? Mais qu'est-ce qu'elle raconte ? On n'a pas du tout parlé de Peter.

Léa – Ce n'est pas parce qu'on est amies qu'on doit porter un jugement sur les choix amoureux de l'autre. Chacun vit exactement comme il l'entend et ses amis doivent l'accepter. Tu n'es pas d'accord Jim ?

Je rêve ? C'est elle qui dit ça ? Elle qui me fait la morale sur l'objet de mes amours ? Enfin, les objets de mon amour ?

Jim – Si, ça me semble complètement normal. Je ne voudrais pas me mêler de vos affaires mais peut-être que Justine est inquiète pour toi et que c'est une façon de te le montrer.

Léa – Oui, c'est possible.

À quoi elle joue ?

Léa – Alors tu penses que j'ai eu tort de lui dire d'arrêter de se prendre pour une mère La Morale et de lui envoyer des textos ironiques du genre « Pardon maman, je ne le referai plus » ou « J'entre dans les ordres, préviens Peter toi-même ».

Oh la perfide...

Jim – Tu veux vraiment que je te dise ce que je pense ?

Léa – Oui.

Jim – Tu ne vas pas te fâcher ?

Léa – Non.

Jim – Je ne les trouve pas ironiques tes textos, je les trouve puérils limite débiles.

Léa s'est retournée vers moi, l'air ravie.

Cette fille est très forte !!! Elle ne s'est pas donné la peine de me régler mon compte, elle l'a fait faire par un autre. Et pas n'importe quel autre ! Celui à cause duquel nous avons eu un différend, elle et moi. Devant tant de génie stratégique, je dois m'incliner.

Léa – Je te présente mes excuses Justine, pour ces textos puérils limite débiles.

La peste, elle en profite !

Jim – À toi, Justine ! Excuse-toi de t'être mêlée de sa relation avec Peter. Comme ça, l'affaire sera réglée.

Je vais devenir folle !

Jim – Allez Justine...

Très bien, s'ils veulent des excuses.

Justine – Pardon Léa. Je n'aurais jamais dû me permettre de commenter ta vie privée. Après tout, vous avez raison tous les deux, notre amitié légendaire ne m'autorise pas à juger tes choix. Je me suis comportée comme une fille coincée par une morale étriquée, une idiote sûre de ses petites valeurs. C'est dingue comme on peut rapidement devenir un être toxique pour les gens qu'on aime.

Et toc ! Elle n'est pas belle celle-là ? Un partout, la balle au centre.

J'ai croisé le regard de ma meilleure amie dans le rétro. Un immense point d'exclamation clignotait dans chacun de ses yeux.

Jim – Bravo pour votre honnêteté, les filles ! Je suis impressionné par la façon dont vous avez fait chacune votre autocritique.

Après un court instant de stupéfaction, Léa et moi avons éclaté de rire exactement en même temps.

Jim – Quoi ? Qu'est-ce qu'il y a ? Qu'est-ce que j'ai dit de si drôle ?

Comme aucune de nous deux n'arrivait à reprendre son souffle pour lui répondre, Jim a grommelé seul dans son coin :

Jim – J'aurais mieux fait de ne pas m'en mêler... Bon, ça y est ? Vous avez fini de vous foutre de moi ?

Léa – On ne se moque pas de...

Léa n'a pas réussi à finir sa phrase. Malgré sa volonté de réconforter Jim, elle est repartie dans son fou rire. Je ne l'ai pas franchement aidée à se calmer.

On n'avait pas encore repris notre souffle lorsque nous sommes arrivés sur le parking de l'hyper. Jim avait depuis longtemps abandonné l'idée de comprendre quoi que ce soit et avait augmenté le volume de son autoradio. La regrettée Amy Winehouse hurlait *Rehab* à pleins poumons. On chantait « No, no, no » avec elle.

Quelques minutes plus tard nous sommes entrés dans l'hypermarché, armés d'un chariot géant.

Jim – On commence par quoi ?

Léa – Par la pâte d'amandes et l'eau de fleur d'oranger pour les gâteaux d'Eugénie. Si je les oublie, elle me tue !

Justine – Tu sais où c'est ?

Léa – Non, mais on va chercher.

Dix minutes plus tard, après avoir traversé un océan de sodas, une forêt de légumes et un pâturage de fromages sous vide, on n'avait toujours pas trouvé le rayon pâtisserie.

Jim – Je me demande pourquoi dans des émissions comme *Koh-Lanta*, ils larguent leurs candidats en pleine jungle pour évaluer leurs capacités de survie. Ils devraient les perdre dans un hypermarché, ça serait plus violent !

Quel est le point commun entre Amy Winehouse, Kurt Cobain et Jimi Hendrix ?

Leur charisme sur scène, leur sensibilité à fleur de peau ou leur génie musical ?

Tout ceci et… l'âge auquel tous trois sont morts : 27 ans !

Quelle étrange **malédiction** frappe les divas de la musique moderne ? Brian Jones cofondateur des Rolling Stones, Jimi Hendrix guitariste et compositeur, Janis Joplin chanteuse, Jim Morrison chanteur des Doors, Kurt Cobain chanteur de Nirvana, Amy Winehouse… ont tous disparu à 27 ans. C'est pourquoi un nom a été donné à ces artistes influents du rock et du blues : le club des 27, appelé aussi Forever 27 Club, 27 Club ou le Club 27.

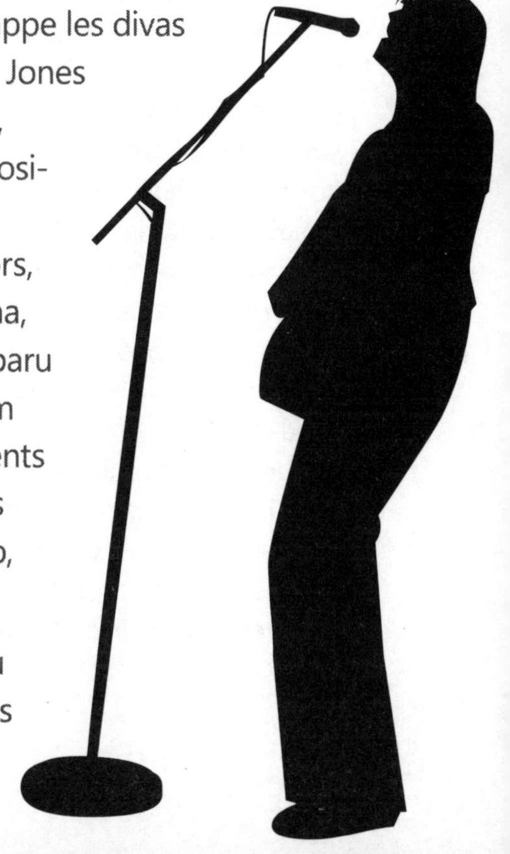

Les 27 nous laissent en cadeau leurs voix, leurs chansons, leurs rythmes, leurs concerts…

Justine – T'as raison.

Léa – Mais pourquoi elle hurle la petite ?

Justine – Où ça ?

Léa – Près des bûches en chocolat, là-bas.

Justine – Elle a l'air terrorisée. On dirait qu'il y a un truc derrière le sapin qui lui fait peur.

Et comme on s'approchait, on a compris ce qui causait son effroi. Coincé entre un faux traîneau en plastique et un faux cadeau géant au nœud rouge, un faux père Noël tentait désespérément d'asseoir l'enfant sur ses genoux. La fillette, affolée, se contorsionnait en tous sens pour lui échapper.

Jim – Mais pourquoi sa mère le laisse faire ?

Une voix suave d'hôtesse a annoncé : « Pour l'achat de deux bûches en chocolat ou de deux ballotins de pralines belges à l'occasion du 24 décembre, le magasin vous offre une photo avec le père Noël en personne. Alors n'hésitez pas, mangez du chocolat ! »

Léa – Je n'y crois pas.

Jim – Tout ça pour une photo nulle avec un faux père Noël.

Justine – Ah bon, il est faux ? Mais la fille vient de dire : « Le père Noël en personne. » Quelle déception.

Léa a souri et m'a murmuré :

Léa – Ah oui, j'avais oublié, tu crois aux miracles, toi ! On peut sortir avec deux garçons sans que quiconque le sache, et le père Noël vient personnellement ici la veille de sa seule journée de travail de l'année.

Justine – Fausse meilleure amie, va.

Jim – Eh les filles, au lieu de chuchoter, vous ne voulez pas leur dire qu'ils sont en train de traumatiser la petite ?

Léa – Certainement pas ! Je me demande même si on ne devrait pas féliciter la mère pour cette pédagogie hors du commun.

Jim – Qu'est-ce que tu racontes ?

Léa – Voilà une fillette d'à peine trois ans qui va détester le reste de sa vie les fêtes de Noël, la bûche et le grand barbu. Aucune illusion maintenant, aucune désillusion plus tard. Ça c'est de l'éducation.

Justine – Tu es monstrueuse !

Léa – Non, juste lucide. Allez, on se partage la liste en trois pour aller plus vite, parce que je crois que je ne vais pas du tout supporter les courses aujourd'hui. Vous êtes d'accord ?

Jim – Et pour la petite alors, on ne fait rien ?

On s'est tournés vers elle. Le père Noël, en sueur et la barbe de travers, tentait de l'amadouer avec une part de bûche fondue. Peine perdue.

Justine – Je ne sais pas si après ça la petite va détester Noël mais ce qui est certain, c'est que le père Noël va haïr les enfants.

Léa – Bon, on s'y met parce que je sens que je développe une allergie géante au 24 décembre.

Léa a découpé sa liste de courses et nous en a remis un bout à chacun.

Léa – Jim et Justine, votre mission, si vous l'acceptez, est de trouver ce qui est inscrit sur ce morceau de papier et de le rapporter dans moins de vingt minutes ici même. Le but étant d'échapper à l'enfer de cet hyper dans une demi-heure.

On n'a pas hésité ! On a pris chacun notre bout de liste et on a disparu dans le labyrinthe des rayons.

Ma première mission consistait à pêcher une boîte de thon blanc au naturel. C'est quoi le thon blanc ? Moi, je ne connais que le thon à l'huile et il n'est pas blanc. Il est beige marron.

Procédons par ordre... Essayons d'abord de trouver les conserves.

Après avoir demandé à une dizaine de personnes, j'ai fini par localiser le rayon. Jim a raison, les hypermarchés c'est pire que *Koh-Lanta*. Mais les candidats, eux au moins, ont droit à une boussole !

Alors voyons... Thon à la tomate, thon à la catalane, thon à l'huile... Ah oui, ça existe le thon blanc au naturel ! Jamais mangé. Allez hop, petite initiative personnelle, je choisis la boîte avec ouverture facile.

J'aurais dû prendre un caddie. Tant pis, je mets la boîte dans ma poche.

Ensuite... Œufs de saumon. Ça devrait être à côté du thon, c'est du poisson en boîte, non ?

Après dix minutes de traversée de bancs de sardines, j'allais renoncer lorsque j'ai croisé un employé qui mettait des conserves en rayon. Je me suis précipitée sur lui avec la ferveur d'un individu mort de soif qui voit une oasis après trois jours de désert.

Mon enthousiasme a dû l'effrayer parce qu'il a reculé d'un pas lorsque je me suis approchée.

Justine – Bonjour, je cherche les œufs de saumon.

Il m'a répondu une espèce de borborygme, quelque chose du genre « Haut fré ». Comme ça ne voulait rien dire, j'ai tenté toutes les combinaisons possibles à partir des sons qu'il avait prononcés : of ré, offrez, off raie...

Devant mon air ahuri, il a répété en articulant avec effort :

L'employé – Les œufs de saumon, ils sont au frais.

Ah, au rayon frais !

Ici, non seulement il faut un GPS pour se diriger, mais il faut aussi être bilingue français-hypermarché.

Je vous épargnerai ma recherche de cumin en grain, de feuilles de brick et de boulgour, c'est limite surréaliste. J'ai fini sur les genoux. Je me demande si je ne préfère pas faire les annales de maths de Toulouse que les courses ici. C'est dire l'horreur !

Jim, appuyé sur son caddie, était déjà au point de rendez-vous quand je suis arrivée. Il observait le père Noël qui se faisait maintenant prendre en photo avec une mamie.

Justine – Alors chéri, tu attends ton tour pour la photo souvenir ?

Jim a éclaté de rire.

Jim – Seulement si tu poses avec moi.

Justine – Chiche !

Jim – Tu sais que ça va me coûter deux bûches ou deux ballotins de chocolat, cette histoire ?

Justine – Il faut ce qu'il faut quand on veut être photographié avec une star !

Jim – Alors on y va. De toute façon, je devais acheter des petits cadeaux pour mes collègues du *Paradisio*. Les chocolats, ça ira très bien. Mets tes courses dans mon caddie.

Aussitôt dit, aussitôt fait !

On a rejoint le père Noël pour un cliché spécial ringards. De près, l'homme en rouge était encore plus pathétique que de loin. Son déguisement trop petit remontait au-dessus du ventre dès qu'il bougeait les bras et comme il mourait de chaud sous les projecteurs, son bonnet collait lamentablement à ses rares cheveux noirs. Il nous a accueillis avec un entrain forcé.

Le père Noël – Coucou les amoureux ! Contents de voir papa Noël ?

Quelle horreur, comme si ça ne lui suffisait pas de dire n'importe quoi, il fallait en plus qu'il empeste l'alcool.

Je n'aurais jamais cru ça de lui. Mais bon, l'avantage de sa remarque c'est qu'elle allait me permettre de mettre les choses au point avec Jim sur la nature de nos relations.

Justine – On n'est pas amoureux, on est juste amis.

Le père Noël – On ne me la fait pas à moi ! Vous avez vu la façon dont vous vous regardez ? Y a pas photo.

Et il est parti dans un énorme éclat de rire. Comme on ne partageait pas son enthousiasme, il s'est senti obligé de nous expliquer :

Le père Noël – Y a pas photo mais on va prendre une photo !

Aïe ! Je me demande si je ne vais pas effacer toute cette scène. Il y va du bonheur de millions d'enfants sur terre. C'était déjà difficile de supporter l'idée d'un père Noël alcoolique, à moitié chauve, boudiné dans ses vêtements et militant anti-déo, je ne veux pas être celle qui apprend au monde qu'il a en plus un humour désastreux.

Le père Noël – Les amoureux se mettent devant, moi je me place juste derrière et je les tiens par les épaules.

Il ne parle pas le français, le père Noël ? Il faut que je le lui traduise en moldo-slave pour qu'il comprenne qu'on est juste amis ? Tiens d'ailleurs, je ne m'étais jamais posé la question de sa nationalité. Il vient d'où, le père Noël ? En tout cas, il est polyglotte puisqu'il lit les courriers des enfants du monde entier.

Le père Noël – Allez, rapprochez-vous, vous êtes trop loin l'un de l'autre. Joue contre joue si vous voulez que la photo soit réussie.

Jim m'a chuchoté à l'oreille :

Jim – Tu peux me coller, je suis tout doux, je me suis rasé ce matin.

Voyons s'il est si doux que ça. Oh mais c'est vrai, et en plus il sent super bon !!!

Le père Noël – Génial. On en fait une deuxième au cas où... Maintenant, regardez-vous pour que ce soit plus glamour.

Je me suis retrouvée nez à nez avec Jim. Enfin, l'expression nez à nez est inexacte. Je devrais plutôt dire bouche à bouche... Et même là, je ne confesse qu'une partie de la vérité.

Le père Noël nous a interrompus en plein baiser langoureux.

Le père Noël – Alors les meilleurs amis du monde, il faut qu'on vous jette un seau d'eau à la figure pour vous séparer ?

Je me suis dégagée des bras de Jim le plus rapidement possible. Je ne voulais pas que le père Noël se méprenne sur ce qui venait de se passer. On avait posé ensemble pour une photo, c'était tout.

D'ailleurs si le deuxième cliché pouvait passer direct à la poubelle, ça m'arrangerait bien.

Non, je ne suis pas hypocrite ! Je ne sais pas ce qui vous permet d'affirmer cela. J'assume parfaitement mes actes.

Mince, c'est pas Léa là-bas ? Pourvu qu'elle n'ait rien vu.

Je ne le jurerais pas pourtant j'ai eu l'impression que ma meilleure amie n'avait pas assisté à mon dérapage avec Jim.

Léa – Ça y est, tu as trouvé tout ce qu'il y avait sur ta liste ?

Yes, elle ne fait aucun commentaire. J'en suis sûre maintenant, elle n'a rien vu !

Justine – Oui.

Léa – Mais tu n'as rien là ?

Justine – Tout est dans le caddie de Jim.

Léa – Parfait.

Jim nous a rejointes rapidement, l'air satisfait. Léa n'a pas cherché à voir la photo qu'il tenait dans ses mains. Elle s'est contentée de lui demander s'il avait toutes les victuailles.

Jim – Ouais.

Léa – Alors l'heure de la libération a sonné. Il nous reste juste à passer à la caisse.

Avec son « juste à passer à la caisse », la sorcière était optimiste. Des hordes de clients agrippés à des caddies pleins à ras bord attendaient leur tour, le visage maussade.

Jim – Je crains que la libération ne soit pas immédiate.

Léa – Désolée de vous avoir entraînés dans cette galère.

Jim – Ne t'excuse pas, je viens de passer un moment délicieux.

Évidemment, Jim a dit cela en me regardant avec gourmandise. Mais il ne pourrait pas être plus discret ?! J'ai tenté de changer de sujet.

Justine – J'ai eu un mal fou à trouver les œufs de saumon.

Mon intervention est tombée complètement à plat. Il faut dire qu'elle n'était pas de nature à provoquer le débat du siècle.

Oh c'est lourd cette ambiance...

Vingt minutes plus tard, nous posions enfin nos achats sur le tapis roulant. La perspective de sortir a redonné de la bonne humeur à chacun. Jim et Léa ont chahuté en mettant les affaires dans les sacs. Je me suis jointe à eux.

Après avoir souhaité un joyeux Noël à la caissière, on a couru vers la sortie.

Mon Empire pour un Coca light !

On avait à peine franchi les portes qu'un grand type s'est précipité sur nous. Il m'a fallu quelques secondes pour comprendre qu'il était vigile.

Il nous a dit avec l'air aimable d'un pitbull à qui on vient de piquer son steak :

Le vigile – Veuillez me suivre, s'il vous plaît.

Jim, qui a de graves problèmes avec l'autorité, a résisté.

Jim

Le père Noël ignore la crise !
Justine, toi qui adores recevoir des cadeaux, tu sais combien les Français ont dépensé en 2011 en moyenne pour les fêtes de Noël ? 538 euros. Ça paraît énorme. Pourtant ils ne sont pas les plus généreux des Européens : les Irlandais et les Luxembourgeois se placent en tête, les Pays-Bas sont bons derniers…
Concernant les cadeaux, les Américains sont ceux qui se montrent les plus généreux avec leur famille et leur entourage.

Aujourd'hui, 21h18 · J'aime · Commenter

Justine et **Nicolas** aiment ça.

Jim En France, près de deux millions d'internautes se sont rendus sur le Net pour faire leurs repérages de courses de Noël. Des femmes et des filles en majorité. N'est-ce pas, Justine, Léa et Ingrid ? Dans la cyber-hotte, les internautes déposent d'abord des livres, puis des jeux et des jouets, des DVD et des CD. L'an dernier, les tablettes tactiles et les poupées gothiques étaient hyper tendance !

Aujourd'hui, 21h19 · J'aime

Justine 538 euros ? Vous savez combien de soirées de baby-sitting cela représenterait pour moi ??

Aujourd'hui, 21h37 · 2 personnes aiment ça

Léa Des poupées gothiques ? Et personne n'a pensé à m'en offrir une ?

Aujourd'hui, 21h38 · J'aime

Nicolas Moi, je suis dès le 26 sur eBay pour écouler ce qui ne me plaît pas !

Aujourd'hui, 21h39 · J'aime

Ingrid Monstre !

Aujourd'hui, 21h40 · J'aime

Jim – C'est quoi le problème ?

Le vigile – Veuillez me suivre s'il vous plaît.

Jim – Ça, tu nous l'as déjà dit, mais tu n'as pas répondu à ma question.

Le vigile – Ne m'obligez pas à utiliser la force.

Jim – Tu crois que tu me fais peur ?

Léa est intervenue pour éviter que la situation ne dégénère.

Léa – C'est bon Jim, on y va. On n'a rien à se reprocher, on verra bien ce qu'il veut.

Jim – S'il croit qu'il m'impressionne avec son air de tueur, il se trompe.

Le vigile nous a escortés jusqu'au rayon boulangerie. Puis il a ouvert une porte dissimulée derrière des chariots remplis de pains de mie, et nous a poussés dans une petite salle sombre sans fenêtre. Notre virée commençait à tourner au cauchemar.

Le vigile – Vous vous asseyez là et vous attendez.

Jim – On attend quoi ?

Le vigile – Vous verrez bien.

Cinq longues minutes se sont écoulées avant qu'un type en costume gris entre dans la pièce. Il s'est assis sur le coin de la table et nous a observés en silence, façon guerre des nerfs. Jim a craqué très rapidement.

Jim – On peut savoir ce qu'on fout ici ?

Le type au costume – Je pense que c'est à vous de me le dire.

Jim – Je ne crois pas, non.

Le type au costume – Allez, faites un effort.

Léa s'est emportée d'un coup :

Léa – Bon, quand vous aurez fini de jouer à votre petit jeu pervers, vous nous préviendrez.

Le type au costume – Je vous conseille de ne pas le prendre sur ce ton, mademoiselle.

Léa – Alors dites ce que vous avez à dire.

Le type au costume – Savez-vous combien de centaines de produits sont volés chaque jour dans un hypermarché comme le nôtre ?

Léa – Non.

Le type au costume – Plus que vous ne pourrez en acheter dans toute votre vie.

Léa – Oui et donc ?

Le type au costume – Alors pour éviter les vols, on a placé des caméras à différents endroits de nos magasins.

Léa – Parfait. Et vous souhaitez nous expliquer comment elles fonctionnent ?

Le type au costume – Non, plutôt vous montrer qu'on vous voit nettement en train de voler dans les rayons.

Quoi ? Il accuse Léa d'avoir piqué un truc ? C'est n'importe quoi, Léa est la fille la plus honnête que je connaisse !

Léa – Ah oui, vous prétendez que vous m'avez filmée en train de voler ? Eh bien, je suis curieuse de voir ça.

Et toc, qu'est-ce que je disais.

Le type au costume – Je me suis fait mal comprendre. Seul l'un d'entre vous a volé, mais il est évident que vous êtes de mèche tous les trois.

Quoi, c'est Jim qui a volé alors ? Et le type pense qu'on est ses complices ? Mais pourquoi Jim aurait fait ça ?

Le type au costume – Je vais donc être dans l'obligation de procéder à une fouille, histoire de clarifier la situation.

Jim – Tu me touches, je t'explose. Tu piges ?

La violence de Jim nous a tous surpris. Je lui ai serré la main.

Justine – C'est pas grave Jim, rends-lui ce que tu as pris, on s'en fout.

Jim – Mais j'ai rien volé, moi ! Tu rentres dans son jeu ou quoi ? Vous ne voyez pas qu'il nous manipule depuis tout à l'heure ? Il commence par dire que c'est Léa qui a chouré et puis il change d'avis quand elle lui demande à voir. Ce mec est un enfoiré.

Le type au costume a sauté de sa table et a attrapé Jim au collet.

Le type au costume – Tu ne me parles pas comme ça.

Anticipant la réaction de Jim, Léa s'est interposée.

Léa – Maintenant, vous allez nous dire qui vous êtes et ce que vous voulez.

Le type au costume – Qui je suis ? Je suis le directeur de la sécurité de ce magasin et je n'ai pas l'habitude de laisser filer les petites voleuses.

Ah c'est une voleuse maintenant !

Mais qui ça peut être ? Ce n'est pas Léa puisqu'il l'a confirmé, ce n'est pas Jim puisque c'est un garçon, donc la voleuse c'est moi ! Ma meilleure amie a réagi avec vivacité.

Léa – Peut-on savoir de quoi vous accusez Justine ?

Le type au costume – Ah ! La demoiselle s'appelle Justine. Eh bien, nous lui reprochons d'avoir subtilisé des produits dans notre magasin.

Je suis restée sans voix face à une telle accusation.

Le type au costume – Alors, la voleuse ?

Moi, une voleuse ? Non, je le jure.

Et pour prouver ma bonne foi, j'ai retourné les poches de mon manteau.

Le bruit d'une boîte métallique heurtant le sol a résonné affreusement à mes oreilles. J'ai regardé ce qui était tombé par terre. Qu'est-ce qu'elle fait là cette boîte de thon blanc au naturel ?

Oh non !!! Je me souviens maintenant. Je n'avais pas de caddie, je ne savais pas quoi faire de mes courses, alors j'ai mis la boîte de conserve dans ma poche. Après j'ai tout posé dans le caddie de Jim, mais j'ai complètement oublié le thon.

Le type au costume – Eh bien, qu'avez-vous à dire pour votre défense ?

Justine – Quoi ? Quelle défense ? Vous ne croyez quand même pas que j'ai essayé de voler une pauvre boîte de thon ?

Le type au costume – Une boîte de thon et d'autres produits très certainement. Vous n'avez pas vidé les poches de votre jean. Et dans vos manches là, il y a quoi ?

Le type s'est approché de moi pour tâter les manches de mon manteau. Déçu de ne rien trouver, il a soulevé mon pull pour voir si je n'y avais rien dissimulé.

Jim, fou de rage de le voir me fouiller, a tenté de s'interposer. Son coude a malencontreusement heurté le nez du type au costume gris. Le vigile, qui était resté en retrait pendant tout l'interrogatoire, a sauté sur Jim.

Désespérée, j'ai regardé Léa pour qu'elle comprenne qu'elle devait intervenir. Après tout, c'est une sorcière non ?

Trop occupée à téléphoner à je ne sais qui, elle n'a pas perçu mon appel à l'aide.

Mais qu'est-ce qu'elle fait ? Sa voix a soudain résonné dans la petite pièce carrée.

Léa – Allô maître Rossi ?

Maître Rossi ? Qui est-ce ?

Ah mais oui, bien sûr, c'est Eugénie, la grand-mère de Léa. J'oublie toujours qu'elle est avocate et qu'elle s'appelle Rossi !

Léa – Oui, bonjour maître, c'est Léa, je ne vous dérange pas ?... Je vous appelle parce que j'ai un petit souci. Vous vous souvenez de mes amis Justine et Jim ? Eh bien figurez-vous que nous nous apprêtions à sortir du magasin où nous avions fait des courses lorsque nous avons été arrêtés par un vigile et conduits dans une salle où Justine a été fouillée. Jim, lui, a été frappé sous les yeux du directeur de la sécurité. Euh oui...

Tous les regards étaient rivés sur Léa qui répondait par l'affirmative à des questions mystérieuses que nous n'entendions pas.

Léa – Oui, exact... Très bien, je vous remercie. Je ne crois pas qu'il soit nécessaire que vous vous déplaciez. Vous y tenez ? D'accord, on reste en ligne pendant que j'informe monsieur de ce que vous venez de me dire.

Et fixant le directeur de la sécurité avec un aplomb incroyable, Léa lui a rétorqué :

Léa – Monsieur comment d'ailleurs ? Je crois que vous n'avez pas eu la courtoisie de vous présenter.

Le directeur de la sécurité qui semblait tout à coup moins sûr de lui a répondu :

Le type au costume – Monsieur Gourdon.

Léa – Bien... Monsieur Gourdon, maître Rossi que j'ai actuellement en ligne souhaite savoir si un policier a été appelé pour procéder à la fouille.

Avant même qu'il ait fini de déglutir avec difficulté, Léa a posé une seconde question.

Léa – Maître Rossi souhaite également savoir si nos parents ont été prévenus, puisque Justine et moi sommes mineures ?

Security man a émis un couinement. Ma meilleure amie a poursuivi :

Léa – Sinon notre présence pourrait être assimilée à une séquestration, et je ne parle évidemment pas de la fouille au corps sur Justine et des coups et blessures sur Jim.

Et parlant de nouveau dans le combiné :

Léa – Ai-je bien traduit vos propos, maître ? Oui ? J'en suis ravie. Ne quittez pas, je l'interroge à ce sujet.

Se tournant de nouveau vers le directeur de la sécurité à présent aussi blanc que les murs de sa salle de torture, elle lui a demandé d'un air faussement ingénu :

Léa – Maître Rossi voudrait savoir si vous estimez que sa présence et celle d'un policier seront nécessaires pour nous reconduire avec des excuses jusqu'aux portes du magasin.

Le type au costume – Je ne crois pas, non.

Léa – Bien, formidable. Jim ? Justine ? Nous partons ?

Ma meilleure amie nous a attrapés chacun par un bras et nous a entraînés vers la sortie. Puis, se retournant vers le directeur de la sécurité, elle a ajouté :

Léa – Vous devez avoir beaucoup de travail, nous allons donc nous débrouiller tout seuls pour repartir. En revanche, nous attendons vos excuses.

Gourdon nous a jeté un regard haineux en essuyant un filet de sang qui lui coulait du nez mais il a tout de même dit :

Le type au costume – Veuillez m'excuser.

Léa – C'est chose faite, l'erreur est humaine. Veillez toutefois à respecter la loi lors de vos prochaines arrestations sauvages. Je vous rappelle que nous sommes dans un pays de droit.

Puis elle a ajouté pince-sans-rire :

Léa – Justine, tu es sûre de ne plus avoir de poisson dans tes poches ?

Si je n'avais pas été dans un tel état de stress, j'aurais peut-être ri mais là, j'ai trouvé qu'elle exagérait vraiment.

On a traversé le magasin. Jim avait le visage convulsé et moi je n'osais pas prononcer un mot. On avait encore frôlé la catastrophe par ma faute.

Léa – Tout le monde est d'accord pour un Coca light au café d'en face ?

Jim – Ce sera plutôt une vodka pour moi si ça ne dérange personne.

Léa – Allez, ne faites pas cette tête ! Elles ne sont pas chouettes ces fêtes de Noël ?

Je n'ai pas répondu à Léa, je voulais d'abord m'excuser pour le tort que je leur avais causé.

Justine – Léa et Jim, pour la boîte de thon je voulais vous dire...

Léa – Il est évident que tu n'as pas cherché à la voler. Nous avons confiance en toi, nous sommes tes amis, non ?

Justine – Oui, vous êtes mes amis...

La réponse de Léa m'a vraiment soulagée. J'étais digne de confiance bien que les faits soient contre moi.

Et alors qu'on s'asseyait au café pour boire de quoi nous remonter un peu, le père Noël, debout au bar devant un troupeau de verres de vin vides, nous a apostrophés :

Le père Noël – Alors les amoureux tout va bien ? Ne vous gênez pas pour moi, vous pouvez vous embrasser comme tout à l'heure, je ne le répéterai à personne !

Oh non ! On est amis, seulement amis !

J'ai soigneusement évité le regard de Léa. J'avais conscience d'être la meilleure amie la plus épouvantable du monde.

JEAN-LUC LAGARCE
Théâtre complet
I
Ingrid show

Ingrid – Mais qu'est-ce qu'elle fait Léa ? On avait dit dix heures chez toi.

Justine – Il est seulement dix heures douze et c'est le premier jour des vacances, alors cool...

Ingrid – Quand on se programme une virée shopping, chaque minute compte. Le moindre retard peut causer un drame.

J'ai regardé Ingrid, interloquée. Mais qu'est-ce qu'elle raconte ?

Ingrid – Imagine qu'on arrive dans un magasin et que je trouve LA petite robe en soie rouge assortie à mes escarpins. Je me jette sur elle, horreur ! C'est un 38.

Justine – Pourquoi « horreur » ?

Ingrid – Qu'est-ce que tu veux que je fasse d'un 38 ? Je ne suis pas obèse.

Justine – Mais c'est quoi cette remarque ? 38, ce n'est pas une taille d'obèse ! Tu sais que ça relève de la psychiatrie lourde d'affirmer un truc pareil ?

Ingrid – Je n'ai pas fini mon histoire...

Justine – Je ne suis pas sûre d'avoir envie d'entendre la suite !

Ingrid – Je me précipite sur une vendeuse et je lui demande si elle l'a en 34, enfin un petit 34. Oui, me répond-elle, seulement quelqu'un l'essaie déjà en cabine. À cet instant commence pour moi une attente douloureuse et interminable. J'entends le cri de la soie glissant sur les hanches de ma rivale.

Tout ça pour une robe, alors qu'on est si bien dans un jean !

Ingrid – Mon petit cœur bat dans mon wonderbra. J'imagine le moment où la traîtresse va sortir de la cabine en clamant haut et fort : « Je la prends. » Non, c'est impossible, elle ne peut partir avec MA robe !

Comment ça « sa robe » ? Si j'ai bien suivi, c'est la fille dans la cabine d'essayage qui l'a trouvée en premier.

Ingrid – J'en conclus donc : « Ingrid, tu ne peux pas envisager des fêtes de Noël dignes de ce nom sans cette adorable petite robe rouge. Cette fille ne doit pas franchir, vivante, le pas de la porte. Not with this lovely little red dress ».

C'est une joke ? Que quelqu'un me rassure, Ingrid ne serait quand même pas capable de tuer un être humain pour un bout de chiffon rouge ? Moi, je ne connais que les taureaux pour se mettre dans un état pareil quand on le leur agite sous le nez.

Ingrid – Une bataille de filles s'engage alors. Je lui arrache la robe des mains et lui hurle qu'elle m'était réservée. Elle résiste. Je lui plante mes ongles dans le bras, en prenant soin de ne pas abîmer ma french.

Justine – Ta quoi ?

Ingrid – Ma french manucure. Vu le temps que je passe à les vernir, je ne vais pas courir le risque de perdre un ongle.

Je ne sais pas ce que vous en pensez, vous, mais moi, je la trouve pathétique. Je me demande comment un individu normalement constitué peut élaborer une pensée pareille. Et surtout l'exprimer à haute voix.

Ingrid – Alors quand tu me dis que les douze minutes de retard de Léa n'ont aucune importance, ça me flingue. Cela multiplie par douze le risque de voir disparaître sous mes yeux la tenue de mes rêves et cela met en danger mortel douze femmes dans le monde.

Mais elle est dingue !

– Qu'est-ce qui met en danger mortel douze femmes dans le monde ?

Ah ouf Léa ! Il était temps qu'elle prenne le relais. J'allais finir par imploser.

Justine – Ton retard de douze minutes.

Léa – Ah bon ! Et comment ?

Ingrid a repris son explication exactement dans les mêmes termes. J'ai réécouté jusqu'au bout, pour avoir le plaisir d'admirer la tête effarée de ma meilleure amie.

J'ai été frustrée de mon petit plaisir. Léa a juste dit :

Léa – Alors, allons-y vite parce que je ne voudrais pas que le bilan s'alourdisse.

Tandis qu'on descendait les escaliers de la maison bleue, j'ai chuchoté à Léa discrètement :

Justine – C'est tout ce que tu as trouvé à lui répondre ?

Léa – Oui.

Justine – Mais elle est dingue !

Léa – Est-ce qu'on ne l'est pas tous, chacun à notre manière ?

Justine – Excuse-moi, mais je ne vois pas en quoi je suis dingue, moi.

Léa – Ah oui ? Pense à tes photos avec le père Noël, ça te permettra peut-être de trouver une réponse. Bien, les filles, je vous propose un plan d'action. Il est près de dix heures et demie et nous devons retrouver les garçons sur la place de la mairie à midi et demi. Nous avons donc deux heures pour acheter nos derniers cadeaux de Noël.

Ingrid – Et ma tenue super sexy pour demain soir.

Léa – Et la tenue super sexy d'Ingrid pour demain soir.

Ingrid – Comme c'est quand même ce qu'il y a de plus important, je propose qu'on commence par ça.

Justine – Pourquoi ta tenue serait plus importante que mes achats à moi ? Je te signale que Thibault part à Beyrouth rejoindre ses parents pour le réveillon et qu'il ne me reste que deux heures pour lui trouver un cadeau digne de ce nom.

Ingrid – Pourquoi tu ne lui as rien acheté avant puisque c'était si important ?

Retenez-moi ou je lui tranche la carotide avec un de ses talons aiguilles.

Léa a continué sans tenir compte de notre échange :

Léa – Donc, il y a deux possibilités : soit la galerie commerciale au-dessus d'Auchan, soit la rue piétonne.

Justine – Tu plaisantes pour Auchan ?

Léa – Un peu, oui. La rue du Midi, ça te va Ingrid ?

Ingrid – Mouais...

Léa – Alors c'est parti, on prend le bus.

J'avais oublié que marcher dans la rue avec Ingrid relève de l'héroïsme ou de l'inconscience. La longueur de sa jupe est inversement proportionnelle à la hauteur de ses talons et à la profondeur de son décolleté. Si on ajoute à cela des couleurs impossibles rose fuchsia ou jaune citron et son rire de fille totalement disponible, vous imaginez la difficulté de passer inaperçues.

Nous sommes quand même arrivées saines et sauves à l'arrêt du 26 et j'espérais qu'une fois assises on bénéficierait d'un temps de repos d'au moins vingt minutes.

J'étais optimiste...

Aussitôt montée dans le bus, Ingrid a entrepris de séduire le jeune chauffeur. Elle s'est penchée au-dessus de l'énorme volant en gloussant :

Ingrid – Il faut certainement être très très fort pour manier un engin aussi volumineux.

Je préfère penser que cette remarque ultra subtile ne sous-entend aucun second degré.

La surprise du type (façon loup de Tex Avery avec les yeux qui sortent des orbites et la langue qui se déroule jusqu'au sol), au moment où il a vu le décolleté vertigineux d'Ingrid, a failli être la cause d'un carambolage géant.

Heureusement, averti par nos cris, le garçon a pilé au ras du pare-chocs de la voiture qui le précédait.

Ingrid – On aurait dû vous prévenir, je fais toujours cet effet-là !

Léa m'a attrapée par le bras et m'a entraînée jusqu'à la place la plus éloignée de la peste.

J'ai maugréé :

Justine – Je te préviens, moi je ne fais pas les courses avec elle. Je ne tiendrai jamais deux heures comme ça.

Léa – Tu n'as jamais entendu parler de la trêve de Noël ? Les haches de guerre doivent être enterrées ce jour-là.

Justine – Oui, rien ne m'empêche de m'en servir la veille.

Léa – Tu sais que je te trouve inquiétante avec tes envies récurrentes de trucider la moitié des filles !

Justine – Seulement Ingrid.

Léa – Et toutes celles qui approchent à moins d'un kilomètre de Thibault ou de Jim. Au fait, duquel de ces deux garçons ne doit-on plus s'approcher ?

Justine – Je ne sais pas encore.

Léa – Ne prends pas cet air de poussin martyrisé, pour l'instant je te rappelle que c'est toi qui manipules tout le monde.

Justine – Je ne manipule personne, je n'arrive pas à faire un choix, c'est tout. Tu ne voudrais pas me tirer les cartes pour me prédire ce qui va se passer ?

Léa – Ah mais je n'ai pas besoin de mes tarots pour ça, je peux te le dire tout de suite.

Justine – Bon, alors c'est pas la peine, tu m'as déjà prévenue.

Une fois assurée d'avoir piégé sa proie, Ingrid nous a rejointes.

Ingrid – Excusez-moi les filles, Cédric voulait me garder près de lui et c'était délicat de le laisser tomber.

Justine – Oui, c'est sûr, vous vous connaissez depuis tellement longtemps.

Ingrid – Dans une histoire d'amour, le temps n'a aucune importance, c'est juste du papier peint sur lequel se déroulent les événements. Ce qui compte c'est l'intensité de la relation.

Mais d'où elle nous sort cette fausse phrase zen ?

Ingrid – Je ne sais plus qui a dit ça un jour ? Jennifer Aniston ou Demi Moore...

En tout cas, c'est une remarque digne d'une grande intellectuelle.

Ingrid – Vous voulez que je vous la répète ? Je l'ai apprise par cœur parce que je la trouvais super belle. Léa, toi qui es une littéraire, tu ne trouves pas que c'est une citation magnifique ?

Léa – Tu sais, en art, le beau n'a pas de réalité. Ce qui compte c'est d'être touchée.

Oh l'embrouilleuse ! Tout ça pour éviter de lui balancer que sa citation c'est de la philo sponsorisée par *Voici* !

Quoi qu'il en soit, la peste a répété avec beaucoup d'application son aphorisme à deux euros et Léa l'a félicitée chaleureusement pour sa diction.

Léa – Justine, appuie sur le bouton, on descend à la prochaine.

Ingrid – On est déjà arrivées, génial ! Je dis au revoir à Cédric et je vous rejoins.

Tandis qu'elle se dirigeait vers l'objet-de-son-amour-très-intense, Léa m'a chuchoté :

Léa – Avec un peu de chance, il ne voudra pas la lâcher et on aura la paix toute la matinée, voire plus si affinités.

Oh ! J'y crois pas ! C'est elle qui dit ça ? Si je m'étais permis d'exprimer une idée pareille, j'aurais eu droit à une leçon complète sur l'amour de sa prochaine le jour de la naissance du Christ.

Léa – Ça s'appelle la Nativité, le jour de la naissance de Jésus.

Ma meilleure amie m'a fait un clin d'œil trop mignon. Mais comment peut-elle deviner mes pensées ?

Justine – Sorcière, va !

Léa – Meilleure amie de sorcière !

Manque de chance pour nous, Cédric a poursuivi son chemin sans Ingrid. Elle nous a rattrapées en courant avec l'air de la fille hyperépanouie qui n'ose pas confier son bonheur à ses vieilles copines célibataires.

Enfin, qui attend au moins deux dixièmes de seconde avant de hurler :

Ingrid – Je bois un pot tout à l'heure avec Cédric. Il ne peut déjà plus se passer de moi.

No comment.

Léa – Je propose qu'on commence par le trottoir de droite. Ça vous va ?

J'ai mollement acquiescé tandis qu'Ingrid sautait de joie à l'idée de trouver LA robe rouge de ses rêves.

Léa – Qu'est-ce qui te manque, toi, Justine, comme cadeaux ?

Justine – Ceux de Thibault et de Jim, c'est tout. Et toi ?

Léa – Ceux pour Nicolas et Peter.

Je ne voudrais pas tirer de conclusions hâtives mais, comme par hasard, ce sont les cadeaux des garçons auxquels on tient le plus au monde.

Ingrid – Moi, j'ai déjà l'intégralité de mes gifts. Des merveilles !

Léa – Ah bon ?

Ingrid – Oui ! Et je les ai tous achetés au même endroit.

Léa – Formidable. Où se situe ta caverne d'Ali Baba ?

Ingrid – Vous voulez vraiment que je vous le dise ?

Léa – Ben oui...

Ingrid – Au Burkina Faso et au Mali.

N'importe quoi. Elle ne sait plus quoi inventer pour se faire remarquer.

Léa – Raconte-nous ça...

Ingrid – Dans ces pays, les hommes ont le droit de répudier leur femme sans aucun motif. Dans ces cas-là, l'épouse est renvoyée du village. Elle n'a strictement aucun droit et comme sa répudiation est une honte pour sa famille, elle ne peut pas retourner chez ses parents. Elle se retrouve totalement démunie.

Justine – Elles n'ont qu'à travailler ou trouver un autre mari.

Ingrid – C'est impossible, ces femmes ne sont jamais sorties de leur village, elles n'ont ni formation ni moyens financiers de s'assumer. En plus, aucun homme n'épouse une femme répudiée.

Léa – Qu'est-ce qui leur arrive alors ?

Ingrid – Elles sont condamnées à se laisser mourir de faim aux portes de leur village ou à se prostituer.

Justine – Mais c'est horrible !!!

Léa – Et quel rapport avec les cadeaux ?

Léa et moi étions suspendues aux lèvres d'Ingrid.

Ingrid – J'y viens. Une association de femmes françaises, « Le miroir de Vénus », a décidé de les aider en créant des centres d'accueil.

Justine – Génial...

Ingrid – Ce que j'ai trouvé vraiment bien, c'est qu'elles ne leur font pas la charité, elles leur redonnent leur dignité.

Attendez, vous êtes sûrs que c'est Ingrid qui parle là ? La même personne qui nous citait tout à l'heure Demi Moore comme si c'était du Victor Hugo ?

Léa – Et comment elles s'y prennent ?

Ingrid – Elles leur accordent le gîte et le tout vert en échange d'un travail.

Justine – Le gîte et le tout vert ?!

Ingrid – Ben oui, elles peuvent dormir et manger dans ce centre.

Justine – Ah le gîte et le couvert !

Ingrid – Oui, c'est ça.

Léa m'a regardée en fronçant les sourcils, l'air de dire : « Tu avais parfaitement compris et tu veux juste lui faire remarquer qu'elle s'est trompée. »

Je vous jure que non. Euh si... Bon d'accord, je m'excuse.

Léa – Et en quoi consiste exactement leur travail ?

Ingrid – À fabriquer des objets artisanalement : des jouets, des vêtements, des bijoux, de la vaisselle en bois, des petits objets de décoration.

Léa – Et qui les vend ?

Ingrid – L'association « Le miroir de Vénus » se charge de les exporter et de les vendre pour financer les centres.

Léa – Quelle idée géniale. Et comment tu as connu l'existence de cette association ?

Ingrid – J'ai lu un article dans *Elle* ou *Biba*, je ne sais plus. Après j'ai téléphoné et je suis tombée sur une fille super.

Léa – Pourquoi tu ne nous en as pas parlé plus tôt ?

Ingrid – J'avais peur que vous vous moquiez de moi.

Léa – Oh non, c'est vraiment une bonne idée ! Hein Justine ?

Justine – Ouais. J'aurais adoré acheter tous mes cadeaux de Noël là-bas. Mais peut-être qu'on peut encore y aller cette après-midi après l'aéroport ?

Ingrid – Non, les commandes se font sur Internet et il faut compter plusieurs jours pour la livraison. Mais si vous voulez, je vous donnerai l'adresse du site.

Léa – Avec plaisir. Et je vais en parler autour de moi. Voilà une façon intelligente de dépenser son argent. Au moins, dans ces conditions, les achats de Noël ont du sens.

Ingrid – C'est vrai, tu trouves ça bien ?

Léa – Oui... bravo Ingrid ! Tu m'impressionnes.

Justine – Oui, moi aussi ! Je me sens un peu nulle maintenant avec mes achats.

Ingrid – Il ne faut pas. Vous me gênez.

Léa – Tu n'oublieras pas de nous laisser l'adresse du site. Ingrid ? Ça va Ingrid ?

La voix tendue de Léa m'a sortie du rêve solidaire dans lequel l'histoire d'Ingrid m'avait plongée.

Léa – Ingrid, réponds-moi !

Ingrid

Justine et Léa, au cas où vous seriez intéressées par des achats sur mon site de commerce équitable mais pas convaincues à 150 %, je vous donne de nouvelles bonnes raisons de le faire. Grâce au commerce équitable,

On lutte pour

- Des opportunités favorables aux producteurs économiquement désavantagés.
- La transparence et la crédibilité.
- La qualité des produits.
- Le paiement d'un prix juste.
- L'égalité entre les sexes.
- De meilleures conditions de travail.
- De meilleures pratiques environnementales.

On lutte contre

- Le travail des enfants.
- Les multinationales.
- Les prix élevés.
- Les trop nombreux intermédiaires.

Aujourd'hui, 13h27 · J'aime · Commenter

Justine et **Léa** aiment ça.

Nicolas Mais on a transformé notre Ingrid en économiste mondialiste !

Aujourd'hui, 13h28 · J'aime

La bouche déformée par une expression de souffrance terrible, Ingrid se tenait légèrement penchée en avant, la main droite crispée sur le cœur.

Léa et moi, nous nous sommes précipitées vers elle pour lui porter secours.

Justine – Respire doucement, Ingrid, ça va passer.

Ingrid – Non, ça ne passera pas.

Léa – Mais si.

Ingrid – Je vous dis que non. Je le sais.

Léa – Tu vas t'asseoir sur le trottoir et je vais aller chercher de l'aide.

Ingrid – Non, c'est trop tard, je suis foutue.

Léa – Ne raconte pas de bêtises. On est avec toi et tout va s'arranger.

Justine – Tu sens une douleur dans la poitrine et le bras gauche ?

Comme mon grand-père est cardiaque, je connais les symptômes d'un infarctus, et bien qu'Ingrid soit trop jeune pour ce genre de pathologie, j'avais remarqué sa main se crispant sur son cœur.

Ingrid – Je sens surtout venir une catastrophe imminente.

Justine – Mais pourquoi tu dis ça ?

Et reprenant d'un seul coup son expression habituelle et une posture normale, elle m'a hurlé dans l'oreille :

Ingrid – Tu ne vois pas cet adorable petit short en cuir turquoise dans la vitrine ? Ça ne te suffit pas comme raison ?

Cette fois, c'est moi qui ai été obligée d'attraper Léa par le bras pour l'éloigner de la peste. J'ai même improvisé un repli stratégique au Mac Do pour un thé express.

Ma meilleure amie n'a retrouvé l'usage de la parole qu'après l'avoir bu entièrement.

Léa – J'ai eu vraiment peur.

Justine – Oui, je sais, moi aussi.

Léa – J'ai cru qu'elle avait quelque chose de grave.

Et imitant à merveille Ingrid, elle s'est tenu le cœur avec une grimace horrible.

Léa – Je crois que je suis foutue, je sens venir une catastrophe imminente...

Justine – Tu l'imites super bien !

Léa – Avec cette histoire d'association, je ne me suis pas méfiée. J'avais bien remarqué qu'on était face à une vitrine, mais l'heure était quand même à l'émotion.

Justine – Cette fille est étrange. Capable du meilleur comme du pire.

Léa – Ouais. En fait, les gens ne sont ni tout blancs ni tout noirs... La personne la plus généreuse est capable de mesquinerie et l'égoïste peut parfois donner sans compter. En tout cas, elle a été formidable pour ses cadeaux. Là-dessus, on ne lui arrive pas à la cheville. Allez, on retourne la chercher.

Ingrid était face à un grand miroir lorsque nous sommes entrées dans le magasin devant lequel on l'avait laissée. Affublée de son short turquoise en cuir et d'un micro tee-shirt de la même couleur, elle se regardait d'un air totalement satisfait. A priori, elle ne s'était pas rendu compte de notre disparition.

Une vendeuse lui répétait en boucle « Il vous va à merveille. Remarquez, vous avez exactement le corps qu'il faut pour porter ce genre de choses ».

Justine

Les copines, la presse féminine vient de m'éclairer ! Voici une définition qui devrait faire réfléchir certaines ! Mais vous pouvez compter sur moi, je ne citerai personne…

Serial acheteuse : Personne au comportement compulsif permanent ou épisodique d'achat, inutile ou utile d'objets, le plus souvent en plusieurs exemplaires. Ces épisodes de déséquilibre psychique, incontrôlés, sont comparés à des accès de boulimie.

Le plus souvent, le serial acheteur est une femme. Sa séance de shopping commence dans l'euphorie et la gaieté. Elle se termine dans la culpabilité et l'angoisse.

Les articles rapportés par la serial acheteuse finissent fréquemment au fond d'une armoire ou d'un tiroir, ils ne sont même pas portés… Les périodes de soldes et de promotions représentent des tentations irrépressibles !

Une thérapie est recommandée aux personnes qui souffrent de ce qui est considéré comme une véritable maladie.

Aujourd'hui, 13h27 · J'aime · Commenter

Jim et **Nicolas** aiment ça.

Ingrid Le prénom de la copine à laquelle tu penses ne commencerait pas par IN et ne finirait pas par GRID ? :)

Aujourd'hui, 13h29 · 2 personnes aiment ça

Au bout de cinq longues minutes d'auto-contemplation intensive, Ingrid s'est enfin aperçue de notre présence. Ça l'a réactivée d'un coup.

Elle a crié, comme Lindsay Lohan découvrant la nouvelle collection Chloé après une semaine entière passée en prison pour conduite en état d'ivresse :

Ingrid – C'est pas trop cute ?

Qu'est-ce qu'elle peut m'agacer avec son franglais de totale fashion victim.

Léa – Si ! Il te va à la perfection.

J'ai chuchoté à Léa :

Justine – N'en rajoute pas non plus.

Ingrid – Vous êtes d'accord avec moi, je suis condamnée à l'acheter malgré son prix totalement indécent ?

Pourquoi, ça coûte cher un truc pareil ? C'est tellement laid que j'avais totalement zappé l'idée qu'on pouvait donner de l'argent pour ça.

Ingrid nous a montré l'étiquette.

Quoi ? C'est une blague ?

La vendeuse a dû lire dans mon regard une désapprobation absolue. Alors elle s'est dépêchée d'intervenir afin de ne pas louper sa vente.

La vendeuse – Vous avez touché la peau ? On jurerait de la soie. C'est de l'agneau première fleur.

Si elle croit m'avoir convaincue en disant que c'est de l'agneau, elle se trompe. Elle aggrave son cas ! J'adore cet animal, il n'y a pas plus mignon ni plus pacifique. Alors être condamné à mort pour finir en short turquoise sur les fesses d'Ingrid, c'est d'une injustice totale.

La vendeuse – Vous ne regretterez pas votre achat. En hiver, vous le porterez avec un legging et des bottes, et en été évidemment sans rien en dessous.

La vendeuse a eu un petit rire qui se voulait coquin. J'ai tourné la tête vers Léa, consternée. J'espérais trouver un peu de réconfort auprès d'elle mais elle ne semblait plus du tout préoccupée par la situation. Elle regardait à la dérobée quelque chose dans son portefeuille.

Je me suis approchée doucement pour voir ce qui la fascinait à ce point. J'ai juste eu le temps d'apercevoir la photo de Peter.

C'est incroyable, elle pense encore à lui ! Ça ne lui a donc pas servi de leçon qu'il disparaisse sans donner aucune nouvelle depuis leur folle nuit à Londres ? Je n'arrive pas à comprendre comment elle peut lui pardonner. Il est clair qu'il ne l'aime pas et qu'il joue avec elle comme un chat avec une souris. Trop facile ! Il a saisi depuis longtemps que Léa a un vrai problème avec l'absence de son père et il s'amuse avec ça. Oh je rêverais qu'elle voie clair dans son jeu et qu'elle le quitte définitivement. Si je n'avais qu'un cadeau à demander à Noël, ce serait celui-ci.

J'étais en plein dans mes prières quand Ingrid a donné le signal de départ.

Ingrid – Bon les filles, vous faites quoi là à rêvasser ? Après, vous direz que c'est ma faute si vous n'avez pas acheté vos gifts. Ne fais pas cette tête, Justine, je plaisante.

En effet, c'est hilarant.

On est sorties du magasin. Léa nous a mécaniquement emboîté le pas. J'ai pris les choses en main.

Justine – Comme il nous reste quatre cadeaux de garçons à trouver et un peu moins d'une heure, je propose qu'on écume à la vitesse de la lumière le magasin de fringues pour hommes et la boutique de gadgets à côté. Ça te va Léa ?

Léa – Très bien.

Je suis certaine que si j'avais demandé à ma meilleure amie de répéter ma question, elle en aurait été incapable.

Ingrid – En ce qui me concerne, je n'ai plus rien à acheter, mais je vous accompagne. Les magasins de vêtements pour hommes sont des usines à mecs !!!

Je crains qu'Ingrid n'ait pas fini de nous pourrir la matinée.

Il y avait un monde fou dans la boutique de gadgets. Nous n'étions pas les seules à rechercher au dernier moment des petits cadeaux originaux et pas trop chers. Il faut avouer que le magasin regorgeait d'objets amusants : appuie-tête gonflable pour le bain, tongs avec semelles à picots pour un massage des pieds, lunettes de soleil avec mini-ventilateur sur les branches pour obtenir un rafraîchissement immédiat... Ça donnait envie de tout acheter !

Le rire hystérique d'Ingrid m'a interrompue alors que j'essayais un coussin massant pour le cou. Je me suis retournée pour voir ce qui était si drôle. La peste, entourée de deux inconnus, avait sorti d'une boîte un string en bonbons multicolores.

C'est sûr, c'est de très bon goût. Accompagné du caleçon avec préservatif dans une petite boîte en verre à casser en cas d'urgence, tu obtiens un cadeau de rêve !!!

Léa a esquissé un sourire poli devant les trésors d'Ingrid.

Léa – Tu as trouvé quelque chose pour les garçons, Justine ?

Justine – Non. Il n'y a rien qui me plaise vraiment.

Léa – Oui, c'est le problème avec les cadeaux de ce magasin. C'est drôle au moment où on ouvre le paquet. Et encore, je ne suis pas sûre d'être écroulée de rire si on m'offrait le string en bonbons.

Justine – Moi non plus. Qu'est-ce qu'on fait pour les cadeaux des garçons ?

Léa – On continue le combat !

Dans la mesure où Ingrid était très occupée à donner son phone number à une nouvelle conquête, on a avancé sans elle jusqu'à la boutique de vêtements pour hommes.

Léa – Je prendrais bien un tee-shirt noir à manches longues pour Nicolas.

Justine – Oui, c'est une bonne idée, ça lui plaira, j'en suis sûre.

Léa – Et toi, il y a quelque chose qui te tente ?

Justine – Le pull beige et marron, je le trouve beau.

Léa – Pour qui ?

Justine – Pour Thibault. Ça ira bien avec ses yeux et son treillis beige.

Léa – Parfait.

Justine – Remarque, il conviendrait parfaitement à Jim.

Léa – Tu ne vas pas leur acheter le même cadeau ?

Justine – Pourquoi pas ?

Léa – Justine !!!

Justine – Je ne vois pas où est le problème.

Léa – Vraiment ?

Justine – Bon alors, en beige et marron pour Thibault et en bleu marine pour Jim.

Léa a haussé les épaules et a affirmé avec l'air de la fille qui n'en peut plus de se battre :

Léa – Fais comme tu veux, c'est tes histoires. On se dépêche de payer, je veux passer à la librairie acheter le cadeau de Peter.

Justine – Mais tu vas le lui donner quand ? Tu n'as plus cours avec lui avant la rentrée.

En posant cette question, j'espérais que Léa réalise à quel point il se moquait d'elle et perde l'envie de lui offrir quoi que ce soit.

Léa – Oui, je sais que je ne le reverrai pas avant un certain temps mais je veux que son cadeau soit prêt au cas où il voudrait me voir pendant les vacances.

Tu parles, il est parti tranquillement en famille sans se soucier le moins du monde de ma meilleure amie.

Justine – Qu'est-ce qu'on fait alors ? Il nous reste à peine dix minutes pour rejoindre les garçons.

Léa – On y va ! Je sais quel livre je veux.

Mince ! J'aurais dû insister. Comme j'avais peur que ma déception soit visible, j'ai fait semblant de m'intéresser au choix de l'ouvrage.

Justine – Et qu'est-ce que tu vas lui offrir comme roman ?

Léa – C'est pas un roman, c'est du théâtre. Le premier tome des œuvres complètes de Jean-Luc Lagarce.

Justine – Un comique ?

Léa – Pas vraiment, non ! C'est un dramaturge mort du sida en 1995. Son œuvre est horriblement grinçante mais remarquable.

Justine – Et il va aimer, Peter ?

Léa – Il adore. Il a déjà mis en scène *Les règles du savoir-vivre dans la société moderne*, une pièce incroyable sur les règles absurdes qui régissent la vie en société.

Qu'il ne me garde surtout pas une place s'il lui vient l'idée de la monter une deuxième fois.

Léa – Tiens, voilà Ingrid.

Effectivement, la peste traversait la rue pour nous rejoindre au moment où on s'approchait de la caisse.

Justine – Il est impossible de la semer aujourd'hui.

Léa – Sois charitable, je te rappelle qu'elle travaille pour le bonheur de la planète.

Justine – D'accord mais tu oublies sa fausse crise cardiaque pour un short en agneau bleu Schtroumpf.

Contrairement à nous, Ingrid était ravie de nous retrouver. Elle n'avait rien acheté dans la boutique de gadgets mais elle a semblé très fière de nous annoncer qu'un inconnu lui avait offert le string en bonbons multicolores.

Léa – J'espère que tu ne lui as pas laissé ton numéro ?

Ingrid – Ben si, pourquoi ?

Léa – Parce que, à moins qu'il ne mange pas de sucre, je crains que ton généreux inconnu ait une idée derrière la tête.

Ingrid – Tu crois ?

Léa n'a pas cherché à convaincre Ingrid de sa très grande naïveté, elle a filé au pas de charge vers la librairie.

Mon portable a sonné tandis que j'essayais de la rattraper.

Justine – Allô ?

Nicolas – C'est Nico...

Justine – Coucou...

Nicolas – Putain, vous êtes où ?

Ce qu'il y a de chouette chez mon cousin, c'est son sens inné de la cordialité et du savoir-vivre. Vous noterez que, lorsqu'il téléphone, il n'oublie jamais de vous demander gentiment de vos nouvelles.

Justine – On est rue du Midi, on arrive dans cinq minutes.

Et avant même qu'il hurle à l'annonce de notre petit retard, j'ai ajouté d'un ton agacé :

Justine – Il n'est pas encore midi et demi alors ça va, t'excite pas. C'est incroyable ce que tu es capable de faire des histoires pour rien.

J'ai remarqué une chose dans la vie c'est que, quand tu es dans ton tort, mieux vaut attaquer le premier. Ça ne laisse pas à l'autre le temps de t'adresser des reproches mérités. Oui, d'accord, ce n'est pas très honnête intellectuellement, mais ça fonctionne à merveille.

Nicolas – Si vous n'êtes pas là dans cinq minutes, on se casse. Je vous rappelle que Thibault prend un avion dans pas longtemps et qu'on a autre chose à foutre qu'attendre trois meufs qui se baladent.

Et il a raccroché.

Ingrid – C'était qui ?

Justine – Nicolas. Si on ne se presse pas, ils partent sans nous à l'aéroport.

Léa a crié tout en continuant à avancer au pas de cavalerie :

Léa – Rejoignez-les, j'arrive dès que j'ai trouvé mon bouquin.

Ingrid – Ne vous inquiétez pas, je vais les retenir, ces trois agités. J'ai un moyen infaillible de rendre les garçons sages.

Et elle nous a quittées après nous avoir gratifiées d'un « Kiss darlings, see you later ».

La librairie était pleine à craquer et j'étais prête à annoncer à Léa que je l'abandonnais à ses achats pour rejoindre mon prince. Après tout, il n'y avait aucune raison que je loupe mes derniers instants avec Thibault pour cautionner l'achat d'un livre qui resterait deux semaines dans une armoire.

Au moment précis où j'ouvrais la bouche pour le lui dire, une main s'est posée sur l'épaule de ma meilleure amie. Je me suis retournée pour voir à qui appartenaient ces doigts fins qui remontaient le long de la nuque de Léa.

Et là, le choc...

Peter, souriant de toutes ses dents.

Durant quelques secondes, je me suis demandé si ce n'était pas juste un hologramme créé par la pensée de Léa, une sorte de projection de son désir de le voir. Mais j'ai dû me rendre très vite à la réalité. C'était Peter qui souriait, en chair et en os. Enfin en noir et en queue de cheval.

Peter – Bonjour Léa...

Léa – Bonjour Peter...

Et ils sont restés à se fixer, les yeux dans les yeux, en silence.

Malgré le bruit et l'agitation, le monde semblait avoir disparu. Il n'existait plus que cette tension très forte qui les reliait et excluait le reste. Je suis certaine que si on avait glissé une feuille de papier entre eux, elle se serait immédiatement enflammée.

J'aurais voulu m'éloigner un peu pour les laisser à leur passion, mais j'étais comme fascinée par l'intensité de leur relation.

Ensuite, tout s'est passé très vite. Peter s'est penché vers Léa, il l'a embrassée avec une fougue que je n'imaginais pas possible et il lui a tendu un sac. Ma meilleure amie l'a pris en tremblant et l'a serré contre son cœur sans regarder ce qu'il y avait dedans. Ils sont demeurés encore un long moment à se dévorer du regard. Puis Peter a fait volte-face et s'est enfui sans un mot.

J'ai ressenti une douleur très forte au niveau de l'estomac.

Léa n'a pas bougé. Elle s'est contentée de fermer les yeux. Elle était livide, comme si l'homme en noir l'avait vidée de son énergie vitale. J'aurais voulu l'aider, mais je n'ai pas osé l'approcher. La scène à laquelle je venais d'assister me l'interdisait.

Je ne sais pas combien de temps nous sommes restées perdues au milieu de nulle part.

La sonnerie de mon portable nous a brutalement ramenées à la réalité. J'ai décroché.

– Putain, vous êtes où ? Ça fait une plombe qu'on vous attend à la caisse !

J'ai raccroché sans répondre.

Léa a ouvert le sac de Peter.

Jean-Luc Lagarce, *Théâtre complet*, tome I.

Le livre qu'elle s'apprêtait à lui offrir.

Sans se concerter, ils avaient choisi le même cadeau, dans la même librairie, le même jour, à la même heure.

Noël au grenier

La mère – Justine, tu as sorti les avocats du frigo ?

Justine – Oui maman.

La mère – Et le pain de mie, tu l'as coupé en triangles ?

Justine – OUI MAMAN.

La mère – Mais pourquoi tu me réponds sur ce ton ?

Malgré ma décision d'être serviable aujourd'hui, je commence à partager le point de vue de Léa sur les fêtes de Noël : c'est une vraie prise de tête ! Depuis le matin, ma mère ne cessait de me harceler. La perspective de recevoir toute la famille pour le réveillon la stressait à mort. Elle tenait à ce que tout soit parfait et elle se mettait une pression dingue.

Rectification : elle NOUS mettait une pression dingue. Même Théo qui, habituellement, adore les missions du type « nouer des rubans au pied des verres » ou « écrire le menu sur un petit parchemin pour chaque convive » commençait à rechigner.

Mon père, lui, avait trouvé LA solution. Après une matinée d'esclavage à passer l'aspirateur et à nettoyer les portes de l'appart, il s'était inventé une urgence au boulot. Un problème de client qui ne souffrait pas le moindre retard et qui ne lui prendrait pas longtemps. Il était parti à treize heures et, bien que l'après-midi tire à sa fin, on ne l'avait toujours pas revu.

La mère – Justine, ajoute une bouteille de champagne au frais, j'ai peur qu'il n'y en ait pas assez.

Justine – Tu m'as déjà dit ça il y a vingt minutes.

La mère – Ah bon ?

Justine – Et tu m'as aussi demandé d'ouvrir, en plus de tous les amuse-gueules déjà sur la table, deux boîtes de tarama, une boîte de guacamole et deux bocaux d'olives fourrées aux amandes.

Je pensais naïvement que cette liste débitée d'un ton monocorde la ramènerait à la raison, qu'elle allait s'excuser de cette surenchère de victuailles qui faisaient injure à l'alimentation bio.

Pas du tout...

La mère – Très bien. Ajoute un sachet de pistaches, une poignée de raisins de Corinthe et un sachet de noix de cajou.

Bon, je vais écouter un peu de musique sur mon lit parce que je n'ai pas envie qu'elle me rende folle.

Après avoir mis les écouteurs de mon iPod à fond pour ne plus entendre le moindre son provenant de la cuisine, j'ai fermé les yeux et je me suis laissé bercer par la voix de James Blunt me susurrant son amour. En période de crise, c'est une des rares choses qui me donnent envie de croire sans réserve au genre humain.

Mais qui dit écouter James Blunt, dit penser à l'amour. L'image de Thibault passant la douane hier et tournant la tête pour m'envoyer un dernier baiser s'est projetée en écran géant sur le mur de ma chambre. Oh il est trop beau...

Allez, je me refais le film de toute la journée d'hier.

Euh non... Pas tout. Si ça ne dérange personne, je zappe Ingrid et ses cadeaux équitables, Ingrid et le short turquoise, Ingrid et le string en bonbons. Bref... je zappe Ingrid !

Je préfère me souvenir de la rencontre de Léa et Peter à la librairie.

Je ne m'en étais toujours pas remise. Jamais je n'aurais imaginé qu'il existe une telle passion entre eux. Pour moi, il était évident que Peter était un sale type se jouant de la naïveté d'une fille hyper sensible. Mais depuis que j'avais été témoin de leurs regards de feu, j'avais changé d'avis. Il y avait entre eux quelque chose de singulier qui ne ressemblait à rien de ce que je connaissais. Et peut-être tant mieux, car je ne sais pas si je serais capable de vivre une histoire d'amour aussi brûlante que la leur.

En tout cas, je n'arrivais pas à oublier la pâleur de Léa perdue au milieu du magasin après le départ de Peter. Ses larmes noires lui avaient peint des barreaux sur le visage, mais même à ce moment-là, je n'avais pas réussi à m'approcher d'elle pour la consoler. J'étais comme pétrifiée.

C'était elle qui, percevant mon désarroi, m'avait dit en souriant :

Léa – Tout va bien Justine, respire.

Non, ça n'allait vraiment pas pour elle, pourtant je l'avais suivie en silence quand elle avait ajouté :

Léa – Il faut qu'on se dépêche si on ne veut pas se faire tuer par les garçons.

L'accueil en fanfare que nous avait réservé Nicolas avait clos le chapitre émotions.

Nicolas – Putain, mais vous nous prenez vraiment pour des cons. Si Thibault n'avait pas insisté pour vous attendre, je me serais tiré depuis longtemps ! Entre mon père qui veut que je sois chez sa pouf à cinq heures pile pour les aider à préparer le repas et vous qui arrivez quand ça vous chante, c'est l'enfer.

Léa – Désolée. C'est ma faute.

Nicolas – Trop facile de s'excuser maintenant.

Thibault – Ça va Nicolas, le plus important c'est qu'elles soient là... Mais il faut y aller maintenant, sinon je vais rater mon avion.

Nicolas – Eh ben, si tu les aimes tellement, monte à l'arrière avec elles. Moi, je ne reste pas collé à trois pauvres meufs qui ne savent pas lire l'heure.

Devant un tel déferlement d'agressivité, on s'est assises dans la voiture sans un mot. Même Ingrid n'a pas pipé. Elle a juste chuchoté, l'air au bout du rouleau :

Ingrid – J'en ai vraiment marre d'être le bouc et misère.

BÊÊÊÊ

Étymologie – Bouc émissaire

La locution « bouc émissaire » se réfère à la cérémonie juive de l'Expiation au cours de laquelle un bouc, symboliquement chargé de toutes les fautes et de tous les malheurs d'Israël, est chassé dans le désert vers Azazel – un démon sauvage – afin de détourner du peuple la malédiction divine.

Plus largement, un bouc émissaire est une personne ou un groupe minoritaire auquel un autre groupe ou un autre peuple attribue injustement tous les malheurs et les fautes.

Cette expression est fréquemment utilisée depuis le XVIIe siècle.

Enfin un peu d'humour dans ce monde de brutes !

Ah non, c'est pas de l'humour, c'est une nouvelle création d'Ingrid pour son futur ouvrage *La princesse des proverbes tordus.*

Jim a démarré dans cette ambiance épouvantable et, durant quelques kilomètres, on n'a entendu que le bruit du moteur. C'est Thibault qui a rompu la glace.

Thibault – Je vous rappelle que je pars pour quatre jours et que j'ai déjà suffisamment le cafard. Un peu de chaleur humaine me ferait le plus grand bien.

Oh le pauvre... Dire que je suis assise à côté de lui depuis près de dix minutes et que je ne lui ai manifesté aucun signe d'affection. Mais qu'est-ce qui m'arrive ?

Je l'ai embrassé tout doucement dans le cou. Il m'a passé la main autour de l'épaule pour me coller un peu plus à lui.

Oh il sent trop bon. J'ai pas envie qu'il parte.

J'ai croisé le regard noir de Jim dans le rétro.

J'ai tenté de me désencastrer de Thibault mais impossible, il me serrait sans la moindre intention de me lâcher.

Je me demande comment font les femmes qui ont une double vie pour gérer mari et amant sans commettre d'impair. Dans les films, elles donnent toujours l'impression d'être plus libres que les autres parce qu'elles agissent comme bon leur semble mais je suis sûre que, dans la réalité, ça doit être un vrai casse-tête de caser deux relations dans un même emploi du temps. Ça signifie multiplier par deux les coups de téléphone, les explications sur les retards, les disputes, j'en passe et des pires.

Oui mais d'un autre côté, ça veut dire aussi multiplier par deux les rendez-vous charmants, les baisers au clair de lune et les petits cadeaux.

Jim a freiné d'un coup. On a tous été projetés en avant.

Nicolas – Pourquoi t'as freiné comme ça ? T'es malade ou quoi ?

Jim – Il y avait un truc sur la route.

Nicolas – Mais non, il n'y avait rien.

J'ai de nouveau croisé le regard de Jim dans le rétro. C'était celui d'un menteur. Il n'y a plus aucun doute : une double vie, c'est très compliqué !

Ingrid a poussé un cri strident.

Nicolas – Qu'est-ce qu'il y a ?

Ingrid – Oh non ! Je me suis cassé un ongle en m'accrochant à l'appuie-tête.

Nicolas – C'est mieux que de te casser la tête en t'accrochant à l'appuie-ongle.

Ingrid – Ça ne veut rien dire.

Nicolas – Non mais on s'en tape.

On a tous éclaté de rire.

Pourtant si quelqu'un avait pu lire dans l'esprit de chacun d'entre nous, il aurait vu que Léa pensait au départ de son bel amant brûlant, Jim à notre histoire d'amour en stand-by, Nicolas à son réveillon avec sa belle-mère, Ingrid à sa peur de ne pas séduire si elle n'est pas parfaite jusqu'au bout des ongles, Thibault à son départ forcé pour Beyrouth, et moi à mes sentiments confus.

Quand les adultes affirment que dix-sept ans est un âge merveilleux, c'est soit qu'ils n'ont pas de mémoire, soit qu'ils mentent effrontément !

Quand Rimbaud écrit : « On n'est pas sérieux quand on a dix-sept ans », il professe exactement le contraire de ce qu'il pense. À cet âge, il avait fugué de chez sa mère et rencontré la mort sous les traits d'un jeune soldat dans la forêt des Ardennes. Plus jamais il n'avait pu être insouciant.

Rimbaud

Homme de lettres

EN QUELQUES *CHIFFRES...*

- **Quand est-il né ?** Le 20 octobre 1854.
- **À quel âge rêve-t-il de publier ses poèmes déjà écrits ?** À 11 ans.
- **À quel âge fait-il sa première fugue ?** À 16 ans.
- **En quelle année remporte-t-il son premier succès littéraire ?** En 1871 pour *Le Bateau Ivre*, il a 17 ans.
- **En quelle année s'installe-t-il avec Paul Verlaine, son grand amour ?** En 1873, il a 19 ans.
- **En quelle année cesse-t-il d'écrire et commence-t-il à faire des petits boulots ?** À partir de 1874.
- **Quand meurt-il ?** En 1891, il a 37 ans.

Sortir de l'enfance est une épreuve super difficile, il faudrait être adulte pour la surmonter sans aucune séquelle.

Après l'enregistrement des bagages de Thibault, Léa m'a accompagnée pour une razzia de fraises Tagada et de Car en Sac dans une boutique de l'aéroport. Les garçons sont partis se ravitailler en sandwichs rillettes. Ingrid n'a pas pu s'empêcher de nous faire remarquer à tous :

Ingrid – Vous vous alimentez n'importe comment.

Nicolas – C'est mieux que de ne pas s'alimenter du tout.

Jim – Ah non, vous n'allez pas recommencer vous deux ! Il nous reste à peine une heure et demie ensemble, on pourrait la passer tranquilles.

Nicolas – Attends, elle me cherche là.

Jim – Elle ne te cherche pas, elle donne son point de vue sur notre alimentation, elle a le droit.

Décidément Nicolas était de bien mauvaise humeur aujourd'hui. Enfin, disons plus que d'habitude !

Thibault – Vous voulez que je vous raconte mon super réveillon de Noël pour vous distraire ?

Nicolas – Il peut pas être plus galère que le mien.

Thibault – Ah oui, tu crois ?

Nicolas – Attends, de quoi tu te plains ? Tu vas te retrouver dans une baraque géniale, au soleil. Dans la mesure où dans une ambassade, il y a du personnel de maison, personne ne te fera chier pour faire les courses ou mettre la table. Et comme tes parents ne t'ont pas vu depuis le mois d'août et que tu es leur fils unique, tu seras la star du jour.

Thibault – Tu regardes trop la télé. Il n'y a que dans les séries que ça se passe aussi bien.

Léa – Tu appréhendes donc tellement de te retrouver là-bas ?

Thibault – Disons que c'est un passage obligé et que je serre les dents en attendant mon retour à la maison bleue.

Justine – Mais tu n'es pas heureux de retrouver tes parents ?

Thibault – Les retrouver ? je ne sais pas si c'est le mot qui convient. Je vais les revoir, oui... Les retrouver, c'est différent.

Justine – Mais tu seras quand même heureux quand tu les verras à l'aéroport tout à l'heure ?

Thibault – Ils n'y seront pas. Ils n'y ont jamais été... Mais pas d'inquiétude, je n'aurai pas à trouver un taxi. Mon père aura pensé à m'envoyer son chauffeur avec un message de bienvenue. Je suis son fils tout de même !

Les yeux de Thibault se sont assombris d'un seul coup lorsqu'il a prononcé cette phrase. J'ai été submergée par une bouffée d'amour pour lui.

Ingrid – Waouh un chauffeur, trop top !

J'ai massacré Ingrid du regard.

Ingrid – Quoi ? Qu'est-ce que j'ai dit encore ?

Thibault – Rien de grave. Tu as raison, c'est formidable d'avoir un chauffeur à disposition.

Ingrid – Ah ! Tu vois Justine, Thibault est tout à fait d'accord avec moi.

Je ne me suis pas donné la peine d'expliquer à Ingrid que le chauffeur, c'est bien si les parents sont assis à l'arrière. Pas quand c'est fromage OU dessert.

Nicolas – Mais ils vont quand même t'attendre à l'ambassade, non ?

Thibault – Oui. Enfin ils ne seront pas là quand j'arriverai. Mon père sera en rendez-vous.

Léa – Et ta mère ?

Thibault – Ses activités l'empêcheront d'être disponible et visible avant l'heure du dîner.

Léa – Ta mère travaille ? Je ne savais pas.

Thibault – Elle travaille dur. Massage, coiffeur, choix du menu avec le chef cuisinier, essayage de robes, rédaction de cartons d'invitation ou de remerciements...

Ingrid – La vie de rêve ! Comment on fait pour épouser un ambassadeur ?

Oh oui, faites qu'elle se trouve sans tarder un ambassadeur et qu'il soit envoyé en mission au fin fond des provinces les plus reculées de la Chine.

L'heure de l'embarquement est arrivée. Thibault a empoigné son Eastpak bleu ciel et a dit d'un air enjoué :

Thibault – Je vous raconterai la suite plus tard. Allez, à mercredi ! Je vous rapporterai des loukoums.

Il s'est penché vers moi et m'a embrassée tout doucement sur les lèvres puis il m'a murmuré à l'oreille :

Thibault – Joyeux Noël ma Justine, tu ne peux pas savoir à quel point tu vas me manquer.

Je l'ai vu passer la douane et se retourner pour m'envoyer un dernier baiser. Je n'ai réussi à lui répondre « toi aussi » qu'une fois qu'il avait disparu.

Et ce soir, plus de vingt-quatre heures après son départ, je m'en voulais de ne pas avoir réussi à lui témoigner mes sentiments.

Alors que je me repassais la scène du baiser en boucle, la porte de ma chambre s'est ouverte avec fracas. Mon père est apparu, très agacé.

J'ai enlevé les écouteurs de mon iPod pour avoir l'image et... le son.

Le père – Enfin Justine, tu n'entends pas que ta mère t'appelle depuis dix minutes ?

Justine – Désolée, j'écoutais de la musique. Alors ça y est, tu es rentré ?

Le père – Euh... Oui. Ça a été plus compliqué que prévu au boulot.

Ben voyons...

Le père – Ta mère veut changer de nappe donc il faut débarrasser la table. Tu vas t'en occuper avec Théo pendant que je change les canapés de place.

Justine – Mais ils sont très bien où ils sont, les canapés !

Le père – Ordre de ta mère !!! Et vu son état, je n'ai pas l'intention de discuter.

Justine – Bon, ben j'arrive.

Je préfère faire l'impasse sur l'heure qui a suivi. Si quelqu'un avait inventé l'énervomètre, on aurait été dans la zone rouge.

Le ding dong des premiers invités a calmé l'hystérie générale. Comme ma mère veut donner à tout prix l'impression d'une maison sereine lorsqu'elle reçoit, elle se métamorphose en maîtresse du zen dès que la soirée commence. À la folie des préparations succède le calme de la réception. Parfum d'ambiance, lumières tamisées et voix d'hôtesse d'aéroport.

Mes grands-parents paternels ont entonné avec joie un « I wish you a merry Christmas » sur le pas de la porte. Théo et moi, on leur a sauté au cou. On était tellement contents de les voir !

Après les bisous réglementaires et la formule quasi légendaire de mon grand-père (« Tu deviens une vraie jeune fille, Justine, il va bientôt falloir te marier. »), j'ai eu droit au lot de questions habituelles sur mon bulletin du premier trimestre et sur les études que je voulais faire l'année prochaine.

Dans la mesure où mes résultats en physique et en SVT étaient excellents, ils ont décidé d'un commun accord que je devais faire médecine.

Le papi – Choisis gériatrie, comme ça tu t'occuperas de ton grand-père !

La grand-mère – À voir comme tu retombes en enfance, Robert, elle devrait plutôt s'orienter vers la pédiatrie.

L'arrivée de ma tante Françoise suivie de près par tonton Fred, sa femme et leurs trois petits a stoppé net la discussion sur mon avenir professionnel. Le salon a pris soudain l'allure d'une rue de Naples, un dimanche à l'heure de l'apéritif. Ça a donné à peu près le dialogue suivant :

La mère – Chéri, passe les olives à ta mère, elle est en train de se tordre le dos pour essayer de les attraper.

La tante Françoise – Vous avez changé les doubles rideaux du salon ?

L'oncle Fred – Mais pourquoi tu ne m'as pas demandé la voiture ?

La grand-mère – Parce que j'ajoute toujours de l'huile d'olive au dernier moment.

Le genre de situation que tu ne supportes que si tu aimes vraiment ta famille et que tu as une boîte d'aspirine sur toi.

J'ai tenté un repli stratégique dans ma chambre mais, à l'instant où j'atteignais en toute discrétion la porte du salon, ma mère m'a demandé :

La mère – Justine, tu veux bien dire aux enfants de venir à table, nous allons commencer le repas.

Mais je suis quoi, moi ? La baby-sitter de service ? Et puis quoi encore ?

La mère – Et en revenant, prends le beurre salé pour accompagner les huîtres.

Serveuse... Je suis serveuse aussi !

Théo l'insoumis n'a pas voulu venir dîner lorsque je suis allée le chercher. Il a exprimé haut et fort ce que je pensais tout bas :

Théo – D'abord c'est pas bon ce qu'on mange ce soir et en plus il va falloir rester assis à écouter les grands. On a volé des chips, des mini-saucisses, du Coca et des bananes dans la cuisine, alors on reste là.

Mes cousins les trois Schtroumpfs ont répété :

Les trois Schtroumpfs – Ouais, on reste là.

J'ai été tentée de leur proposer : « Génial comme plan, je peux rester avec vous ? » mais je me suis rappelé que j'avais dix-sept ans. J'ai donc pris l'air sévère de la sœur aînée qui se la joue et j'ai ordonné :

Justine – Théo, je te rappelle que maman exige qu'on dîne en famille le soir de Noël, alors tu viens immédiatement.

Théo – Même pas en rêve, j'obéis.

Et s'approchant de moi, il m'a chuchoté à l'oreille :

Théo – Dis à maman que si elle m'oblige à venir, je ferai des révélations sur l'existence douteuse du père Noël à mes cousins. Tata Isabelle ne s'en remettra jamais.

J'ai regagné illico le salon pour transmettre le message du terroriste à ma mère. Elle n'a pas moufté et a cédé à ses exigences avec la plus grande diplomatie.

La mère – Les petits veulent dîner dans la chambre, ils nous rejoindront pour le dessert. Ils seront mieux là-bas à jouer qu'à chouiner ici. Tu es d'accord Isabelle ?

La tante Isabelle – Oui, après tout Noël c'est la fête des enfants. On ne va pas leur imposer un long repas assis.

J'y crois pas ! Si moi, à leur âge, j'avais demandé ça, on me l'aurait refusé mais le gnome terroriste, lui, a toujours droit à tout !

Le dîner a enfin commencé. J'ai à nouveau joué la serveuse.

Quand les adultes disent que Noël est la fête des enfants, ils mentent. Le mythe du père Noël qui apporte les cadeaux à minuit est un piège pour nous obliger à rester assis, coincés en famille.

Alors que nous attaquions avec de moins en moins d'appétit la fameuse dinde aux marrons, ma tante Françoise s'est levée pour porter un toast.

La tante Françoise – J'ai une grande nouvelle à vous annoncer.

Yes, elle se marie ! Je vais enfin être demoiselle d'honneur. J'aurais préféré l'être il y a dix ans parce qu'à mon âge, ça fait tarte, mais j'aime assez ma tante pour supporter le ridicule.

Mamie s'est étranglée dans un théâtral « Oh mon Dieu, merci ».

Mon père, plus pragmatique, a exigé des informations.

Le père – Eh bien Françoise, qui est l'heureux élu ?

La tante Françoise – Quel heureux élu ?

Le père – Ton futur mari, quoi !

La tante Françoise – Ah mais non, je ne me marie pas !

Il y a eu un blanc affreux. Même pas un blanc, un transparent, un vide intersidéral.

L'oncle Fred – Qu'est-ce que tu voulais nous annoncer alors ?

La tante Françoise – Je voulais vous dire que je vais avoir un bébé.

J'ai applaudi de toutes mes forces. Ça, c'est une super nouvelle. À trente-huit ans bientôt trente-neuf, tata Françoise a mieux à faire que de se balader en robe meringue chantilly au bras d'un type déguisé en pingouin. Un bébé, c'est formidable !

Mon enthousiasme n'a pas semblé être partagé par ma grand-mère qui a demandé d'un air soupçonneux :

La grand-mère – Et où est le père ce soir ?

Aïe, j'y avais pas pensé. Si Françoise aime un homme au point de faire un bébé avec lui, comment se fait-il qu'il ne soit pas avec nous en cette sainte veillée de Noël ?

Avec ma tante, on peut s'attendre à tout. À un militant anti OGM en prison pour avoir dynamité le toboggan d'un Mac Do, à un peintre génial en cure de désintoxication aux fraises Tagada, à un prince arabe priant pour le salut de ses soixante-douze épouses.

Non, non, je ne délire pas, je m'appuie sur des épisodes réels de la vie de ma tante.

La tante Françoise – Il est en famille ce soir.

La grand-mère – Chez ses parents ?

La tante Françoise – Non, dans sa belle-famille.

Ma grand-mère a frôlé l'étouffement pour la seconde fois en moins de deux minutes. Elle a prononcé dans un râle :

La grand-mère – Il est marié ?

La tante Françoise – Non.

La grand-mère – Il vit en couple sans être marié ?

La tante Françoise – Oui, c'est cela, ils vivent en couple sans être mariés et ils ont des enfants.

Cette fois, c'est ma tante Isabelle qui a eu une syncope. Je ne suis pas censée le savoir mais, il y a deux ans, mon oncle Fred a eu une aventure extraconjugale. Une histoire qui n'a pas duré très longtemps mais suffisamment pour qu'Isabelle le menace de le quitter en gardant l'appartement, la maison de campagne, la voiture et les trois enfants.

Alors évidemment, que Françoise ait un enfant avec un père de famille a réveillé des blessures anciennes.

La tante Isabelle – C'est ignoble d'être enceinte d'un homme qui n'est même pas le tien.

La tante Françoise – Je t'en prie, mesure tes paroles. Je ne m'attendais pas à ce que tu me félicites, mais de là à passer aux insultes !

Mon père a tenté de sauver la situation :

Le père – Je lève mon verre à notre futur neveu ou à notre future nièce !

Mais ma tante n'avait pas l'intention de se laisser traiter de voleuse de mari sans rien dire.

La tante Françoise – Je ne vole personne à personne. Il n'a jamais été question de vie commune avec le père de cet enfant. Et puis je n'ai pas été la seule à le désirer. Pour le faire, il faut être deux.

La tante Isabelle – Et tu t'es demandé ce qu'elle en pensait, elle ?

C'est drôle, on était nombreux à table mais la discussion se déroulait uniquement entre mes deux tantes.

La tante Françoise – Qui, elle ?

La tante Isabelle – Ne joue pas les imbéciles ! Comme toutes les filles qui ont une relation avec un homme marié, tu nies l'existence de l'autre femme. Pourtant, j'existe... euh... Elle existe.

Le lapsus n'a échappé à personne mais le rire de ma tante Françoise a coupé court à toute remarque.

La tante Isabelle – Je peux savoir ce qui te fait rire ?

La tante Françoise – Il n'y a pas d'autre femme.

La tante Isabelle – Ah oui, il vit en couple avec des enfants mais tout seul !

La tante Françoise – Non, avec Tanguy.

Durant quelques dixièmes de seconde, mon cerveau, habitué à traiter les événements « normés », a enregistré l'information suivante : le nouveau copain de tata s'appelle Tanguy. Mais rapidement il a rétabli l'exactitude des informations fournies par ma tante : mon nouveau tonton vit avec Tanguy.

Mayday... Mayday... Famille en danger... Menace d'explosion !

La grand-mère – Qui vit avec Tanguy ?

Ma grand-mère était-elle moins rapide que moi ou essayait-elle désespérément d'échapper à une vérité qui lui était insupportable ?

La tante Françoise – Pascal, le père de mon enfant, vit avec Tanguy.

Le papi – C'est impossible. Pour faire un enfant, il faut un homme et une femme. Même avec toute votre modernité, vous n'y changerez rien. Alors qui est le père ?

Je crains que papi n'ait pas tout compris à la situation. Tata Françoise va être obligée de lui expliquer.

La tante Françoise – Mais tu le fais exprès ou quoi, papa ? Pascal est le père de ton futur petit-fils ou de ta future petite-fille.

Le papi – Et Tanguy, qui est-ce alors ?

La tante Françoise – C'est le compagnon de Pascal.

Le papi – Mais comment ont-ils fait pour avoir deux enfants ensemble ?

Ah oui, c'est pas idiot comme question. Comme quoi mon grand-père a l'esprit très pratique.

La tante Françoise – Tanguy les a eus avec une copine qui vit avec une autre femme.

Là, mon père a dû sentir qu'à soixante-quatorze ans, le soir de Noël, mes grands-parents n'allaient pas réussir à gérer toutes ces informations. Il est intervenu :

Le père – Bien, tous ces petits arrangements entre adultes ne nous concernent pas. Il n'y a qu'une chose à retenir ce soir, c'est que Françoise va avoir un enfant et c'est une sacrée nouvelle.

Mais mamie s'est mise à hurler :

La grand-mère – C'est impossible ! C'est impossible ! Qu'est-ce que j'ai fait au ciel pour mériter ça ?

La tante Françoise – Quoi ÇA ? Une petite-fille ou un petit-fils en bonne santé ? Mais est-ce qu'un jour je finirai enfin par trouver grâce à tes yeux ? Tu es vraiment une mère odieuse. Je ne te supporte plus.

Le père – Allons, Françoise, tu ne peux pas dire ça.

Ma tante Isabelle qu'on n'avait plus entendue depuis son couplet sur les amours adultères a voulu ajouter son grain de sel.

La tante Isabelle – Calmez-vous. C'est Noël, tout de même !

Elle n'aurait pas dû. Après tout, elle était un peu responsable du tour qu'avait pris la discussion.

La tante Françoise – Toi la sainte nitouche, on ne t'a rien demandé. Tu ne te mêles pas de nos histoires. Je dis ce que je veux à ma mère. Occupe-toi de ton mari plutôt !

Cette allusion à peine voilée aux activités extraconjugales de mon oncle a déclenché les larmes d'Isabelle.

Théo et les Schtroumpfs, alertés par le bruit, ont choisi ce moment précis pour débarquer.

Théo – Il se passe quoi ici ?

La présence des enfants a stoppé immédiatement le charivari. Comme quoi les adultes ont besoin qu'on leur pose des limites.

La mère – Rien, Théo, on discutait.

Mon petit frère a regardé ma tante Isabelle qui essuyait discrètement les dernières larmes qui lui coulaient sur les joues.

Théo – Elle ne devait pas être gaie votre discussion.

La mère – Agitée, certes, mais très gaie. Tellement drôle que tata Isabelle en a pleuré de rire.

C'est dingue. Non seulement les adultes mentent quand ça les arrange, mais en plus ils prennent les enfants pour des crétins.

La mère – Justine, tu veux bien emmener les enfants dans la cuisine et leur donner une énorme part de gâteau au chocolat ?

Et comme si ça ne suffisait pas, ils achètent leur silence avec du sucre.

Inutile de vous dire que j'ai obtempéré avec joie aux ordres de ma mère. Tout, plutôt que rester dans ce salon où la Troisième Guerre mondiale menaçait d'éclater.

Des mots nouveaux pour parfaire un style !
Quelques néologismes de Rimbaud

1. Dans *Le cœur nacré.*
2. Lettre, surnom donné à sa mère et forgé à partir de « daronne ».
3. *Roman.*
4. *Les poètes de sept ans.*

De retour dans la chambre de Théo, j'ai appelé Léa pour savoir où elle en était de son réveillon en famille.

Léa – Un enfer. Tu ne sais pas la chance que tu as d'avoir une famille normale.

J'ai éclaté de rire et je lui ai raconté dans le détail le drame en trois actes qui se déroulait chez moi.

Léa – Alors elle a fait un bébé avec un copain homo ! Ta grand-mère ne s'en remettra jamais.

Justine – Imagine les prochaines fêtes de famille quand Pascal viendra avec Tanguy, leurs mômes, la mère et sa copine.

Léa – Oh le bazar...

On imaginait les présentations : « Bonjour je suis la femme de la femme qui a fait un bébé avec le mari du père de votre petit-fils », quand Nicolas a fait irruption dans la chambre de Théo.

Nicolas – Putain, quel enfer.

Justine – Ne quitte pas, Léa, Nicolas vient d'arriver. Ben qu'est-ce que tu fais là, Nico ? T'es pas chez la pouf... euh... la copine de ton père ?

Nicolas – J'ai tenu jusqu'à la dinde et puis j'ai craqué.

Léa, qui entendait ce qui disait mon cousin, a chanté dans le combiné :

Léa – Noël... Joyeux Noël... Tous les animaux de l'étable se sont tus pour entendre le premier cri de l'enfant Jésus. Réjouissez-vous, le monde accueille son sauveur, nous sommes tous frères et sœurs !

Nicolas – Jim arrive, il s'est encore engueulé avec son père. On se casse au grenier. On a du champagne et des gâteaux que j'ai piqués chez la pouf, vous venez ?

Léa a hurlé :

Léa – J'arrive !

Nicolas – Et toi Justine ?

Justine – Avec joie !

Dix minutes plus tard, assis au grenier autour de macarons à la framboise et de gobelets en plastique remplis de champagne, on s'est raconté nos Noëls ratés. Léa était la plus remontée.

Léa – À se demander si Noël n'est pas juste L'occasion avec un L majuscule de se pourrir la vie en famille !

Nicolas – Il n'y a pas que Noël comme occasion, il y a toute l'année.

Jim – C'est vrai !

Léa – Moi, j'ai l'impression que le soir de Noël est pire que tout. Un peu comme si le fait de se retrouver en circuit fermé avec obligation d'être heureux et d'offrir des cadeaux aux siens générait de la tension.

Justine – Mais qu'est-ce qui s'est donc passé ce soir ?

Léa – Ça vous intéresse ?

Nicolas – Bien sûr, et ça nous rassure. On est tous dans la même galère.

Léa – Eh bien, on venait à peine de commencer l'entrée quand Eugénie qui avait un peu bu a demandé à ma mère : « Tu n'as vraiment personne à nous présenter ce soir ? » Maman a fait semblant de ne pas comprendre que ma grand-mère remettait encore une fois sur le tapis la sempiternelle question de son remariage et a répondu par un petit mouvement de tête. Moi, j'ai senti tout de suite que la soirée allait dégénérer. J'ai regardé Eugénie fixement pour qu'elle arrête tout de suite. Elle a continué. « Tu ne crois pas qu'il serait temps de refaire ta vie ? Je suis sûre que Bernard serait ravi de te savoir heureuse sans lui. » Ma mère lui a demandé de se taire. Rien à faire ! Eugénie lui a soutenu qu'elle me donnait un très mauvais exemple et que c'était pour cette raison que je gâchais mon existence à aimer moi aussi un absent.

Jim – De quoi elle se mêle ? Quel rapport avec toi ?

Léa – On se demande. Ma mère n'a rien répondu, elle a pris son sac et elle est partie de la maison. Du coup, je l'ai imitée.

Nicolas – Bravo ! Bon, je vous propose d'arrêter de parler de nos Noëls en famille parce qu'on est en train de se pourrir l'ambiance. Jim t'es d'accord pour nous épargner la dispute avec monsieur « je me la pète parce que je suis professeur en médecine » ?

Jim – Je suis d'accord.

Nicolas – Très bien. Alors, je lâche l'affaire avec madame « je veux être épousée avant la fin de l'année ».

Nicolas s'est levé, enfin à moitié seulement vu la hauteur du toit, et a prononcé d'une voix solennelle :

Nicolas – Si quelqu'un a encore quelque chose à dire à propos de cette fête pourrave, qu'il parle rapido ou qu'il se taise à jamais.

Un bruit sourd a résonné dans le grenier. Tel un grand coup venant de l'au-delà. On a tous bondi.

Nicolas – Putain, c'est quoi ça ?

Léa – C'est peut-être mon père !

Jim a tenté un trait d'humour :

Jim – Mais non, c'est le père Noël qui est coincé dans la cheminée, bourré comme il était hier après-midi, ça ne m'étonne pas.

Le bruit a retenti une deuxième fois, accompagné d'une voix stridente :

– Vous êtes là-haut ?

On a tourné les yeux vers la trappe.

Léa – C'est pas la voix d'Ingrid ?

Nicolas s'est penché et a soulevé l'énorme planche de bois.

Nicolas – Ouais... Et elle n'a pas l'air franchement épanouie. Elle a le truc noir qui fait des grands cils qui a coulé. On dirait un panda.

Léa – Fais-la monter au lieu de commenter la tenue waterproof de son mascara.

Nicolas – De son quoi ?

Léa – T'occupe, fais-la monter.

Ingrid nous a rejoints.

Jim – Ça va Ingrid ?

Ingrid – Super !

Nicolas – T'es pas obligée d'aller bien, tu sais. On a tous passé une soirée de Noël complètement pourrie.

Ingrid nous a regardés en souriant.

Ingrid – Ah non, pas moi. C'était absolument génial !

Personne ne lui a fait remarquer qu'elle avait d'horribles cernes noirs ni qu'elle était partie de chez elle avant l'heure de la distribution des cadeaux. On était ensemble et c'est tout ce qui comptait.

Nicolas a donné un coup de coude faussement discret à Jim en chuchotant, assez fort pour qu'on entende :

Nicolas – Et si on filait aux meufs ce qu'on leur a acheté ?

Ingrid – Mais moi, je n'ai rien apporté. Vos cadeaux sont restés à la maison, je suis partie un peu rapidement.

Léa – Moi aussi.

Justine – Moi, si vous voulez, je peux aller chercher les miens en bas.

Jim – Non, c'est bien comme ça ! Vous nous les offrirez demain. Ça sera l'occasion de refaire la fête.

Léa – D'accord !

Nicolas – Alors voilà, Jim et moi on a décidé de faire cadeaux communs pour éviter de vous offrir des merdes.

Justine – Jolie entrée en matière.

Léa – Sympa pour ceux qui ont acheté des cadeaux persos.

Nicolas – Putain, vous avez décidé de nous faire passer un Noël d'adultes ou quoi ? Cool...

Et, sortant d'un grand sac de très jolis paquets, mon cousin nous a tendu un cadeau à chacune.

Nicolas – Vous avez intérêt à aimer parce qu'on a mis des plombes à trouver et que ça nous a coûté une blinde.

J'ai déchiré le papier d'emballage à la vitesse de la lumière.

Justine – Waouh... Il est superbe ce cache-cœur.

Nicolas – C'est pour tes cours de danse. Pour être honnête, c'est Jim qui a eu l'idée.

Justine – Le vert pistache est magnifique ! Je le mets tout de suite. Et toi, Léa, qu'est-ce que tu as eu ?

Léa m'a montré ses mains : elle portait de ravissantes mitaines noires ! Effectivement, les garçons s'étaient creusé la tête pour nous faire plaisir.

Jim – C'est de la véritable dentelle de Calais. C'est Nicolas qui les a choisies.

Léa – Et c'est quoi le petit sachet en plus ?

Nicolas – Ah, ça c'est moi tout seul. Une petite attention personnelle. C'est pour aller avec tes mitaines.

Ma meilleure amie a ouvert le sachet et en a sorti un... Mais qu'est-ce que c'est que cette horreur ? Le dentier en bonbon de Dracula avec les canines sanguinolentes...

Nicolas – Ça ira bien avec tes tenues de Vampirella et ton accessoire préféré : l'homme en noir !

Durant quelques secondes, j'ai craint que Léa se fâche mais elle a éclaté de rire. Et tandis qu'elle s'approchait des garçons pour les embrasser, Ingrid a hurlé :

Ingrid – Et moi, vous ne regardez pas mon cadeau ?

Ah oui, c'est vrai ça ! Qu'est-ce que Jim et Nicolas ont bien pu lui offrir ?

Ingrid – Génial, un livre sur la mode et un autre sur Théodore Monod dans le désert !

Késaco, Théodore Monod dans le désert ? Une star de Hollywood qui a tourné dans le Kalahari ?

Ingrid – La vie de cet homme est étonnante. Il a traversé à pied un nombre incroyable de déserts avec juste sa Bible et un petit gobelet d'aluminium. Le dénuement total...

Justine – Et ça t'intéresse un homme comme ça, toi ?

Ingrid – Je le kiffe ! Merci les garçons. Vous ne pouviez pas me faire plus plaisir.

Je ne comprendrai jamais rien à cette fille ! Je croyais que c'était elle la bimbo du club des CIK+I.

Nicolas – Alors on a fait strike pour les cadeaux ?

Léa – Oui ! Vous pouvez être fiers de vous.

Nicolas – On mérite des bisous, non ?

On s'est jetés dans les bras les uns des autres. Et tandis que je tendais ma joue à Jim, il a collé sa bouche sur la mienne puis il m'a chuchoté :

Jim – Je te laisse jusqu'à minuit, le jour de l'an, pour choisir entre Thibault et moi. Celui que tu embrasseras cette nuit-là sera celui avec qui tu resteras.

Champagne
et spaghettis

Nicolas – Ton sac n'est pas encore prêt ? Tu te fous de moi ou quoi ?

Nicolas venait de faire irruption dans ma chambre sans frapper, comme d'habitude. Alors d'accord, j'étais légèrement en retard mais quand même... On partait en voiture pour notre équipée sauvage, pas en train. On n'était donc pas à cinq minutes près.

Justine – Je ne supporte plus que tu déboules comme ça dans ma chambre ! Tu ne pourrais pas prévenir de ton arrivée ? C'est une question de respect.

Nicolas m'a regardée d'un air totalement excédé et, refermant la porte soigneusement devant lui – c'est-à-dire en s'enfermant dans la chambre avec moi –, il a tapé trois coups.

Nicolas – Ça va comme ça ? T'es contente ?

Justine – Parfait. Juste deux détails qui ont leur importance : la prochaine fois, tu frappes de l'extérieur puis tu attends que je te donne l'autorisation avant d'entrer.

Nicolas – Putain, c'est plus la chambre de ma cousine ici, c'est la banque de France. Et pour te demander si ton sac est prêt, il faut que je remplisse un formulaire en trois exemplaires ?

Justine – Non. Si tu me poses la question gentiment en évitant le ton berger allemand, je te répondrai peut-être. Il me reste juste à ajouter ma trousse de toilette et deux pulls dans mon sac.

Nicolas – Alors magne, parce que Jim arrive dans moins de cinq minutes. Il est déjà allé chercher Léa.

Justine – Et Thibault ?

Nicolas – Il ferme ses volets.

– Justiiiiiiiiiiine...

Nicolas – Ta mère t'appelle.

Justine – J'ai entendu ! Vu le nombre de décibels, impossible de faire autrement. C'est à peu près la dixième fois ce matin qu'elle me fait réciter la liste de recommandations. Je n'en peux plus. Je me demande s'ils ont bien fait de demander à leurs amis les Dubois de nous prêter leur maison pour le jour de l'an. Ça les stresse à mort.

Nicolas – De quoi ils ont peur ? On n'est pas irresponsables, on fera gaffe à leur baraque.

– Justiiiiiiiiiiine...

Justine – Bon ben, j'y retourne. Si tu veux tu peux descendre mon sac, je vous rejoins dès que j'ai passé le contrôle technique !

Je ne croyais pas si bien dire en parlant de contrôle technique. Non seulement je n'ai pas coupé à la liste de recommandations maternelles : « 1. Vous descendez à la cave ouvrir l'eau. 2. Vous vérifiez qu'il y a de l'eau dans le circuit de la chaudière. 3. Vous la mettez sur on. 4. Vous... », mais j'ai aussi eu droit à un interrogatoire de mon père.

Le père – Est-ce que Jim a vérifié la pression des pneus ? Le niveau d'huile ? Les feux anti-brouillard ? Le liquide lave-glace ? Très important la visibilité en cas de mauvais temps, on doit absolument...

Je n'ai pas entendu la suite, d'autant que mon père dévalait les escaliers pour poser ses questions lui-même à l'intéressé.

Je suis désolée de zapper systématiquement les répliques de mes parents, mais je vous jure que ça n'apporterait pas grand-chose à l'histoire.

Lorsque je suis descendue à mon tour, j'ai senti que Jim était très agacé. Il y avait de quoi... Mon père, qui avait ouvert le capot, était penché sur le moteur.

Jim – Je vous assure que j'ai déjà vérifié le niveau d'huile, monsieur Perrin.

Le père – Oui, seulement dans la mesure où tu as ton permis depuis peu, il vaut mieux qu'un adulte vérifie.

C'est drôle, mon père avait bien dit : « qu'un adulte vérifie » pourtant on avait tous entendu clairement « qu'un homme vérifie ». Comme si, détrôné de son rôle de mâle dominant par ce jeune homme qui tenait le volant, il avait eu besoin de reprendre le contrôle.

Il a donc procédé à toutes les vérifications possibles en les commentant avec le vocabulaire technique du garagiste véreux qui cherche à vous refaire les freins la veille de votre départ en vacances.

On est restés silencieux.

Le père – Bien, je pense que vous pouvez partir, c'est OK.

Jim – Merci ! Mais il me semble que je vous l'avais dit.

Pauvre Jim, comme s'il n'avait pas assez de son père pour vérifier tout ce qu'il fait !

On croyait être enfin libérés du joug familial quand, au moment où Jim enclenchait la première, ma mère, descendue à toute allure, a frappé à sa vitre :

La mère – Tu es prudent sur la route, Jim, tu me promets ?

Jim – Oui, c'est promis.

La mère – Et là-bas, vous respectez bien les consignes pour l'eau, la chaudière et le...

Justine – Maman, tu me les as déjà répétées mille fois, c'est bon.

Léa est intervenue en douceur :

Léa – Ne t'inquiète pas, Sophie, on fera très attention. Tu peux avoir confiance en nous.

Sur cette parole de réconfort, Jim a démarré et le reflet de mes parents a rapetissé avant de disparaître dans le rétroviseur au premier virage.

Pour ma maman chérie

Cool mum !!!

De nombreuses études ont démontré que les enfants dont les parents souffrent d'un trouble anxieux ont plus de risques d'en développer un à leur tour. Quelle en est la raison ? Certes, ces enfants ont hérité d'une certaine prédisposition génétique pour les troubles anxieux. Mais l'éducation et le comportement des parents jouent aussi un rôle. Les parents anxieux ont tendance à surprotéger leurs enfants ou à les mettre en garde contre des menaces qui n'en sont pas. Ils conditionnent de cette façon leur progéniture. Reçu 5 sur 5, maman chérie ?

Love,
Justine

Nicolas – Putain, j'ai cru qu'on ne partirait jamais.

Justine – Je suis désolée !

Thibault – Il n'y a pas de quoi, je trouve ça touchant des parents qui s'inquiètent de votre sort.

Léa – Et dans la famille « je me mêle de tout », quoi de neuf? Des rebondissements dans l'affaire de la grossesse de Françoise? Des précisions sur le CV du fameux Pascal ?

Justine – C'est un ami homo de ma tante, il est peintre et rêvait d'avoir un enfant. Comme elle n'avait que des histoires tordues avec des types incapables d'assumer une paternité, elle s'est dit qu'au moins avec lui, elle donnerait un bon père à son enfant.

Nicolas – L'immense avantage de ce choix, c'est que les parents ne se quitteront jamais puisqu'ils ne sont pas ensemble. Et puis le père n'imposera jamais une pouf à son fils !

Justine – Ça c'est sûr ! Ils éviteront tous les écueils des parents mariés et hétéros !

Léa – Ils en auront d'autres. Quelle que soit l'architecture d'une famille, on trouve toujours le moyen de se pourrir la vie. Je me demande même parfois si ce n'est pas le but inavoué.

Justine – Mais qu'est-ce qui t'arrive Léa ? Tu parles comme Nicolas...

Léa – Je suis lucide, c'est tout ! On ne s'aime et on ne se déchire jamais aussi bien qu'en famille.

Thibault – Alors vive l'amitié !

On a tous hurlé : « Vive l'amitié !!! »

Thibault – Que les vacances commencent et qu'on s'éclate !

Léa – Excusez-moi de jouer la rabat-joie de service. Je vous rappelle que les vacances sont bien entamées. On est le 31 décembre et on reprend le 4.

Nicolas – Ouais, mais tout le début c'était de la daube. On a passé notre temps à réviser les bacs blancs de la rentrée.

Léa a éclaté de rire.

Léa – Vraiment ? Tu as travaillé, toi ?

Nicolas – Oui ! Enfin, même si je n'ai pas bossé à fond, ça m'a gâché les vacances de savoir que j'avais du boulot qui m'attendait. Il n'y a pas pire que de sortir en boîte et de se réveiller à deux heures de l'après-midi avec le sentiment d'être en faute. T'es pas d'accord Thibault ?

Thibault – Je ne sais pas. Moi, je ne suis pas sorti, j'ai bossé !

Nicolas – Oh l'enfoiré ! Tu ne pourrais pas me soutenir un peu ?

Thibault – Non !

Nicolas – Ne te la pète pas trop. J'aimerais bien savoir quand t'as trouvé le temps de bosser pour le lycée entre ton voyage au pays des loukoums et tes virées nocturnes spéciales sushis ?

Ses virées spéciales sushis ? J'ai aussitôt réagi :

Justine – C'est quoi cette histoire de virées nocturnes spéciales sushis ?

Thibault a rougi jusqu'aux oreilles. Nicolas a semblé mal à l'aise comme s'il venait de trahir un secret. Jim m'a regardée dans le rétroviseur, l'œil brillant. Je ne voudrais pas être parano mais il y a une anguille sous sushi, euh... sous roche.

Thibault me trompe depuis des mois. Voilà enfin l'explication de ses départs inexpliqués et répétés après de mystérieux coups de fil. Je le déteste...

Oui, mais pourquoi « spéciales sushis » ?

Je sais...

Il me trompe avec une Japonaise à la complexion de libellule. Le genre modèle réduit qui se la joue hyper soumise alors qu'elle est capable de casser trois briques juste avec l'auriculaire.

J'ai jeté un regard noir à Thibault. Le genre de regard qui signifie : « Tout est fini entre nous, je connais ton histoire avec mademoiselle Sushi ». Le traître m'a pris la main doucement. Je l'ai retirée comme si ses doigts qui commençaient à me caresser le poignet étaient un piège à rats.

Thibault – Bon... Puisque Nicolas a commis une indiscrétion, autant expliquer les choses clairement.

J'ai tourné ostensiblement la tête vers la fenêtre pour lui signifier mon absolu désintérêt mais il était clair que s'il ne me racontait pas toute l'histoire immédiatement, j'ouvrais la portière et je me jetais sur la route.

Rectification : j'ouvrais la portière et je LE jetais sur la route.

Thibault – Il y a quelque temps, j'ai eu une discussion plutôt musclée avec mon père au téléphone. Comme il paye tout pour moi, il exige d'avoir un droit de regard sur ma vie. À plus de quatre mille kilomètres, ça me fait gentiment sourire, alors j'ai décidé de...

De quoi ?

Thibault – De bosser un peu le soir.

Il est gigolo, c'est ça ? La Japonaise le paie pour qu'il couche avec elle !

Thibault – J'assure en scooter les livraisons d'un restaurant japonais : le *Top Sushi*.

Léa – C'est tout à ton honneur !

Ah c'était ça. Quand je pense à ce cinéma monstrueux que j'ai pu me faire pour expliquer ses absences.

Il aurait pu le dire plus tôt, je ne vois pas pourquoi il l'a transformé en secret d'État...

Justine – Et tu étais au courant, toi, Nicolas ?!

Mon cousin qui devait se sentir un peu responsable des aveux obligés de Thibault a coupé court à la discussion.

Par secteurs Formations Stages Sites Astuces CV

QUELQUES ADRESSES WEB POUR SE RENSEIGNER SUR LES PETITS BOULOTS :

www.jcom.jeune.com : Ce site est extrêmement complet. Il publie entre autres des annon d'offres de stage, de premier emploi, de colocation. Son forum propose des conseils et des vid témoignages font le petit plus.

www.cidj.com : Avec plus de 1600 structures dans toute la France, le Centre d'Information et documentation jeunesse est incontournable. Outre les recherches thématiques, on trouve, à rubrique emplois, un grand nombre d'adresses utiles.

www.capcampus.com : Le site de référence pour les étudiants, avec emplois, petits boulots, b plans... Vous n'avez pas fini d'en faire le tour !

www.travail-emploi-sante-gouv.fr : Retrouvez toutes les coordonnées des directio départementales du travail dans la rubrique « Vos interlocuteurs en région ».

Le site www.jobetudiant.net héberge des annonces de petits boulots, saisonniers ou n (cueillette, vendanges, baby-sitting, manutention, animation, télémarketing, etc.).

Nicolas – Bon, on ne va pas délirer deux plombes sur la carte du resto, il n'y a qu'une chose qui compte maintenant : on va s'éclater deux jours à la campagne dans une super baraque rien que pour nous. Zéro adulte pour nous dire ce qu'on a à faire. J'ai envoyé un mail avec le plan à tous nos potes. On verra bien qui vient. Allez, musique, à partir de cette seconde le bonheur est obligatoire !

Jim a mis la radio à fond, Mika chantait *Relax*. On l'a accompagné à tue-tête jusqu'à ce que le portable de Léa sonne.

Léa – Allô ? Oui... Attends, maman, je ne t'entends pas, la musique est trop forte. Jim, tu baisses s'il te plaît ?

Jim – Yes.

On s'est tous arrêtés de brailler.

Léa – Oui maman, je t'écoute... On est sur l'autoroute. Non, on n'est pas encore arrivés, on vient à peine de partir. Oui, Laurent a vérifié que la voiture était en état de marche... D'accord, je t'appelle dès que j'arrive.

Et après avoir raccroché, elle nous a dit en souriant :

Léa – Désolée mais cette fois, c'était la mienne de mère ! Jim, tu remets la musique ?

Jim – Avec plaisir.

Cette fois-ci, c'était Barry White dans une version remixée de *You're the One I Need*. L'ambiance festive a repris aussitôt et les garçons ont fait les basses pendant qu'on s'occupait des chœurs. Trois chansons plus tard, le portable de Léa a de nouveau sonné.

Elle a décroché et cette fois-ci, elle n'a pas demandé à Jim de baisser le son.

Léa – Oui Eugénie, je t'entends... mal... il y a du bruit... Il y a un problème ?... Mais j'ai eu maman il n'y a pas longtemps... Oui, tout va très bien. Pas de souci, je vous appelle quand j'arrive.

Bon, je vous épargne un résumé détaillé du voyage parce que ça finirait par vous lasser. En bref, ça a donné à peu près ceci : deux chansons, appel de ma mère, trois chansons, appel d'Eugénie, deux chansons, appel de la mère de Jim, trois chansons...

On a même fini par organiser des paris sur les fréquences des appels et sur les noms qui s'affichaient.

Alors que j'avais parié un euro pour une dernière recommandation de ma mère au bout de quatre chansons, mon portable a sonné au bout de deux.

Justine – Allô maman ?

Un éclat de rire m'a défoncé le tympan droit. J'ai aussitôt reconnu la délicatesse de notre peste préférée.

Ingrid – Non, ce n'est pas ta maman chérie. Pourquoi, elle te manque tant que ça ?

Très drôle.

Ingrid – Alors vous êtes où ?

Justine – Je ne sais pas. On a dû faire environ soixante-dix kilomètres et toi, t'es déjà partie ?

Ingrid – Non, pas encore. Tom a un peu de retard mais il va arriver. Avec sa voiture, on vous rattrapera vite fait. Je t'ai dit qu'il avait une BM dernier modèle ?

Je ne me suis pas donné la peine de répondre. Tom était le nouveau petit ami d'Ingrid. Enfin, petit ami est un bien grand mot pour un garçon rencontré la veille dans un café et qui accepte de vous accompagner en voiture à votre soirée du jour de l'An.

Ingrid – Vous m'attendez pour le partage des chambres ? Il m'en faut absolument une avec une salle de bains.

Justine – Tu sais, c'est une maison, pas un hôtel cinq étoiles.

Ingrid – Oui, mais attendez-moi quand même.

J'ai raccroché, agacée.

Je n'ai pas eu besoin de dire à la joyeuse bande qui venait d'appeler, ils ont compris immédiatement.

Nicolas – Ça sera une suite avec jacuzzi et solarium pour la princesse ?

Justine – C'est à peu près ce qu'elle a demandé.

Jim – Bon, au lieu de la critiquer, regardez la carte parce qu'on sort bientôt de l'autoroute et à nous les petites routes.

Après quelques ratages, de nombreux appels de nos parents et beaucoup de fous rires, on est enfin arrivés à bon port.

Nicolas – Putain, elle est super leur baraque.

Justine – Ouais... je me souviens plus très bien comment c'est à l'intérieur mais ça doit être chouette. Je suis venue il y a trois ou quatre ans.

Thibault – Je propose qu'on laisse nos sacs dans la voiture et qu'on aille se balader avant que la nuit tombe. On préparera le repas et les chambres plus tard.

Léa – Moi, je me promène deux secondes et demie avec vous puis je retourne dans notre palace. Je suis gelée.

Jim – Allez Léa, il faut que tu te bouges un peu. La marche à pied est le plus naturel des exercices physiques.

Quelques minutes plus tard, on pénétrait dans la forêt qui longe la maison en soufflant sur nos doigts pour les réchauffer.

Léa – Ça va là, on a assez marché ? On peut rentrer ?

Jim – On va jusqu'au chemin là-bas...

Léa – Où ça ?

Jim – Droit devant.

Léa – C'est au moins à un kilomètre !

Jim – Mais non !

Nicolas – C'est une illusion d'optique.

Léa – Finalement, contrairement à ce qu'on disait tout à l'heure, je me demande si je ne préfère pas la famille aux amis. Peut-être qu'en famille, tu étouffes, mais au moins t'es assise au chaud !

Jim – Tais-toi et marche ! Économise ton souffle !

Nicolas, qui semblait sincèrement ennuyé pour Léa, a proposé à Jim de lui faire la chaise comme lorsqu'on était gamins. Ma meilleure amie s'est installée confortablement sur leurs mains croisées, façon reine d'Égypte portée par ses esclaves. Thibault et moi les avons précédés pour annoncer l'arrivée de Néfertiti sur ses terres.

Peut-être que raconté comme ça, ça semble régressif mais je vous assure qu'on a passé un super bon moment.

C'est Nicolas qui a lâché le premier. Léa a atterri, les fesses dans l'herbe glacée.

Léa – Eh, tu aurais pu me poser plus délicatement !

Nicolas – Pour ça, il faudrait que tu arrêtes le Nutella...

Ma meilleure amie a éclaté de rire.

Léa – Je te remercie pour ton tact, Nicolas ! Heureusement que je me sens bien avec mes rondeurs, sinon je l'aurais mal pris.

Nicolas – Il n'y a pas de quoi ! Moi aussi, je me sens très bien avec tes rondeurs.

Léa lui a souri sans ajouter un mot.

Thibault – On rentre ? Si Ingrid est arrivée entre-temps, elle n'aura trouvé personne.

Justine – Tu penses bien que si c'était le cas, elle nous aurait déjà harcelés au téléphone.

En fait, je me trompais. La peste nous attendait effectivement de pied ferme devant la maison avec son homme.

Nicolas – Putain, il est super vieux son mec, c'est quoi cette ruine ?

Jim – Ah ouais... Il a au moins soixante ans.

Léa – C'est pas son mec.

Justine – C'est qui alors ? Je vois tout flou de loin, moi.

Léa – C'est son père. A priori, Tom l'a laissée tomber !

Jim – Oh la pauvre ! Elle n'a vraiment pas de chance avec les garçons. Personne ne lui fait remarquer que son type l'a lâchée, c'est compris les filles ?

Pour qui il nous prend ? On serait du genre à tirer sur les ambulances, peut-être ?

Nous sommes allés saluer M. Brunet. Ça me fait toujours drôle de voir le père d'Ingrid, il ressemble plus à un grand-père qu'à un père. Il a eu Ingrid à cinquante ans et c'est sa seule enfant. Alors il la couve du regard et lui parle encore comme à une petite fille.

Monsieur Brunet – Bonjour les jeunes, tout va bien ?

Léa – Oui... On ne vous a pas trop fait attendre ?

Monsieur Brunet – Pas de problème, j'ai tout mon temps. Vous avez besoin de mon aide pour vous installer ?

Nicolas – Non merci.

Monsieur Brunet – Alors, je vais rentrer.

Et s'adressant à sa fille :

Monsieur Brunet – Tu veux que j'installe tes affaires dans ta chambre ?

Ingrid – Non merci papa, les garçons vont s'en charger.

Monsieur Brunet – Si tu as le moindre souci tu m'appelles, d'accord ?

Ingrid – Yes daddy.

Et il est parti en se retournant au moins dix fois pour regarder sa fille. Ingrid s'est sentie obligée de justifier la présence de son père.

Ingrid – Ça lui faisait tellement plaisir de m'accompagner que j'ai accepté. Pauvre Tom, il a dû être déçu quand il est arrivé et qu'il ne m'a pas trouvée.

Personne n'a cherché à discuter sa version des faits.

La maison était glaciale lorsqu'on y est entrés. Nicolas s'est précipité dans la cuisine pour s'occuper de la chaudière.

Nicolas – C'est quoi ce vieux coucou d'avant-guerre ? Je croyais que ça n'existait plus ces modèles. Comment ça s'allume ?

Jim – Pousse-toi un peu... Il est où le bouton pour l'étincelle ?

Nicolas – Ça ne devait pas exister à l'époque, à mon avis, on l'allume avec des silex !!!

Thibault – On ne se moque pas de cette pauvre chaudière, on va y arriver.

Oh ce que mon prince est craquant quand il prend les choses en main. S'il veut, je ne demande qu'à être ravivée, moi, et je ne ferai pas tant de chichis !

Une grosse boîte d'allumettes plus tard, la chaudière fonctionnait enfin et l'espoir d'avoir bientôt chaud nous réchauffait le cœur.

Justine – Mince, je ne me souviens plus si ma mère m'a recommandé d'ouvrir l'eau à la cave avant ou après.

Nicolas – Quoi, l'eau est coupée ? Il n'y en a pas dans le circuit ? Mais tout va péter...

Et il s'est rué sur la chaudière qu'il a éteinte, réduisant à néant nos efforts pour l'allumer. Il m'a lancé un regard noir.

Nicolas – Tu ne crois pas que tu aurais pu y penser avant ? Elle est où leur putain de cave ?

Justine – J'en sais rien. Je n'ai pas les plans de la maison !

Nicolas – Mais t'es vraiment nulle !

Jim – Ça va Nicolas, ne lui parle pas comme ça, elle n'y est pour rien. La cave ne doit pas être compliquée à trouver. Dès qu'on a ouvert l'eau, on rallume la chaudière.

Deux heures plus tard les radiateurs ont enfin commencé à tiédir. La nuit était tombée et regroupés dans la cuisine, on buvait du thé brûlant. Nos sacs jonchaient encore le sol de l'entrée.

Justine – Je sais qu'il y a un autre truc important à faire en arrivant, mais je ne me souviens plus de quoi. Ouvrir l'eau à la cave, mettre la chaudière sur on et...

Jim – Bon, en attendant que tu trouves, je vais chercher les provisions dans le coffre de la voiture.

Jim venait à peine de sortir quand on a entendu des cris. On s'est précipités.

Un type coiffé d'un chapeau façon Indiana Jones tenait Jim en joue avec une vieille carabine de chasse.

Le type à la carabine – Que personne ne bouge !

Ingrid a poussé un cri strident qui a fait sursauter le tueur.

Le type à la carabine – Et toi, tu te tais !

Nicolas – On se calme... Ingrid, tu respires et vous, baissez votre arme.

Le type à la carabine – Certainement pas ! Je n'ai aucune confiance en des petits voyous dans votre genre.

Prenant son ton de fils de diplomate, Thibault a tenté à son tour une conciliation.

Thibault – Si personne ne s'énerve, il n'y aura aucun problème. Je vais vous donner mes papiers d'identité qui sont dans mon blouson.

Et joignant le geste à la parole, mon prince a esquissé le geste de prendre son portefeuille.

Qu'est-ce qu'il est sexy dans le rôle du commissaire psy qui négocie avec un forcené !

Le type à la carabine – Toi le petit malin, tu ne bouges pas ! Tu retires ta main de ta poche doucement. Et vous reculez tous d'un pas.

Ingrid qui depuis son cri de la mort avait mis les mains sur ses yeux pour ne rien voir de la scène a prononcé avec le ton mélodramatique des otages au moment où les ravisseurs choisissent la victime qu'ils vont exécuter pour faire plier les autorités :

Ingrid – Vous allez me tuer ?

Le type à la carabine – Je te l'ai déjà dit : tu te tais.

Nicolas nous a alors glissé à l'oreille hyper discrètement :

Nicolas – Pas de panique, son arme n'est pas chargée. Il a plus peur que nous.

Léa, certainement rassurée par la révélation de Nicolas, a déclaré d'une voix claire et calme :

Léa – Je m'appelle Léa, j'ai dix-sept ans, bientôt dix-huit, je vis avec ma mère et ma grand-mère Eugénie. Mon père est mort quand j'étais petite. Je suis en terminale L et je fais du théâtre.

Je pensais que le type allait la sommer de se taire mais non...

Elle a continué.

Léa – Lui, c'est Jim. Il travaille dans un club de gym et rêve de devenir prof de judo. Cette année, il passe son bac en candidat libre.

Mais comment elle sait ça, elle ? Le bac en candidat libre, c'est un secret que seuls Thibault et moi connaissons. Bon, vu la situation, on ne va pas en débattre maintenant.

Léa – Le garçon qui voulait vous présenter ses papiers d'identité se prénomme Thibault. Son père est ambassadeur au Liban. Cette année il reste seul en France pour passer son bac. Le soir, pour gagner un peu d'argent, il livre des sushis.

Ingrid – Ah bon, Thibault livre des sushis le soir ? Je n'étais pas au courant.

Léa – À côté, c'est Nicolas. Un garçon formidable quoique très ronchon ! Lui, il vit avec son père et est en terminale STI. C'est le roi de la bricole, il répare tout en moins de temps qu'il ne faut pour le dire.

Le casting semblait avoir détendu Gunman qui, pour la première fois, nous a regardés avec un peu d'humanité.

Le type à la carabine – Alors qu'est-ce que vous faites là ?

Léa – La jeune fille qui est à côté de moi s'appelle Justine Perrin et ses parents sont amis avec les propriétaires de cette maison, les Dubois. Ils ont gentiment proposé de nous la prêter pour le réveillon. D'ailleurs, vous voyez, la porte n'a pas été forcée, nous avons les clefs.

Devant tant de preuves de notre bonne foi, Gunman a eu l'air très ennuyé. Il a fini par maugréer :

Le type à la carabine – Ah oui mais moi, je ne pouvais pas savoir. Personne ne m'a prévenu que vous veniez.

Ça y est, je me souviens !!!

1. Ouvrir l'eau à la cave.

2. Vérifier qu'il y a de l'eau dans le circuit de la chaudière.

3. Mettre la chaudière sur on.

4. Prévenir les voisins de notre arrivée. Leur maison est à moins de deux cents mètres au bout du chemin.

Euh... Inutile d'en parler sinon Nicolas va me trucider.

Le type à la carabine – D'habitude quand les Dubois prêtent leur maison à des amis ou lorsqu'ils la louent, les gens viennent me signaler qu'ils sont là.

Léa – On ne savait pas.

Justine – Ah non, on ne savait pas.

Quoi ? Qu'est-ce qu'il y a ? Vous vouliez que j'avoue et que je pourrisse la soirée ?

Le type à la carabine – Il y a eu quatre cambriolages dans le coin en moins de six mois, une bande que la police ne parvient pas à neutraliser, donc vous comprenez, ça nous rend un peu nerveux. Avant ils n'opéraient que dans les maisons inhabitées mais, pour les deux derniers cambriolages, ils ont tabassé les propriétaires avant de les ligoter. Alors quand j'ai vu la maison allumée, j'ai eu peur. Je suis désolé de vous avoir effrayés !

Léa – Pas de problème, ça va aller. Nous vous souhaitons un bon réveillon.

Le type à la carabine – Merci, à vous aussi. Et désolé pour le dérangement.

Alors qu'il partait, Ingrid lui a hurlé :

Ingrid – Moi, c'est Ingrid, j'ai dix-sept ans et plus tard, je voudrais travailler dans le milieu de la haute couture.

Comme on la regardait, consternés, elle a ajouté :

Ingrid – Ben quoi, Léa a présenté tout le monde sauf moi.

Parfois cette fille me fait penser à Averell Dalton.

Gunman parti, on s'est effondrés sur les canapés du salon pour nous remettre de nos émotions.

Tous ? Non ! Tous sauf Falbala, la pin-up du village des irréductibles Gaulois.

Ingrid – Si ça ne vous dérange pas, j'aimerais bien choisir ma chambre. J'ai besoin de me préparer pour le réveillon. J'hésite beaucoup entre deux tenues.

Nicolas – Si tu hésites tant que ça, ne mets rien.

C'est frais, c'est délicat, c'est du Nicolas !

Ingrid – Je n'ai pas spécialement envie de déprimer les femelles à dix mille kilomètres à la ronde.

J'imagine que la peste dit ça pour nous, parce que à part Léa et moi, en matière de femelles, je ne vois que les vaches du champ d'en face et quelques belettes célibataires.

Bon, je ne vais pas m'énerver. Il paraît que si on s'énerve le réveillon du jour de l'an, on s'énerve toute l'année.

Un coup de klaxon nous a fait sursauter.

Jim – C'est quoi encore ce binz ?

On s'est précipités à la fenêtre. Une voiture, pleins phares et musique à fond, était en train de se garer devant la maison. On entendait à travers les vitres Michael Bublé qui chantait *You and I*. Aveuglés par la lumière, on n'arrivait pas à distinguer les visages des visiteurs.

Quatre gaillards sont sortis en même temps de la voiture, des bouteilles à la main.

Jim – Ouh là ! C'est qui ça ?

Ingrid – Je ne sais pas mais, vu la carrure, ça me va très bien.

Thibault – Ce n'est pas Enzo à droite ?

Léa – Si !!! Et il y a Manu aussi.

Nicolas – Génial !

On leur a fait un accueil triomphal.

Nicolas – C'est vraiment super que vous ayez pu venir.

Enzo – Ouais ! On vous présente Jeremy et Harold, deux super potes.

Ingrid – Bienvenue les garçons !

Manu – Ne te fatigue pas Ingrid, les filles ce n'est pas leur truc.

Notre peste préférée a aussitôt quitté son air mutin de séductrice prête à faire des folies de son corps et elle est allée s'asseoir en boudant sur le canapé.

Cinq minutes plus tard, les bouteilles de nos invités débouchées, le champagne coulait à flots et les rires fusaient aux quatre coins de la pièce.

Léa – C'est vraiment chouette que vous soyez venus. Ça va être un super jour de...

On a frappé à la porte.

Enzo – Vous attendez encore du monde ?

Justine – A priori non.

Nicolas est allé ouvrir. Yseult et Anna lui ont sauté au cou.

Anna – On a cru qu'on ne trouverait jamais votre patelin.

Jim – Mais qu'est-ce que vous faites là ?

Yseult – Nicolas nous a invitées.

Si elle pouvait éviter de toucher les cheveux de Jim en lui parlant, ça m'arrangerait.

Yseult – On est venues avec deux copains d'*Étoile naissante*. Ils attendent dans la voiture.

Léa – Faites-les entrer, ils doivent geler dehors.

Et quatre de plus sur le canapé !!! Les deux beaux garçons qui accompagnaient les jumelles ont été immédiatement accaparés par Ingrid.

Nicolas a branché son iPod sur ses baffles portatifs et nous a mis Prince. Il a invité Léa à danser.

Trouvant l'idée excellente, notre fashion victim préférée a choisi le plus sexy des garçons d'*Étoile naissante* et l'a littéralement traîné jusqu'à la piste de danse improvisée.

Thibault m'a attrapée par le bras et collée contre lui sur le rythme endiablé de *The Song of the Heart*. J'ai dansé jusqu'à épuisement total.

L'ambiance commençait à devenir sérieusement électrique.

Alors que j'étais retournée m'asseoir sur le canapé, Jim est passé derrière moi et m'a chuchoté à l'oreille :

Jim – Il te reste à peine deux heures pour choisir entre Thibault et moi.

Le temps que je me retourne, il était reparti se servir un verre. Oh non, pas choisir... Bon ben, je fais comme lui, je bois un petit coup.

Nicolas qui dansait avec Anna au milieu de la pièce a demandé :

Nicolas – On boit, on boit, d'accord mais quand est-ce qu'on bouffe ? J'ai la dalle...

Léa a réussi à se faire entendre malgré le brouhaha :

Léa – Vous avez apporté des trucs à grignoter ? Ou à faire réchauffer ?

La réponse a été unanime. Ils avaient tous pensé aux boissons mais pas à la nourriture.

Léa – Alors, il va y avoir un petit souci... Ce que nous a préparé Eugénie ne suffira pas... Et il ne faut pas compter sur la moindre épicerie dans le coin !

– Coucou tout le monde !!!

Quoi coucou ? Je me suis retournée pour voir à qui appartenait cette voix suave d'hôtesse. Avant que j'aie eu le temps de l'identifier, Thibault a hurlé :

Thibault – Macha !

Macha – Sympas la baraque et l'ambiance. Salut mon cousin.

Macha !!! La rousse, vous vous souvenez ? Celle qui semble sortir droit des pages glacées de Vogue avec son mètre cinquante de jambes. Si ça ne tenait qu'à moi, je lui dirais qu'on affiche complet et qu'il serait préférable qu'elle revienne un autre soir. Un soir de 2095, par exemple.

Thibault – Qu'est-ce que je suis content que tu sois venue !

Oui, enfin. On ne partage pas tous le même point de vue !

Thibault – Tu es seule ?

Macha – Non, je suis avec des copines qui...

Elle n'avait pas fini sa phrase qu'un podium entier de top-modèles a défilé dans le salon. Nicolas a hurlé comme le loup de Tex Avery quand il découvre un troupeau de moutons sans défense.

Ingrid est venue s'asseoir près de moi et m'a dit discrètement à l'oreille :

Ingrid – Ça commence à bien faire toutes ces filles qui squattent le salon. C'est une soirée privée, pas une rave party. Tu devrais mettre un peu d'ordre. Après tout, c'est à toi qu'on a prêté cette maison, tu as le droit de recevoir qui tu veux.

Et jouant franc jeu, elle a ajouté :

Ingrid – Il faut neutraliser ces top-modèles avant qu'elles nous piquent nos mecs.

Je ne sais pas si c'était l'effet du champagne ou la remarque d'Ingrid mais je suis soudain partie dans un fou rire dingue pendant que Léa, qui ne perdait pas de vue l'idée du repas, demandait à Macha :

Léa – Vous avez apporté de quoi manger ?

Macha – Ah non ! En revanche, on a de la Zubrowska ! La meilleure vodka du monde.

Nicolas – Fais péter la bouteille. Mais on mange quoi avec ? Il n'y a rien dans les placards ici ?

Comme on mourait de faim, on s'est précipités dans la cuisine.

Nicolas – Putain c'est la dèche dans le frigo ! Un vieux pot de moutarde et un bocal de cornichons périmés. On ne va pas aller loin avec ça.

Enzo – Dans le placard sous l'évier, il y a de l'eau de Javel, du savon de Marseille et du Destop. Si ça tente quelqu'un.

C'est Thibault qui a créé l'événement.

Thibault – Qu'est-ce que vous diriez de ces superbes spaghettis qui se cachaient sur la petite étagère ?

Un tonnerre d'applaudissements a salué sa découverte. Cinq paquets de pâtes de cinq cents grammes !

Thibault – Et comme vous êtes gentils, j'ajoute une boîte de sauce tomate.

La foule en liesse a crié à la victoire !

Thibault – Puisque vous êtes venus nombreux, vous aurez aussi droit à...

Thibault a laissé s'écouler quelques secondes... suspense...

Thibault – Deux boîtes de sardines et deux paquets de riz basmati !

Je n'ai pas de mots pour décrire les hurlements qu'on a poussés. Jim a rempli d'eau un énorme faitout et l'a posé sur le feu.

La table a été dressée au milieu du salon en moins de temps qu'il ne faut pour le dire.

Léa – Vous avez mis combien d'assiettes ?

Nicolas – Vingt. On est vingt, non ?

– Vingt-deux si ça ne vous dérange pas.

Jim – Adam !

Adam – En personne. Et je vous présente Marie, une amie... On a frappé mais vous ne nous avez pas entendus alors on a fait comme chez nous. Je vois qu'on arrive au bon moment. On meurt de faim ! On a apporté des gâteaux et du champagne.

Nicolas – Alors vous êtes les bienvenus !

On est allés les embrasser. Adam a serré Léa dans ses bras et lui a chuchoté quelques mots à l'oreille. Elle lui a souri.

Nicolas

Les copains, j'ai trouvé sur le Net pourquoi il faut du gui à Noël. Ça vous permettra d'être moins ignares en ce début d'année !

Le gui est un arbrisseau parasite qui se développe sur l'écorce des arbres, à plusieurs mètres de hauteur. Éternellement vert, il symbolise l'immortalité. Son nom signifierait « celui qui guérit tout ».

Pour les anciennes peuplades d'Europe c'était un remède universel, une plante sacrée. La sixième nuit du solstice d'hiver, le gui, coupé par le druide avec une serpe d'or et recueilli dans un linge immaculé, était censé protéger les récoltes comme les hommes. Il avait des pouvoirs magiques.

Au Moyen Âge la coutume de « Au gui l'an neuf » s'est poursuivie. En guise de protection, nos ancêtres suspendaient le gui à leur cou ou à l'entrée de leur maison. Quand ils accueillaient des invités, ils les embrassaient sous la boule de gui, leur porte-bonheur.

Aujourd'hui, 23h51 · J'aime · Commenter

Justine et **Léa** aiment ça.

Thibault Les filles, où avez-vous accroché le gui ?

Aujourd'hui, 23h56 · J'aime

Je ne crois pas me souvenir d'un repas aussi joyeux. Les jumelles ont chanté, Ingrid a dansé sur la table, les garçons ont improvisé un slam à la gloire des spaghettis et on a ri à s'en faire mal au ventre. On en était aux gâteaux quand Harold a hurlé :

Harold – Eh... Il est minuit moins trois ! Arrêtez de manger, il faut s'embrasser.

Jim m'a regardée droit dans les yeux. L'heure du choix allait sonner. Oh non...

Enzo – Mais on n'a pas de gui. Il faut qu'on s'embrasse sous le gui sinon ça ne vaut rien.

Siegried, une des copines top-modèles de Macha qui avait passé la moitié du dîner sur les genoux de Nicolas, a soutenu Enzo dans sa requête.

Siegried – Ah oui, il faut absolument du gui.

Adam a proposé en se marrant :

Adam – Si ça peut aider, je m'appelle Guy. Adam, Simon, Guy comme mon grand-père paternel.

Nicolas – Très bien. Allonge-toi sur le canapé. Avec Enzo et Harold, on va te soulever à l'horizontale et tu vas nous servir de gui ! On s'embrassera juste sous toi.

Je ne vous raconte pas à combien de reprises les garçons ont tenté de porter Adam pour nous en faire une branche de gui. Entre les fous rires et les chutes, ça a été un grand moment.

Moi, pendant ce temps, j'hésitais encore : Thibault ou Jim ? Jim ou Thibault ?

Le premier des douze coups de minuit a sonné. Adam était suspendu dans les airs. On s'est agglutinés pour s'embrasser.

Siegried a commencé un bouche à bouche torride avec Nicolas qui menaçait de lâcher le Guy ! Ingrid s'est accrochée au beau gosse d'*Étoile Naissante,* ne lui laissant absolument pas le choix.

C'est formidable ces filles qui savent ce qu'elles veulent. Moi, je ne sais pas !

Thibault ou Jim ? Jim ou Thibault ? Je ne veux pas choisir.

Soudain, les lumières se sont éteintes...

Nicolas – Putain, qu'est-ce qui se passe ?!

Thibault – Je crois que les plombs ont sauté.

Enzo – Tant pis, on s'embrasse dans le noir, on réparera après.

Nicolas – Tu crois ?

Enzo – Ouais, c'est plus fun.

Dans le noir, ça veut dire que personne ne verra qui j'embrasse ? Jim ? Thibault ? Les deux ? Ou alors quelqu'un d'autre !

Scoop
scoop
idoo !

Justine – Qui a ma fiche sur la guerre froide?

Jim – Moi... Tu en as besoin?

Justine – Non, pas tout de suite, mais n'oublie pas de me la rendre, il faut que je la relise avant de dormir. On ne sait jamais, si on tombait dessus demain au bac blanc.

Nicolas – Parce que tu comptes encore travailler ce soir? Ça fait déjà trois heures qu'on s'interroge comme des cons dans ce grenier sur des événements qui sentent le moisi.

Léa – Tes événements qui sentent le moisi comme tu dis, ça s'appelle l'Histoire avec un grand H.

Nicolas – Ouais... Tu m'as déjà servi ton alphabet quand on révisait ta philo avec un grand F et j'étais déjà pas convaincu.

Léa – Oui, oui je sais. Pour toi, il n'y a qu'une vérité et elle est binaire. 0-1 comme sur les ordis.

Nicolas – Exact. Là au moins ça a du sens!

Jim – Oh non, vous n'allez pas recommencer tous les deux. On a déjà eu notre dose dimanche soir avec votre dispute sur le thème : « Qui est l'esclave? L'esclave ou le maître? »

Nicolas – C'est l'esclave.

Léa – Pour celui qui parle sans réfléchir seulement.

Jim m'a regardée, désespéré.

Jim – Ça y est, c'est reparti ! Soyez sympas, pensez à autre chose ! Je vous rappelle que je révise avec vous alors que je ne passe même pas de bac blanc.

Nicolas – Enfin, tu veux m'expliquer comment un type qui se tape tous les sales boulots pour pas une tune serait le maître de qui que ce soit ?

Léa – Parce que le maître est dépendant de lui.

Nicolas – N'importe quoi… C'est des conneries d'intellectuels qui n'ont jamais touché une serpillière.

Léa – Ah oui ? Eh bien, tu devrais écrire une thèse et l'envoyer à Hegel.

Nicolas – C'est qui lui encore ?

Ingrid – Né en 1770 en Allemagne, Hegel fait des études qui le familiarisent avec le courant des Lumières. Il est l'auteur de la *Phénoménologie de l'esprit* et de *La Science de la logique*. Mais c'est avec son *Précis de l'Encyclopédie des sciences philosophiques* qu'il publie son œuvre la plus systématique. Il est alors nommé professeur à l'université de Berlin. Il meurt en 1831, victime d'une épidémie de choléra.

Mais qu'est-ce qui lui arrive à Ingrid, c'est elle qui rédige les fiches de Julien Lepers pour la finale de *Questions pour un champion* ou quoi ?

Jim – Alors là, bravo Ingrid, tu m'impressionnes.

Ingrid – C'est juste une petite bio apprise par cœur, tu sais.

Jim – Peut-être mais pour des nuls en philo comme Nicolas et moi, c'est très fort.

Ingrid – C'est sûr, au royaume des aveugles, les ivrognes sont rois.

Les ivrognes ? Qu'est-ce qu'ils viennent faire là ?

Nicolas – Tiens, à propos d'ivrogne, t'avais pas monté autre chose à boire que du Coca, Thibault ? Ohé, Thibault, tu m'entends ?

Thibault – Euh, excuse-moi, tu m'as parlé ?

Nicolas – Ouais. T'as pas des bières ? Parce que le Coca light des filles, je sature.

Thibault – J'en ai chez moi, j'en ai mis au frais dans l'ascenseur.

Jim – Dans l'ascenseur ?!

Thibault – Euh pardon... Dans le réfrigérateur.

Ingrid a éclaté de rire.

Ingrid – Dans l'ascenseur, n'importe quoi !

Je ne sais pas si au royaume des aveugles, les ivrognes sont rois mais là, c'est l'hôpital qui se moque de la charité !!!

Nicolas – Dis donc, ça n'a pas l'air d'aller fort, toi ! On t'a pas entendu de la soirée et là, tu t'embrouilles tout seul... Ça va pas ?

Thibault – Si si, ça va.

Thibault a prononcé ces quelques mots sans lever les yeux de ses baskets qu'il fixait depuis un certain temps déjà. Nicolas nous a jeté un regard noir à Jim et à moi.

Évidemment, ça a provoqué un gros malaise. Tout le monde aura compris pourquoi.

Ah non, pas vous ? Vous en êtes où au juste des aventures du club des CIK+I ?

Au jour de l'an ?

Juste avant minuit ?

D'accord ! Je saisis mieux pourquoi la raison du malaise vous échappe. Alors je reprends pour vous...

CULTURE

EN DEUX MOTS : POUR Y VOIR PLUS CLAIR!!!!

« **AU ROYAUME DES AVEUGLES, LES BORGNES SONT ROIS.** »

⇨ QUE VEUT DIRE CETTE EXPRESSION?

UN MÉDIOCRE PARAÎT REMARQUABLE PARMI DES GENS SANS VALEUR.

SI VOUS VOULEZ FAIRE SAVANT, COMMENT LE DIRE EN LATIN?

« **BEATI MONOCULI IN TERRA CAECORUM.** »

UNE EXPRESSION AYANT LE MÊME SENS?

« **AU PAYS DES BOITEUX CHACUN PENSE QU'IL MARCHE DROIT.** »

Il faut que je vous rappelle la situation extrêmement délicate dans laquelle je me trouvais avant la Saint-Sylvestre. J'avais embrassé Jim à plusieurs reprises tandis que je filais le parfait amour avec Thibault. Après un gros moment de culpabilité et de doute, j'avais fini par penser qu'une vie partagée entre mes deux hommes serait parfaite pour nous. Pour moi, parce que je n'aurais pas à choisir, pour les garçons parce qu'ils n'auraient pas à souffrir d'une rupture.

C'est vrai, c'est stupide cette histoire de fidélité dans le couple. Après tout, si une femme peut rendre deux hommes heureux, où est le mal?

Comment ça l'inverse est vrai? Vous voulez dire, si Thibault ou Jim avaient une autre petite amie que moi? Mais il n'en est pas question!

Bon, de toute façon, la question n'est plus d'actualité puisque Jim a fini par me poser un ultimatum. Il m'a dit mot pour mot : « Celui que tu embrasseras à minuit le jour de l'an sera celui que tu choisiras. »

Or à minuit moins une, je ne savais toujours pas lequel des deux j'allais embrasser. Et malgré le champagne qui rendait la situation plus légère, j'étais bien embarrassée.

Ce que j'ignorais, c'est que la configuration planétaire de la nouvelle année mettait Vénus en signe ami du mien. En effet, à minuit pile, les plombs ont sauté. La maison a été plongée dans le noir complet et Nicolas a crié :

Nicolas – Putain, qu'est-ce qui se passe ? Pourquoi tout s'est éteint ?

Thibault – Je crois que les plombs ont sauté.

Enzo – Tant pis, on s'embrasse dans le noir, on réparera après.

Nicolas – Tu crois ?

Enzo – Ouais, c'est plus fun.

Pour être fun, ça a été fun !

J'ai assez vite compris que ce noir complet était une aubaine. Puisque je n'arrivais pas à choisir, l'obscurité allait me donner l'occasion de continuer à jouer sur les deux tableaux. J'allais embrasser Jim ET Thibault. Chacun à son tour !

Et c'est ce que j'ai fait... Je dois avouer que ça a été divin. Seulement, comme le dit le proverbe, tout a une fin. Et moi, je n'ai pas su trouver le bon timing.

Résultat, lorsque Nicolas a remis le disjoncteur, j'étais dans les bras de Jim. Et quand je parle de bras, c'est pour éviter de choquer les âmes sensibles. En réalité, j'étais ventousée à sa bouche comme un poisson rémora à son requin et nos deux corps ne faisaient plus qu'un.

Le pire, c'est que je ne me suis pas tout de suite rendu compte que la lumière avait été rallumée. Notre baiser le plus torride du siècle s'est donc éternisé, en live, devant tous les invités.

Ce qui m'a alertée, c'est la toux de Léa. Une quinte digne d'un tuberculeux en stade terminal. J'ai donc interrompu notre bouche à bouche. Et c'est là que j'ai saisi l'étendue du désastre... surtout lorsque j'ai croisé le regard de Thibault.

J'aurais pu baisser les yeux comme une fille prise en faute, j'aurais pu aussi partir en courant dans la campagne et ne jamais revenir, j'aurais pu assumer mon baiser et les regarder tous bien droit dans les yeux, pourtant je n'ai rien fait de tout cela.

Non, je ne sais pas ce qui m'a pris mais j'ai attrapé Thibault et je l'ai embrassé à son tour avec une fougue incontrôlable, non sans avoir hurlé auparavant :

Justine – Mince alors, je me suis trompée de garçon dans le noir.

Ma bonne humeur a gagné les autres et ce qui aurait pu être une tragédie s'est transformé en fou rire général. J'ai cru que la partie était gagnée.

Seulement, la réalité était autre le lendemain au petit-déjeuner quand tout le monde s'est retrouvé à jeun.

Là, j'ai senti que le vent tournait pour moi. Thibault était déjà dans la cuisine quand je me suis levée vers onze heures. Il mastiquait d'un air sombre un bout de croissant. J'ai essayé de détendre l'atmosphère.

Justine – C'est magique, tu as réussi à faire apparaître des viennoiseries dans cette cuisine où il n'y avait plus rien à manger hier soir.

Zéro réponse.

Justine – Waouh !!! Il y a même des chouquettes, j'adore. Ça sort d'où ?

Cette fois-ci, Thibault m'a répondu mais il m'aurait lu les pages jaunes, rubrique « corbillards et mise en bière », il y aurait eu plus de tendresse dans sa voix.

Thibault – Enzo et Jim sont allés les acheter à la boulangerie ce matin à huit heures.

Justine – Ils se sont levés si tôt que ça ?

Thibault – C'est plutôt qu'ils ne se sont pas couchés. Ils ont joué au poker toute la nuit. Mais j'aurais cru que tu serais plus informée que moi des activités nocturnes de Jim, ton cher ami d'enfance.

Justine – Thibault, pour hier soir je peux t'expliquer...

Thibault – Ne te donne pas cette peine.

Justine – C'est que...

Thibault – Écoute, Justine, je ne suis pas idiot et ce qui s'est passé cette nuit ne demande aucun éclaircissement.

Justine – J'avais bu du champagne et tu es bien placé pour savoir dans quel état me met l'alcool. Tu te souviens de notre première nuit ensemble ?

Ce petit rappel de notre première fois complètement ratée mais tellement romantique a fait sourire Thibault. *Yes*, il dégèle enfin.

Justine – Je n'avais aucun souvenir en me réveillant.

Thibault – Il valait mieux pour toi, vu les âneries que tu avais débitées avant de t'effondrer.

De quelles âneries il parle, là ? Je croyais que j'avais juste un peu vomi sur ses baskets et qu'il avait été obligé de me déshabiller avant de me border.

Justine – Je peux savoir à quoi tu fais allusion ?

Thibault – Ça n'a plus aucune importance.

Justine – Euh... Si, quand même !

Comme Thibault semblait décidé à garder le silence, je n'ai pas insisté. Après tout, il était inutile que j'aggrave mon cas. J'ai tenté de rebrancher mon prince – mais était-il encore mon prince ? – sur le romantisme de la situation ce matin-là.

Justine – Tu m'avais mis une rose dans les cheveux...

Thibault – Oui, tu étais tellement jolie endormie.

Justine – Et quand je me suis levée, j'ai...

Thibault m'a interrompue brutalement :

Thibault – Bon Justine, on va arrêter tout de suite notre séquence nostalgie, ça n'a plus aucun intérêt désormais.

Justine – Comment ça ?

Thibault – Je n'ai pas dormi ces dernières heures mais j'ai beaucoup réfléchi.

Justine – Et alors ?

Thibault – Si j'avais été plus attentif, j'aurais compris depuis longtemps.

Justine – Compris quoi ?

Thibault – Que tes sentiments pour Jim sont les plus forts.

Justine – Ce n'est pas ce que tu crois.

Thibault – Oh si... Mais tu ne l'assumes pas et du coup tu ne parviens pas à faire un choix. Alors c'est moi qui prends la décision de te quitter.

La conclusion de Thibault m'a fait l'effet d'un coup de poignard dans le cœur.

Justine – Tu ne m'aimes plus, c'est ça ?

Thibault – Ça me regarde.

Justine – Si tu m'aimais vraiment, tu te battrais pour me garder.

Thibault – Sois gentille, n'inverse pas la situation. Je te rappelle que c'est toi qui en aimes un autre.

Je n'ai même pas cherché à le nier, j'avais le cœur en miettes.

Justine – Alors nous deux, c'est fini ?

Thibault – Oui.

Justine – Pour de bon ?

Thibault – Oui. C'est mieux comme ça.

Justine – Pour qui ?

Thibault – Pour toi, pour moi, pour nous tous.

Justine – On ne se reverra jamais ?

Thibault – Justine, je te rappelle qu'on habite la même maison, qu'on va dans le même lycée et qu'on a des amis en commun. On aura donc l'occasion de se revoir tous les jours.

Oui, bon d'accord, je reconnais que ma question était idiote mais la réponse est extrêmement rassurante.

J'aurai l'occasion de séduire mon prince à nouveau s'il me manque.

– Coucou les amoureux !

Oh non pas elle ! Pas Macha, avec son mètre cinquante de jambes et sa crinière de grand fauve !

Macha – Eh ben, ça ne vous réussit pas la nouvelle année ! Entre Justine qui se trompe de mec la nuit et Thibault qui fait la tronche le matin !

Agacé par le rappel de mes confusions nocturnes, Thibault s'est levé et, raide comme un piquet, il est sorti de la cuisine sans un mot.

Macha – Qu'est-ce qu'il a ?

Je ne lui ai pas répondu non plus et je suis partie dans le salon, mon assiette de viennoiseries à la main, décidée à me suicider à la chouquette.

La suite de la journée a été à la hauteur du petit-déjeuner, c'est-à-dire totalement nulle. Thibault venait de me larguer et Jim m'ignorait superbement.

Eh ben, si ce qu'on fait le jour de l'an se répète durant les trois cent soixante-quatre jours qui suivent, ça va être une année épouvantable.

Léa a bien tenté d'apaiser mes angoisses mais sans le moindre résultat.

Notre week-end champêtre s'est achevé lamentablement entre le silence obstiné de Thibault et l'indifférence de Jim.

Et même si, les jours suivants, les rapports entre nous ont semblé se normaliser, l'ambiance tendue de cette soirée de révisions du bac blanc prouvait que rien n'était réglé pour personne.

Léa – Est-ce que quelqu'un se souvient du nombre des pertes humaines pour la Seconde Guerre mondiale ? J'ai besoin d'un exemple pour mon cours de philo sur le bien et le mal.

Ingrid – Entre cinquante-cinq et soixante millions de morts pour les deux camps.

C'est sûr qu'il y a des événements plus graves que nos petites histoires de cœur...

Nicolas – Hein ? C'est une blague ?

Léa – Non malheureusement.

Ingrid – Dix-sept à vingt-deux millions de morts en URSS, six millions en Pologne, cinq millions et demi en Allemagne...

Nicolas – Arrête, ça me fout le cafard.

Ingrid – Et je ne te parle pas de la Shoah avec six millions de Juifs assassinés, et du génocide tzigane qui a fait au moins deux cent mille victimes.

Jim – Tu te souviens de tout ça, toi ? En tous cas, les hommes étaient fous à cette époque.

Léa – Pourquoi « étaient » ? Ils le sont toujours, regarde la Syrie et le Darfour, c'est aussi monstrueux !

Nicolas – Et on fait quoi, nous, pour ces gens ?

Léa – On les voit se trucider aux infos en mâchant notre steak frites avec application.

Nicolas – T'es horrible Léa !

Ingrid – Non, elle est lucide. Le Darfour c'est actuellement l'enfer sur terre : trois cent mille morts et deux millions et demi de personnes déplacées. C'est le premier génocide du XXIe siècle. Et aux infos on en parle trois minutes, entre le Salon du cheval et le manque de neige dans les stations des Alpes...

Nicolas – Mais comment tu sais tout ça, toi ?

Ingrid – C'est un sujet qui me passionne et plus le temps passe, plus j'ai envie de m'engager dans une association humanitaire.

Cette fille m'étonnera toujours.

Nicolas – Mais tu ferais quoi là-bas ? Il n'y a pas de centres commerciaux dans cette zone, tu sais.

Mon cousin a fait l'unanimité contre lui avec cette dernière remarque. Même Thibault, qui était resté silencieux durant toute la discussion, a pesté contre l'humour méprisant de Nicolas.

Nicolas – Bon, ça va, je m'excuse. Je ne peux pas être drôle à tous les coups.

Léa – Si tu pouvais l'être une fois de temps en temps, ça serait un progrès.

Nicolas – OK, c'est ma fête. J'aurais mieux fait de la fermer. Bon, quand est-ce qu'on mange ?

J'ai regardé ma montre, il était déjà huit heures vingt et j'avais promis à mes parents d'être à la maison à huit heures pile pour m'occuper de Théo. Comme mon père avait un cocktail à son boulot pour fêter la nouvelle année avec conjoints et collègues, il était parti avec ma mère vers dix-neuf heures, laissant mon petit frère devant un DVD.

Justine – Il faut que je descende, Théo est tout seul.

Nicolas – Tu remontes après ?

Justine – Non, je dois lui préparer à manger.

Nicolas – Et vous faites quoi, les autres ?

Léa – Moi, je rentre dans dix minutes.

Ingrid – Moi aussi.

Nicolas – Alors, on reste entre mecs ?

Thibault a jeté un regard rapide, presque imperceptible, en direction de Jim avant de déclarer d'une voix ferme :

Thibault – Ce sera sans moi.

Nicolas – Pourquoi ? C'est nul... Il faut bien que tu bouffes, alors autant qu'on soit ensemble. Je commande des pizzas ou on fait des pâtes et on mange chez toi ou chez moi.

Thibault – Non merci. Je suis crevé. J'ai envie de regarder un DVD tranquille et de me coucher.

Nicolas – Tu veux pas que je te prépare une camomille pendant que tu y es ? C'est quoi ce plan de vieux ?

Je n'ai pas écouté la suite, je me suis ruée chez moi. Mon petit frère seul depuis plus d'une heure, c'était la porte ouverte à toutes les idées loufoques !

→ Glenn Herbert Gould, né le 25 septembre 1932 à Toronto au Canada et mort le 4 octobre 1982 à Toronto, est un pianiste, compositeur, écrivain, homme de radio et réalisateur canadien. Il est célèbre pour ses interprétations au piano du répertoire classique. Excentrique, ultra-perfectionniste, il a quitté la scène à 32 ans pour ne plus faire que des disques et de la radio ! Ses deux enregistrements des "Variations Goldberg" de Bach (1955, 1981) font autorité aujourd'hui encore.

En fait, je m'étais affolée pour rien, Théo était encore devant *Le Roi Lion* quand je suis arrivée. Il tenait serrées ses peluches de Simba et Nala contre lui et leur disait à l'oreille : « Ne vous inquiétez pas, on aura la peau de votre oncle, le méchant Scar, et des hyènes puantes Shenzi, Banzaï et Ed. Vous serez le roi et la reine, je vous le promets. »

Je n'ai pas pu m'empêcher d'éclater de rire.

Théo, hyper vexé d'être pris en flag de « baby attitude », m'a frappée avec ses lionceaux.

J'ai essayé de me défendre.

Justine – Arrête !

Théo – T'es méchante ! Tu te moques de moi...

Justine – Mais non, je te trouve mignon, c'est tout.

Théo – Eh ben pas moi, je te trouve pas mignonne. Et je ne veux plus te parler jusqu'à la fin de ma vie.

Justine – Oh ça va Théo ! N'en fais pas toute une histoire. J'ai juste un peu rigolé parce que tu parlais à tes peluches.

Mon petit frère est reparti s'asseoir sur le canapé en fronçant les sourcils.

Justine – T'as faim ?

Aucune réponse.

Justine – Maman nous a laissé des haricots avec du poisson mais si tu préfères, je te fais une pizza surgelée, des frites au four et un Mystère en dessert.

J'ai cru que ma proposition allait dérider mister Grognon. Que nenni ! Il a continué à bouder tout seul dans son coin.

Je suis sortie du salon sans qu'il daigne seulement me jeter un regard. Je commençais à en avoir assez, moi, des garçons et de leur susceptibilité...

Je franchissais le seuil de la cuisine quand des gouttes d'eau froide sont tombées sur ma nuque.

J'ai poussé un hurlement.

J'ai levé les yeux vers le plafond et j'ai tout de suite repéré, malgré ma myopie légendaire, une grosse auréole d'où s'écoulait un filet d'eau. J'ai cherché dans le placard une casserole, une bassine, n'importe quoi...

Si on ajoute la précipitation à ma maladresse habituelle, ça donne une cata ! En voulant sortir rapidement un récipient, j'ai cassé le couvercle en verre de la friteuse. Oh non... Et ça continue de couler là-haut, ça vient de chez le voisin, il faut le prévenir ! Il a dû laisser un robinet ouvert.

Justine – Théo ! Viens vite !

Mais où est la serpillière ? Je ne sais pas où maman l'a rangée. Je suis sûre que si elle était là, j'aurais droit à : « Ma petite chérie, si tu faisais plus souvent le ménage ici tu saurais où sont les choses. » Ce que les parents peuvent être lourds parfois. J'ai besoin qu'on me renseigne, pas qu'on me fasse la morale !

Ça coule de plus en plus !

Justine – THÉO !!!

Mais qu'est-ce qu'il fabrique ?! Pourquoi il ne me répond pas ? C'est quand même pas à cause de ma remarque sur Simba et Nala ?

Justine – THÉO ! VITE !! C'EST LA CATA !!!

Mon petit frère a fini par arriver d'un air nonchalant. Après avoir observé les bris de verre au sol puis l'eau qui coulait toujours du plafond, il a sorti son petit carnet à tête de mort de sa poche et a constaté à haute voix tout en écrivant :

Théo – 20 h 45. Entendu des cris et un bruit de verre brisé. Justine Perrin, fille des propriétaires de l'appartement, semble très agitée. Elle a vidé sur le sol le contenu d'une étagère et a cassé certains ustensiles. Elle regarde le plafond d'un air inquiet. Elle a placé un récipient par terre. Il semblerait que nous soyons confrontés à un dégât des eaux provoqué par un robinet ouvert chez le voisin du deuxième étage surnommé le pervers.

Justine – Trouve-moi la serpillière au lieu de jouer les inspecteurs Gadget. Ce n'est pas une enquête de ton héros préféré, c'est la vraie vie avec de la flotte partout ! THÉO ! Tu m'as entendue ? La serpillière !

Théo – Plutôt que de s'attaquer aux effets, je préconise de remonter à la source, c'est-à-dire de fermer le robinet qui est responsable de l'inondation.

C'est pas pour dire mais il a raison le morveux. Je suis là à vouloir éponger alors que ça continue de couler là-haut.

Justine – Théo, tu restes là et tu trouves la serpillière. Tu sèches le sol au maximum. Je vais sonner chez le pervers et je reviens. D'accord?

Théo – 20 h 47. Première action cohérente de Justine Perrin, fille des propriétaires. Malgré son âge avancé, elle ne semble pas posséder un esprit très pratique.

Rappelez-moi de noyer mon petit frère dans l'eau de la bassine quand ce maudit robinet sera fermé.

J'ai monté les escaliers en courant et j'ai sonné chez notre voisin.

Aucune réponse.

J'ai sonné de nouveau et frappé à la porte en même temps.

Rien.

J'ai recommencé en prenant soin de crier :

Justine – Il y a quelqu'un?

Toujours rien...

J'ai tambouriné lourdement en hurlant :

Justine – Monsieur! Monsieur!

– Mais qu'est-ce que tu fous?

J'ai fait un bond comme jamais!

Justine – Oh... Tu m'as fait peur!!!

Nicolas, la tête par-dessus la rambarde, me regardait de l'étage supérieur.

Justine – Il y a une inondation chez moi, ça vient de chez le pervers. Je sonne mais il ne répond pas.

Nicolas – J'arrive!

Il n'a pas fallu plus de deux minutes pour que le club des CIK+I se retrouve réuni au grand complet au deuxième étage.

Léa – Ça fait combien de temps que tu sonnes ?

Justine – Je ne sais pas, cinq minutes.

Thibault – Il n'est peut-être pas chez lui.

Théo – 20 h 52. Après vérification dans le jardin, les lumières du salon du voisin, surnommé le pervers, sont allumées. Si Justine Perrin, fille des propriétaires de l'appartement sinistré, savait se taire, elle entendrait (ainsi que son groupe d'amis) les *Variations Goldberg* en fond sonore (c'est le CD que maman écoute quand elle a le cafard).

Théo, que personne n'avait entendu monter, se tenait derrière nous et continuait à prendre des notes.

Jim a collé son oreille contre la porte.

On a fait silence.

Jim – Théo a raison, il y a de la musique à l'intérieur. Le pervers est forcément chez lui.

Ingrid – Pourquoi il ne nous ouvre pas ?

Théo – 20 h 54. Plusieurs possibilités s'offrent à nous : soit le voisin a été victime d'un malaise le laissant mort sur le sol, soit il a été assassiné par cette femme étrange qui lui rend visite régulièrement le mercredi soir, soit il a mis au point un piège mortel pour les six adolescents qu'il sait seuls ce soir. Après avoir provoqué volontairement une inondation obligeant Justine Perrin à aller chez lui, il a laissé lumière et musique allumées afin de faire comprendre au club des CIK venu la rejoindre qu'il est présent. Les adolescents cherchant à lui venir en aide s'apprêtent à pénétrer dans l'appartement où les attend une mort certaine.

Justine – N'importe quoi Théo !

Nicolas – Il faut que tu arrêtes de lire les conneries d'enquête de Tobie, ça te monte au cerveau.

Ingrid – Il a peut-être raison.

Justine – Arrête, Ingrid, tu ne vas pas rentrer dans le jeu d'un gamin de six ans et demi qui se prend pour un inspecteur de police.

Ingrid – Six ans et demi peut-être, mais surdoué je te rappelle. Et puis son analyse est super précise depuis tout à l'heure. C'est lui qui a repéré les lumières allumées et la musique. En plus, t'as vu comment il s'exprime ?

Oui, c'est sûr, il faut bien avouer que Théo est un enfant hyper perspicace. Il a de qui tenir, je suis sa sœur, non ?

Jim – Bon, on fait quoi ?

Théo – 20 h 57. S'il y a réellement un piège, la porte d'entrée aura été laissée ouverte afin que le club des CIK entre sans difficulté...

Jim a mis la main sur la poignée et la porte s'est ouverte.

Ingrid a poussé un cri strident.

Nicolas – Putain Ingrid ! Tu ne peux pas te calmer un peu !

Ingrid – C'est pas ma faute, j'ai eu super peur !

Thibault – Je me demande s'il ne serait pas plus sage d'appeler les pompiers. Entre l'inondation et le voisin qui ne répond pas alors que tout est allumé chez lui, ça relève de leurs compétences, pas des nôtres.

Tiens, ce n'est pas la première fois qu'il ne fait pas preuve d'un grand courage le garçon !

Jim – Si ce type a eu un malaise, il vaut mieux aller voir tout de suite.

Léa – Jim a raison.

Théo – Comme dit Tobie : « Trop d'émotion tue le jugement. »

Nicolas – Théo, tu la fermes avec tes phrases Carambar, c'est toi qui nous tues le jugement depuis tout à l'heure avec tes scénarios à la con.

Léa – Doucement Nicolas, c'est qu'un gosse...

Nicolas – Ouais mais il fait chier, je ne sais plus quoi faire maintenant.

Léa – Eh ben moi, j'y vais. Il y a peut-être un homme en train de mourir derrière cette porte.

N'écoutant que son courage, Léa est entrée dans l'appartement du voisin.

Ingrid, catastrophée, s'est exclamée d'une voix lugubre :

Ingrid – C'est la fin des Haribo !

Si la situation n'avait pas été aussi tendue, on aurait éclaté de rire mais là, son faux proverbe est passé à la trappe.

Nicolas et Jim se sont précipités pour rattraper Léa et l'obliger à ressortir.

Nicolas – On rentre d'abord et tu nous rejoins après s'il n'y a pas de danger.

Léa – Mais...

Jim – Il n'y a pas de mais !

Théo – 21 h 02. Le groupe se désolidarise. Comme dans tous les films d'horreur que me raconte mon copain Gaspard, ce sont les plus courageux qui mourront en premier. Pour rien certes, mais la tête haute, tandis que les autres chercheront en vain à échapper à leur destin. Il est hautement probable qu'à cette heure-ci la porte d'entrée de la maison bleue a été fermée à clef par le pervers et qu'il n'y a plus aucune issue pour les survivants.

Les garçons étaient entrés depuis quelques secondes lorsque la voix de Nicolas a retenti à travers l'appartement :

Nicolas – Putain, c'est quoi ce bordel ?

Léa n'a pas attendu qu'il l'autorise à les rejoindre. Elle a foncé dans l'appartement. Je l'ai suivie, non sans avoir recommandé à Théo :

Justine – Tu restes avec Ingrid, je t'interdis de venir avec moi. Tu as compris ?

Je pensais avoir droit à « 21 h 04. Justine, la fille des propriétaires de l'appartement sinistré, décide de rejoindre sa meilleure amie dans le piège mortel » mais au lieu de ça, Théo a chouiné.

Théo – Je veux pas que tu y ailles.

Avant d'éclater en sanglots.

Justine – Qu'est-ce qui te prend ?

Théo – J'ai peur qu'il te tue et que je te revoie jamais.

Justine – Oh Théo, ne pleure pas mon petit cœur, je vais revenir.

Je consolais mon frère lorsque Jim a hurlé :

Jim – Venez vite, on a besoin d'aide !

Théo s'est agrippé à moi comme une moule à son rocher.

Théo – N'y va pas !

Je suis entrée dans l'appartement avec Théo dans les bras. Thibault et Ingrid m'ont suivie.

Je n'ai pas tout de suite repéré le corps étendu sur le sol. Nicolas et Jim étaient devant.

C'est lorsque je me suis approchée que j'ai aperçu le pervers affalé par terre, le visage blanc craie.

Justine – Il est mort ?

Léa, qui était agenouillée près du voisin inconscient, m'a répondu :

Léa – Je crois que son cœur bat encore.

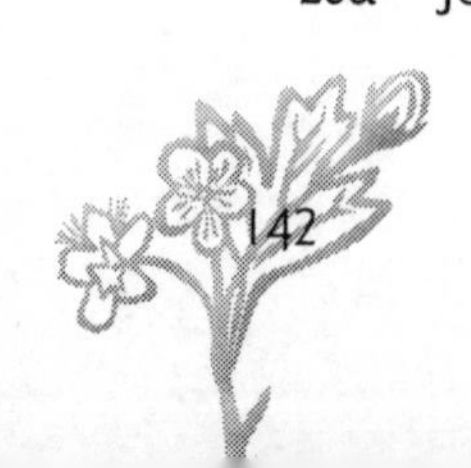

Justine – Vous avez appelé les pompiers ?

Jim – Je suis en attente, il y a un répondeur.

Justine – Qu'est-ce qu'il a ?

Léa – Je ne sais pas.

Nicolas s'est baissé pour ramasser un objet coincé sous la jambe gauche du pervers.

Nicolas – Putain, c'est un junkie. Regardez, c'est une seringue.

Thibault – Il aurait fait une overdose ?

Jim – Peut-être.

Ingrid – C'est dingue, à son âge.

Jim – Pourquoi, il y a un âge précis pour se foutre en l'air ?

Ingrid – Non, mais quand tu vois son appartement hyper bien rangé, tous ses livres, son piano, on ne croirait pas que c'est un drogué.

Jim – Ça ne veut rien dire. Je suis certain que... Allô ? Allô ?

Jim nous a informés :

Jim – La musique d'attente s'est arrêtée... Quelqu'un va me répondre... Allô ? Oui, bonjour, je vous appelle parce que je suis à côté d'un homme étendu par terre, il a dû avoir un malaise... Non... Non... c'est dans un appartement... C'est un voisin... Je vous donne l'adresse : 5, rue... Deuxième étage. Non, pas de code, pas d'ascenseur. C'est une maison. Oui, c'est d'accord, je le couvre et je reste sur les lieux jusqu'à votre arrivée.

Au moment où Jim raccrochait, Léa s'est levée d'un bond et est allée lire des papiers sur le bureau.

Nicolas – Qu'est-ce que tu fais ?

Léa – Je cherche une réponse. Ce type habite ici depuis des années, on le voit rarement mais il est toujours dans un état normal. Je ne crois pas à l'hypothèse de l'overdose.

Nicolas – Qu'est-ce qu'il ferait avec une seringue, alors ?

Théo, qu'on n'avait pas entendu depuis sa crise de larmes, a chuchoté :

Théo – Il est peut-être diabétique comme le papy de mon copain Gaspard.

Léa s'est arrêtée net. Elle est revenue près du voisin et a cherché quelque chose dans les poches de son pantalon.

Nicolas – Tu cherches quoi maintenant ?

Léa – Une carte de diabétique. Si Théo a raison, ce type a forcément une carte dans son portefeuille en cas de malaise. *Yes*, je l'ai ! Où est la cuisine ?

Quel rapport avec la cuisine ?

Jim, qui semblait être le seul à suivre le cheminement tortueux de la pensée de Léa, est sorti comme un bolide du salon. On l'a entendu crier :

Jim – Ouh là là, c'est plus une cuisine, c'est une piscine.

Ma meilleure amie, pourtant avertie, l'a rejoint.

Jim – Ne rentre pas, Léa, tu vas te tremper les pieds.

Léa – Il me faut absolument du miel ou du Coca.

Jim – Je sais... Je vais te trouver ça.

Ingrid m'a chuchoté :

Ingrid – Pourquoi elle veut du miel ou du Coca maintenant ? C'est vraiment pas le moment.

Léa est revenue en moins de temps qu'il ne faut pour le dire.

Elle s'est agenouillée devant le voisin et après avoir demandé à Jim de lui soulever légèrement la tête, elle lui a mis dans la bouche une cuillerée de miel.

Léa – Tiens-le bien droit pour qu'il ne s'étouffe pas. Il réagit encore, c'est bon signe.

Jim – J'espère qu'on ne le tue pas en lui donnant autant de miel.

Le diabète

En France, 2,3 à 2,6 millions de personnes sont touchées par le diabète, avec une nette prédominance pour le diabète de type 2 qui est d'origine héréditaire.

Le diabète de type 1, en progression chez l'enfant et l'adolescent, est lui d'origine auto-immune. Il se diagnostique souvent à cause d'une soif constante et de pipi au lit. 15 000 enfants et adolescents sont touchés en France. La prise en charge médicale précoce (activité physique, suivi alimentaire, vérification du taux d'insuline) va aider les jeunes patients à rester des enfants et des adolescents comme les autres, sans que « le diabète leur prenne la tête ».

Jim n'avait pas fini sa phrase qu'on a entendu la sirène des pompiers.

Thibault – Je vais les chercher.

À cet instant les pompiers ont fait irruption dans l'appartement, privant Thibault de son rôle d'ambassadeur. Ils ne nous ont pas posé de question et se sont occupés immédiatement du voisin.

Léa leur a tendu sa carte de diabétique et leur a dit :

Léa – On a trouvé une seringue près de lui et cette carte dans son portefeuille.

Le pompier – Vous êtes de la famille ?

Léa – Non, juste des voisins. On lui a fait avaler une cuillerée de miel.

Le pompier – Pas de fausse route ? Il a pu déglutir ?

Léa – Oui.

Le pompier – Est-ce qu'il a réagi après ?

Léa – On vient juste de la lui donner. On a bien fait ?

Le pompier – Oui. Ça fait longtemps qu'il a eu son malaise ?

Léa – On ne sait pas. Justine habite à l'étage du dessous et c'est parce qu'il y avait une fuite d'eau dans son appartement qu'on a sonné chez lui.

Le pompier – Il avait laissé un robinet ouvert ?

Léa – Oui, dans la cuisine.

Le pompier – Vous avez pensé à le fermer ?

Léa – Oui.

Le pompier – Il était sans connaissance sur le sol quand vous l'avez trouvé ?

Léa – Oui.

Le pompier – Est-ce qu'il délirait ?

Léa – Non. Il n'a pas dit un mot.

Le pompier – Très bien. On l'embarque. Vous pouvez prévenir sa famille ?

Léa – On ne la connaît pas. Il ne parle jamais à personne.

Le pompier – Essayez de trouver un numéro dans un agenda et appelez.

Léa – D'accord !

Après avoir posé une perfusion au voisin, le pompier et ses collègues l'ont évacué sur une civière.

Le pompier – Pensez à fermer la porte à clef en partant. J'espère qu'il pourra revenir rapidement chez lui. Bravo pour votre intervention. Vous avez des questions ?

Ingrid – Il n'y a pas de femmes chez les pompiers ? Parce que je me verrais bien travailler au sein d'une équipe comme la vôtre ! On doit se sentir hyper rassurée.

Après avoir souri poliment, le pompier a fait un petit mouvement de tête en guise de salut et il a disparu.

La peste y est allée de son commentaire :

Ingrid – C'est qu'il est farouche le garçon.

Nicolas – Ou pas intéressé par la marchandise si gentiment offerte.

Ingrid a jeté un regard noir à Nicolas.

Comme on restait sans rien faire, Léa a pris la direction des événements.

Léa – Bon, il faut qu'on cherche qui prévenir. Où est le téléphone ? Il doit bien y avoir un agenda à côté.

Jim – A priori, pas de téléphone dans le salon, je vais voir dans sa chambre.

Léa – Justine et Ingrid, regardez sur son bureau, il y a plein de papiers. Vous trouverez peut-être un renseignement utile.

Toi, Nicolas, vérifie encore son portefeuille pour voir s'il n'y a pas le numéro d'une personne de sa famille à prévenir en cas de malaise. Et vous, Thibault et Théo, regardez dans l'entrée, j'ai vu un manteau et une veste.

On cherchait depuis plus de cinq minutes quand Ingrid a hurlé :

Ingrid – J'y crois pas !

Justine – Quoi ?

Ingrid – Je viens de tomber sur un dossier ultra compromettant.

Mon petit frère est revenu dans le salon à la vitesse de la lumière.

Théo – C'est un agent secret ?

Ingrid – Je ne sais pas, mais il y a du lourd ici...

Qu'est-ce que j'en ai assez d'Ingrid et de ses effets d'annonce ! Moi aussi, je suis en train de lire les feuilles qui sont sur son bureau et ce n'est pas compliqué de comprendre que ce sont les pages d'un manuscrit.

Justine – Il est romancier. Ce que tu lis là, c'est de la fiction même s'il dit « je ». Regarde toutes les corrections au crayon sur le texte.

Ingrid – J'avais compris, je ne parlais pas de ça. Je te dis que j'ai une bombe entre les mains !

Ben voyons !

Ingrid, ravie d'avoir un auditoire suspendu à ses lèvres, a laissé planer un long moment de suspense.

Ingrid – Alors vous voulez que je vous dise ?

Nicolas – Putain, fais péter l'info au lieu de jouer les stars !

Ingrid – Le pervers a écrit une fiche sur chacune des personnes qui vivent dans cet immeuble.

Thibault – Quoi ?!

Ingrid – On y est tous.

Jim – Comment ça ?

Ingrid – Qui est qui, qui voit qui, qui part et à quelle heure, qui sort avec qui, qui dit quoi... Je prends au hasard la première fiche : Justine.

Oh non, pas la mienne. Si les baisers échangés avec Jim avant le jour de l'an y sont consignés, je ne pourrai plus jamais croiser le regard de Thibault.

Ingrid a parcouru rapidement la fiche.

Ingrid – Je vais plutôt prendre celle de Thibault, il y a des révélations exclusives sur une grande blonde qui dort chez lui tous les soirs depuis une semaine.

Comment ça une grande blonde qui dort chez lui depuis une semaine ? Il m'a déjà remplacée ?

J'ai regardé mon prince, il était livide. La soirée des révélations venait seulement de commencer.

L'homme de la situation

Justine – Je sens que je ne l'aurai pas.

Léa – Pareil pour moi. Plus je relis mon brouillon, plus je me rends compte que j'ai fait un hors sujet en philo et vu le coefficient, c'est irrattrapable.

Justine – En plus, il paraît qu'au premier bac blanc, les profs notent super sévère pour nous mettre la pression et nous pousser à travailler.

Léa – En ce qui me concerne, ça va provoquer l'effet inverse. Si j'ai des sales notes, je vais me décourager.

Justine – Je trouve ridicule que ce soit le proviseur qui annonce les résultats dans les classes.

Léa – Les profs veulent donner un peu de crédibilité à leurs examens blancs, c'est tout.

Justine – Peut-être mais je redoute vraiment le moment où Présario va entrer dans la salle et annoncer les noms de ceux qui sont recalés. Tiens, tu veux pas finir mon petit pain au chocolat? J'ai plus faim, ça m'a coupé l'appétit.

Léa – Non merci, j'ai commencé un régime, j'ai pris deux kilos depuis Noël. Tu imagines, ça fait cinq cents grammes par semaine!

Justine – Le poids d'un ballotin de chocolats!

Léa – Ça ne me fait pas rire. La vie est injuste! Tu t'es autant goinfrée que moi et tu n'as pas pris un gramme.

Justine – Oui, mais moi, je suis célibataire et toi, t'as Peter.

Léa – Enfin, j'ai Peter, façon de parler ! Pour ce que je le vois, je commence à désespérer. Et quel rapport avec ma cellulite ?

Justine – Aucun. Je voulais juste dire qu'on ne peut pas tout avoir dans la vie : la taille mannequin et un homme amoureux.

Léa – Ah oui ? Tu veux que je te fasse la liste de toutes les comédiennes sublimissimes escortées par des canons amoureux d'elles ?

Justine – Non merci. J'essayais de nous trouver une raison de vivre mais tu as raison, nous n'en avons pas. Je viens de me faire larguer lamentablement par mes deux mecs et toi, tu te juges trop grosse.

La sonnerie a retenti sur ce constat catastrophique.

Léa – Et en plus, on va rater notre bac.

Justine – C'est vrai, j'allais oublier ! Tu as bien fait de rajouter notre échec au bac, une petite touche d'optimisme aurait été de très mauvais goût.

On a monté les escaliers comme on monte à l'échafaud. Nicolas, très occupé à embrasser Charlotte, une fille de première S3, ne nous a même pas vues passer. J'ai chuchoté à Léa :

Justine – Je croyais qu'il ne la supportait pas celle-là ?

Léa – « Souvent homme varie, bien folle qui s'y fie. »

Justine – J'espère qu'il ne va pas nous la ramener à la maison bleue.

Léa – Ça ne risque pas. Ça va bientôt faire trois semaines que plus personne ne se retrouve là-bas. Je te rappelle que le club des CIK+1 est mort et enterré.

Justine – Tu as décidé de me flinguer le moral ou quoi ?

Léa – Non, je suis lucide, c'est tout.

Justine – Ça, c'est à cause des fiches du pervers.

Léa – Ouais... Il faut avouer que ses révélations ont été une vraie catastrophe. Qui aurait imaginé qu'il notait absolument le moindre de nos faits et gestes sur des fiches cartonnées ?

Justine – Tu veux que je te dise, le jour de l'inondation, on aurait dû le laisser mourir.

Léa – Oh Justine ! T'es horrible !

Justine – Oui peut-être mais si on n'était pas entrés dans son appart, tout ça ne serait jamais arrivé. J'ai des sueurs froides en repensant au moment où Ingrid a lu ses maudites fiches. Tu te souviens ?

Léa – Oh oui...

On est restées les yeux dans le vague à se repasser le film d'horreur de ce mercredi soir, veille du bac blanc. Ç'avait été atroce. J'entends encore la voix de la peste.

Ingrid – Alors, sur la fiche de Thibault, nous trouvons... Ah oui ?! Eh ben dis donc !

Nicolas – Quoi ? Qu'est-ce qu'il y a ?

Ingrid – « Chaque soir de la semaine dernière, le voisin a reçu une grande blonde qui n'était jamais venue à la maison bleue et a immédiatement fermé les volets. Décidément, ce garçon plaît aux filles. Je me demande vraiment pourquoi. Avec son allure de fils de bonne famille, il a la virilité d'une savonnette à la lavande. »

Mon cœur s'est mis à battre à une allure impressionnante. J'ai fixé Thibault. Il s'est arrangé pour regarder ailleurs.

Ingrid – Attendez, ce n'est pas fini ! « La demoiselle est repartie au petit matin le lundi, le mercredi et le vendredi mais les autres jours, ils ont fait la grasse matinée. Les échos de leur musique résonnaient jusque dans mon appartement. Pour couvrir les bruits de leurs ébats ? » Eh bien comme quoi, c'était pas la peine de s'inquiéter pour Thibault. Une de perdue, une de retrouvée !

Si Ingrid ajoute un seul commentaire, je lui fais avaler sa fiche.

Ingrid – Alors là, c'est incroyable ce qu'il a écrit sur la fiche de Justine ! Il doit un peu inventer. Oui, c'est ça... Comme il est romancier, ses notes doivent être à mi-chemin entre ce qu'il voit et ce qu'il imagine.

Jim – Comment ça ?

Ingrid – Non, rien. Je vais vous lire plutôt celle de Nicolas, il s'en passe de belles dans le grenier.

Jim a arraché ma fiche des mains d'Ingrid et a lu.

Jim – « Justine s'est elle aussi retrouvée dans les bras du playboy du rez-de-chaussée mardi en fin d'après-midi, cette semaine. Il a la santé ce garçon, une l'après-midi, l'autre le soir ! C'est beau la jeunesse. Je croyais pourtant l'histoire Justine-Thibault terminée depuis quelque temps. Après avoir passé son mois de décembre à embrasser une fois son judoka de Monoprix, une fois son bellâtre, il me semblait qu'elle avait opté pour monsieur Jogging. Eh bien non, c'est reparti pour un tour avec le fils de l'ambassadeur. Cette fille est vraiment l'archétype de la romantique écervelée. »

Jim m'a regardée avec une dose de colère incommensurable dans les yeux. J'ai tourné la tête pour ne pas être brûlée vive. Peine perdue. De l'autre côté, Thibault me fixait avec la même violence.

Nicolas a hurlé son légendaire : « Putain, fait chier », Léa a sursauté puis a soupiré. Il y a eu un long silence.

Ingrid – Je suis désolée… Je crois que j'ai mis le feu en poudre.

Ça pour avoir mis le feu aux poudres, elle l'avait mis. En moins d'une minute, elle avait révélé nos trahisons et brisé nos petits cœurs tout mous.

Mettre le feu aux poudres

Expression

Que signifie « Mettre le feu aux poudres »?

L'expression, très concrète, vient du monde de la marine. À l'origine c'était même « mettre le feu aux étoupes », l'étoupe servant à fabriquer les mèches des barils de poudre entreposés sur les navires.

L'expression signifie : déclencher la passion amoureuse, susciter la colère ou le courroux, bref décupler un sentiment – positif ou négatif…

Le souvenir de cette soirée maudite m'a vrillé l'estomac. Léa a dû sentir que j'étais au bord des larmes, car elle m'a prise dans ses bras.

Léa – N'y pense plus, c'est du passé ! Aujourd'hui, mercredi 28 janvier, tu ne dois avoir qu'un seul objectif : préparer ton avenir.

J'aurais pu m'accrocher aux paroles de ma meilleure amie pour retrouver un peu d'espoir si elle n'avait pas aussitôt ajouté :

Léa – Et ton avenir, c'est dans moins d'une minute. Présario est déjà là, ses listes à la main. Prie pour qu'on ait notre bac blanc.

J'ai rejoint ma salle avec une espèce de trou au niveau du sternum tellement j'étais anxieuse. Je me suis assise au dernier rang, histoire de mettre le maximum d'espace entre mon échec et moi.

Pour la première fois de sa carrière, Mme Myriami, la prof d'anglais, a obtenu un silence total quand elle est entrée dans la classe. J'ai senti que ce calme inhabituel l'angoissait. Elle nous a regardés d'un air soupçonneux. Elle a cherché le piège. Elle n'a pas compris qu'elle devait sa minute de paix à l'arrivée imminente du proviseur.

– Eh Justine !

Oh non, pas lui... Pitié ! Pas Brice. Depuis hier, il calcule avec quelles notes il va avoir la mention très bien. Je le hais.

Brice – Justine ! Ho hé !

Michaël, qui était assis juste devant moi, s'est retourné et m'a dit de manière à être entendu par tous :

Michaël – Justine, il y a ton mec qui t'appelle au premier rang ! Réponds-lui, il est chaud bouillant.

J'ai répliqué très fort avec zéro humour dans la voix :

Justine – Tu répètes une seule fois que c'est mon mec et je fais courir le bruit que tu sors avec Ugly Monster.

Michaël – Tu n'oserais pas ?

Justine – Si ! Tu ne sais pas comment, avec un réseau de pestes, on peut griller la réputation d'un mec ! Pas vrai Manon ?

Manon – À ton service, Justine !

On a tous éclaté de rire. Michaël, mi-vexé mi-amusé, m'a donné un coup de trousse sur la tête.

Je lui ai repeint la main au Tipp-Ex.

Notre agitation a rassuré Mme Myriami qui a soudain retrouvé une classe bruyante et indisciplinée. Elle a donc pu reprendre en toute quiétude son air de pauvre prof martyrisée.

Pas longtemps. Trois coups ont été frappés à la porte...

Le proviseur est entré.

Vous voyez le regard de Bruce Willis dans *Die Hard*, au moment où il dégaine son arme et qu'il tue tous les méchants ? Eh ben c'est celui de Bambi quand il sourit à Panpan à côté des yeux de Présario lorsqu'il a sorti les relevés de notes.

Il y a eu un moment de vide intersidéral. Un non-moment, je dirais. Un espace d'antimatière.

Le proviseur a marché de long en large sur l'estrade sans décrocher un seul mot. Puis soudain, il s'est arrêté net et nous a fixés. Dans un silence de mort.

C'est drôle comme il suffit de peu pour transformer une scène terrorisante en scène comique. Un geste de trop et on perd toute crédibilité. La tête de pitbull hyperactif du proviseur prêt à dévorer une classe d'ados pour son petit-déjeuner m'a semblé soudain ridicule. Malheureusement, ça a dû se lire sur mon visage.

Monsieur Présario – Quelque chose vous amuse mademoiselle Perrin ?

Difficile de lui répondre l'exacte vérité.

Justine – Non monsieur.

Monsieur Présario – Monsieur comment ?

Justine – Monsieur Présario.

Monsieur Présario – Bien. Reprenez complètement votre réponse, mademoiselle Perrin.

Justine – Non, monsieur Présario.

Monsieur Présario – Non, quoi ?

Parfois je regrette vraiment de ne pas être Bruce Willis. Je vous jure que je signerais tout de suite pour *Die Hard 5, 6, 7... 97.*

Monsieur Présario – J'attends votre réponse mademoiselle Perrin.

Justine – Non, rien ne m'amuse particulièrement, monsieur Présario.

Monsieur Présario – J'en suis fort aise.

– Eh bien ! dansez maintenant.

La voix de Michaël a retenti à travers la classe. Il m'a même semblé entendre un écho façon malédiction. Mais il est devenu fou ou quoi ?! Il va se faire massacrer.

Présario est descendu de son estrade et a marché droit sur l'insolent. Il a prononcé en détachant chaque mot :

Monsieur Présario – Vous avez dit ?

Michaël n'a pas cillé. Moi qui étais juste derrière, j'ai failli faire pipi dans ma culotte, tellement j'ai eu peur.

Michaël – Eh bien dansez maintenant...

Durant quelques dixièmes de seconde, Présario a semblé complètement décontenancé par l'assurance de Michaël. Il a répété : « Vous avez dit ? » avec l'angoisse du type qui bugge comme un vieil ordi. Mais très vite, devant nos regards interloqués, il a dû penser que s'il ne trouvait pas une autre réplique, il allait ruiner sa réputation.

Il a donc fourni un effort surhumain pour inventer la phrase adéquate qui ferait de lui le proviseur le plus respecté de la galaxie.

Peine perdue. Ses lèvres ont remué sans produire un seul son puis soudain il a hurlé :

Monsieur Présario – Sortez immédiatement de cette salle.

Michaël qui, je vous le rappelle, a passé une grande partie de sa scolarité en permanence et affiche le palmarès « avertissement de discipline » le plus fleuri de l'établissement, ne s'est pas démonté.

Il a rétorqué avec l'air le plus innocent du monde :

Michaël – Je ne comprends pas, monsieur... Vous avez récité l'avant-dernier vers de *La Cigale et la Fourmi* : « J'en suis fort aise » et je croyais que nous devions déclamer la suite « Eh bien ! dansez maintenant. » L'année dernière, vous aviez décidé que pour améliorer la culture générale au lycée, vous diriez de temps à autre un vers célèbre de la poésie française en entrant dans les classes. J'ai cru aujourd'hui que vous attendiez de nous la fin du vers. Ce n'était pas le cas ?

Ça ne va pas passer quand même ? C'est énorme...

Michaël – Je me souviens de chacun des vers que vous nous avez récités : « Je songeais que cet homme était plein de prières, Et je regardais, sourd à ce que nous disions, Sa bure où je voyais des constellations[1] » ou bien « La nuit n'est jamais complète, Il y a toujours puisque je le dis, Puisque je l'affirme, Au bout du chagrin une fenêtre ouverte[2] » et encore « Je te donne trois mouettes, La pulpe d'un fruit, Le goût des jardins sur les choses, La verte étoile d'un étang, Le rire bleu de la barque, la froide racine du roseau[3] ».

1. « Le Mendiant », *Les Contemplations*, Victor Hugo.
2. « La nuit n'est jamais complète », *Derniers poèmes d'amour*, Paul Éluard.
3. « Les Mouettes », *Fêtes et lubies*, Andrée Chedid.

Michaël a cessé de parler. Il y a eu un silence étourdissant.

Puis une voix grave et mélodieuse a continué :

– « Je te donne trois mouettes,
La pulpe d'un fruit,
De l'aube entre les doigts,
De l'ombre entre les tempes,
Je te donne trois mouettes,
Et le goût de l'oubli. »

J'ai mis du temps avant de réaliser que cette voix enchanteresse était celle de Présario. Même s'il était devant moi et que je voyais bouger ses lèvres, mon cerveau n'arrivait pas à établir un lien direct entre cet homme et ce chant d'amour.

Le proviseur est resté un moment avec du rêve dans le regard. Il était méconnaissable.

Soudain, il s'est rappelé qu'on était là et il a repris sa mine habituelle de bouledogue. Je me suis demandé lequel de ces deux visages était le vrai.

Monsieur Présario – Bien ! Il est dommage, monsieur Monet, que vous n'ayez pas retenu vos mathématiques et votre physique comme vous avez retenu ces vers fameux de la poésie française. Avec une moyenne de 6,6, vous ne pouvez pas prétendre à un oral de rattrapage. En réalité, je ne suis pas surpris. À lire votre bulletin du premier trimestre, on comprend aisément vos notes de bac blanc. Votre manque de travail fait de vous un élève médiocre. Vos parents ne seront pas très fiers de vous ce soir quand vous leur remettrez ce document.

Présario a jeté le relevé de notes de Michaël sur sa table.

Monsieur Présario – Et faites-moi le plaisir d'aller vous laver les mains immédiatement. Vos dessins primitifs au Tipp-Ex sont du plus mauvais effet. Ensuite, mettez-vous au travail, c'est urgent.

Finalement, il n'y a aucun doute, le vrai visage de Présario, c'est sa face noire.

Monsieur Présario – Comme je n'ai pas de temps à perdre, je ne vais remettre leur relevé de notes qu'aux dix élèves de cette classe qui ont obtenu leur bac blanc. Ils distribueront les feuilles aux autres. Avant de commencer, j'aimerais féliciter chaleureusement votre camarade Brice pour ses résultats brillantissimes : 19 en mathématiques, 19 en SVT, 20 en physique. Je m'arrête là, certains d'entre vous pourraient se sentir écrasés par une telle intelligence. Bravo jeune homme ! Le lycée Colette que je représente est fier de vous compter parmi ses élèves.

Brice n'a pas prononcé un seul mot mais a hoché la tête comme un soldat qui a reçu un ordre de son général. Oh, ils vont bien ensemble ces deux-là.

Présario a ensuite appelé les lauréats « blancs » par ordre décroissant de résultats. J'avais perdu espoir lorsque, au dixième nom :

Monsieur Présario – Perrin Justine.

Justine – Oh yes !!! Je suis trop bonne !

Oups, je crois que je l'ai dit à haute voix.

Présario m'a regardée comme si j'appartenais à une sous-catégorie d'êtres humains et m'a jeté sur un ton glacial :

Monsieur Présario – Vous vous réjouissez pour bien peu, mademoiselle. Pire, vous voyez du « bon » là où il n'y en a pas.

Il a tourné les talons, a salué du bout des lèvres Mme Myriami ratatinée sur son estrade et s'est dirigé droit vers la porte.

Michaël – « On ne peut trouver de poésie nulle part quand on n'en porte pas en soi[1]... »

1. Michaël Monet.

Cette citation a accompagné la sortie du proviseur. Il est impossible qu'il ne l'ait pas entendue mais il a fait comme si. On s'est tournés vers Michaël et, sans se concerter, on l'a applaudi à tout rompre. Il a ajouté :

Michaël – « Et la nuit blanche confondra les bourreaux, Et les poursuivra jusque dans leur tombeau. »

Justine – Tu as avalé une anthologie de poésie et tu as un vers pour chaque situation ou quoi ? Il est de qui celui-là ?

Michaël a rougi jusqu'aux oreilles. Ben quoi ? Qu'est-ce que j'ai dit qui puisse provoquer un tel malaise ? J'ai demandé discrètement :

Justine – J'ai fait une gaffe ?

Michaël – Non... non.

Même s'il cherchait à me rassurer, j'ai bien senti que ses yeux disaient autre chose.

Michaël – C'est que...

Justine – Quoi ?

Michaël a baissé la voix.

Michaël – Le dernier vers est de moi.

Devant mes yeux grands comme des soucoupes, il s'est expliqué :

Michaël – J'adore écrire de la poésie, c'est ce qui m'éclate le plus dans la vie, mais je préfère ne pas en parler.

Justine – Pourquoi ?

Michaël – Je sais très bien ce que les autres pourraient en penser.

Justine – Quoi par exemple ?

Michaël – La dernière fois que je l'ai confié à un copain, il m'a demandé si j'étais homo.

Justine – Ah oui ? Quel rapport ?

Michaël – Je ne sais pas, une confusion entre sensibilité, féminité et homosexualité.

Justine – Eh bien en ce qui me concerne, je trouve ça super. C'est vraiment pas banal de rencontrer un type qui écrit de la poésie.

Michaël – C'est vrai ? Tu ne te fous pas de moi ?

Justine – Pas du tout. D'ailleurs si tu veux faire ton coming out de poète, tu peux compter sur mon soutien actif et celui de Manon !

Michaël – Peste !

Justine – Oui, c'est ce qu'on me dit souvent, surtout en ce moment.

Michaël – Pourquoi en ce moment ?

Comme Michaël m'avait fait confiance à propos de sa création poétique, je me suis autorisée à lui raconter mes déboires sentimentaux. Il a écouté avec beaucoup d'attention.

Michaël – Donc aujourd'hui tu en es où ?

Justine – Je suis célibataire.

Michaël – Ça, on t'y a contrainte mais ce n'était pas ma question. Pour qui bat ton cœur ? Si tu sais donner une réponse, tu sauras pour qui lutter.

C'est vrai ça. Depuis le fameux mercredi noir, je pleure sur les amoureux que j'ai perdus mais je ne me suis pas posé la question de savoir lequel j'avais vraiment envie de garder.

En même temps, je me suis déjà largement interrogée et je ne suis pas parvenue à répondre.

Michaël – Tu ne sais pas ?

Justine – Non.

Michaël – Alors peut-être qu'il te faut opter pour la solution du troisième homme. Fini le choix terrible entre Jim et Thibault, ce sera un autre !

Justine – Peut-être.

La sonnerie de la pause a retenti.

Justine – Déjà ?

Michaël – Ben oui, tes amours tumultueuses nous ont occupés un long moment.

Justine – Désolée.

Michaël – Ne le sois pas. J'ai été très content de discuter avec toi. Et puis...

Justine – Et puis quoi ?

Michaël – Si tu cherchais quelqu'un pour le rôle du troisième homme, je pourrais assurer.

J'y crois pas, comment il se place, lui ! Devant mon sourire goguenard, Michaël a ajouté :

Michaël – Je plaisantais bien sûr. Je ne sors jamais avec une fille de ma classe. C'est sans appel, n'insiste pas.

J'ai éclaté de rire.

Justine – D'accord !

J'ai rangé mes affaires et j'ai descendu les escaliers à toute allure. Je voulais absolument savoir si Léa, Nicolas et Thibault avaient réussi leur bac blanc.

Ma meilleure amie m'attendait dans la cour avec un thé dans chaque main.

Justine – On trinque à quoi ?

Léa – À notre bac blanc réussi.

Justine

Les paris sont ouverts, qui va avoir quoi ???

Mention AB : moyenne supérieure ou égale à 12 et inférieure à 14.

Mention B : moyenne supérieure ou égale à 14 et inférieure à 16.

Mention TB : moyenne supérieure ou égale à 16.

Aujourd'hui, 13h27 · J'aime · Commenter

Jim Moi, si je pouvais seulement avoir mon bac, ça me suffirait !

Aujourd'hui, 13h27 · J'aime

Nicolas La sorcière, elle va avoir TTB avec 20 en philo.

Aujourd'hui, 13h28 · J'aime

Léa N'importe quoi…

Aujourd'hui, 13h29 · J'aime

Ingrid Il faut que je fasse mes calculs…

Aujourd'hui, 13h49 · J'aime

Justine Sinon, je vous propose l'échec sec avec une moyenne inférieure à 8 sur 20, ou une invitation à vous présenter aux oraux de rattrapage avec une moyenne au moins égale à 8 mais inférieure à 10.

Aujourd'hui, 14h37 · 2 personnes aiment ça

Thibault Ne parle pas de malheur !!!

Aujourd'hui, 14h50 · J'aime

Justine – Yes ! Comment tu sais pour moi ?

Léa – Par Manon.

Justine – Alors tu ne t'es pas plantée en philo !

Léa – Ben non.

Justine – On est les meilleures ! Tchin ma Léa !

Léa – Tchin ma Justine !

Justine – Et pour les garçons, tu as des nouvelles ?

Léa – Non, ils ne sont pas encore descendus. Mais je rêve... Tu vois ce que je vois là-bas ?

J'ai plissé les yeux comme une vieille taupe pour découvrir ce qui captivait ma meilleure amie.

J'en suis restée bouche bée.

Justine – Non ! Elle fait semblant ou alors c'est pour rire.

Léa – Ça n'a pas l'air.

Justine – Tu crois vraiment qu'il y a quelque chose entre eux ?

Léa – À voir comment ils s'embrassent à pleine bouche, je dirais que oui.

Justine – C'est pas un lycée aujourd'hui, c'est une after organisée par Meetic !

Léa – En tout cas, Ingrid et 2 d'tens, c'est le couple le plus improbable de ces dix dernières années. Je n'en reviens pas. Qu'est-ce qui a pu arriver à notre peste préférée pour qu'elle sorte avec ce type-là ? Il est moche...

Justine – Et il est mou. C'est pas pour rien que tout le monde le surnomme « Deux de tension » ou « 2 d'tens » !

– Salut les filles ! Qui vous critiquez encore ?

On s'est retournées. Nicolas, une canette de Coca à la main, nous observait d'un air moqueur.

Justine – Ah salut toi ! Tu as vu avec qui sort Ingrid ?

Nicolas – C'est vieux d'au moins trois jours cette histoire.

Léa – Et tu ne nous as rien dit ?!

Nicolas – J'avais pensé publier un article dans *Closer* mais j'ai préféré vous laisser l'exclusivité.

Léa – Ah c'est malin !

Nicolas – Et puisqu'on parle de scoop, ça intéresse quelqu'un que j'aie foiré mon bac blanc ?

Léa – Mince ! De beaucoup ?

Nicolas – De très loin ! Mais le pire c'est la façon dont ce gros nul de Présario me l'a annoncé. Il faut voir comment il m'a balancé la feuille de notes dans la tronche. Si je n'étais pas à cinq mois du bac, je lui aurais dit de se torcher avec.

Justine – T'as eu raison de te retenir, ça aurait fait désordre !

Léa – Et Thibault, tu sais s'il a réussi ?

Nicolas – Non, je sais pas. Je crois qu'il a séché ce matin, il ne voulait pas être là au moment des résultats. Il a dit qu'il était sûr de s'être planté. Il était complètement à l'ouest quand il a passé ses épreuves, inutile de vous rappeler pourquoi.

Évidemment, Nicolas a prononcé cette dernière phrase en me fixant lourdement. J'ai fait semblant de ne pas comprendre.

Léa a plaisanté :

Léa – Dis donc Justine, tu fais comme Théo maintenant ? Tu te grattes la tête quand tu es stressée ?

Je n'ai pas eu le temps de répondre. Ingrid, que je n'avais pas vue arriver, s'est littéralement jetée sur Nicolas.

Ingrid – Salut le beau gosse !

Euh... Et nous ? On n'existe pas ?

Ingrid – Coucou les filles ! La vie est belle pour vous ?

Justine – Moins que pour toi, a priori !

Ingrid – Ah vous êtes déjà au courant pour Guilhem et moi ?

Nicolas – Difficile de faire autrement, tu lui roules des pelles dans tous les coins d'escalier du lycée.

Ingrid a levé les yeux au ciel avec le sourire de la sainte accusée de diablerie.

Ingrid – Moi ?

Et, reprenant son air de peste, elle a chuchoté :

Ingrid – Il est pas trop cute ?

Euh… « cute », ce n'est pas exactement le terme que j'aurais choisi pour le définir, seulement l'amour rend aveugle.

Ingrid – Il est dingue de moi.

J'ai failli ajouter : « Pas de chance ! » mais j'ai décidé de m'abstenir.

Nicolas, qui venait d'apercevoir Charlotte, nous a abandonnées en moins de temps qu'il n'en faut pour le dire. On l'a suivi du regard.

Justine – C'est la première fois que je le vois courir après une fille !

Léa – Ouais… Et il n'y a vraiment pas de quoi ! Elle a un côté lapin avec ses grandes dents.

Eh ben, qu'est-ce qu'il lui arrive à Léa ? Pourquoi elle la critique comme ça ? Elle est très jolie Charlotte.

Ingrid – Elle a peut-être des grandes dents mais elle plaît aux garçons ! Et si j'en crois les rumeurs, elle se donne beaucoup de mal pour ça.

Léa – Comment ça ? Développe !

Ingrid – Je n'ai rien à ajouter! Je ne suis pas du genre à colporter les réputations de Marie couche-toi là.

Oh la sale hypocrite, j'y crois pas. Comment la prof de philo appelle cette figure de style? Ah oui! La prétérition, figure de style préférée des hommes politiques et des faux dévots : annoncer qu'on ne va pas dire quelque chose dans le but de mieux le souligner. Je ne dirai pas que Charlotte est une fille qui couche avec tous les mecs du lycée mais voilà maintenant vous le savez!

Léa – Bon, personnellement les activités extrascolaires de Charlotte ne m'intéressent que très moyennement. Si on parlait d'autre chose?

Ingrid – Vous voulez que je vous raconte comment je suis tombée dans les bras de Guilhem?

Euh non...

C'est drôle cette expression « tomber dans les bras », c'est comme « tomber amoureuse » ou « tomber enceinte », on a l'impression d'une chute. Alors que c'est plutôt de l'ordre de l'envol, non, l'amour et la maternité? Le langage serait-il sexiste et moralisateur?

Léa, qui ne devait pas avoir envie non plus d'entendre le récit des amours merveilleuses d'Ingrid et de 2 d'tens, a demandé :

Léa – Et au fait, ton bac blanc?

Ingrid – C'est bon! Avec douze de moyenne.

Léa – Bravo!!!

Ingrid – C'est l'amour qui me donne des ailes!

Je ne voudrais pas jouer les copines aigries mais quand elle a passé son bac blanc, elle était seule.

Ingrid – Les filles, j'ai quelque chose à vous demander. Je ne sais pas si je vais oser...

Ingrid n'a pas attendu qu'on l'encourage pour continuer.

Ingrid – Vous savez comme je vous aime…

Aïe, ça commence mal !

Ingrid – Est-ce que vous seriez d'accord pour nous rejoindre, Guilhem et moi, au *Louis XVI* à midi après les cours ?

Léa – Pour quoi faire ?

Ingrid – Je voudrais vous le présenter.

Léa – On le connaît déjà !

Ingrid – Oui, mais cette fois-ci je voudrais vous le présenter officiellement. Et j'aimerais savoir ce que vous pensez de lui.

Léa – C'est que… c'est que…

Malgré son énorme aptitude à la communication, Léa ne trouvait pas ses mots.

Léa – C'est à toi qu'il doit plaire avant tout.

Ingrid – Oui, je sais mais votre avis compte tellement pour moi. S'il vous plaît ! Juste dix minutes. Guilhem gagne vraiment à être connu, je vous promets. Alors, c'est oui ?

Léa – D'accord.

Ingrid – Et toi Justine ?

Je ne vois pas comment je pourrais dire non.

Justine – OK !

Ingrid, folle de joie, a battu des mains comme une petite fille à qui on vient d'accorder un second tour de manège.

Ingrid – Je vais prévenir Guilhem. À tout' !

Une fois la peste disparue, j'ai regardé Léa, consternée.

Justine – Super mercredi après-midi en vue à jouer les chandelles.

Léa – Tu croyais qu'il y avait un moyen de refuser ?

Je n'ai pas eu le loisir de répondre. La cloche marquant la fin de la pause du matin a sonné.

Justine – Génial ! Et maintenant on retourne en cours.

Léa m'a souri.

Justine – Tu sais que, depuis ce matin, tu te grattes la tête comme Théo à chaque fois que tu stresses ?

Justine – Ah oui ?

Léa – Allez, courage ma Justine. Toi aussi, tu retrouveras l'amour.

Justine – S'il a la tronche de Guilhem, tu jures de m'en empêcher ?

Léa – Tu peux compter sur moi !

Sur ces paroles fortes d'amitié vraie, on a rejoint nos salles de classe respectives.

À midi, après les cours, j'ai pris la décision de filer à l'anglaise. Ma vie affective était une catastrophe depuis un mois et je n'avais pas envie de voir Ingrid roucouler sous mes yeux.

Malheureusement, Léa m'attendait de pied ferme dans le hall.

Léa – N'imagine même pas un instant te sauver, poulette !

Justine – Comment tu sais que j'en avais l'intention ?

Léa – Un zeste de sorcellerie.

Justine – J'ai pas envie d'y aller.

Léa – Dix minutes... On reste dix minutes et après, je t'invite à déjeuner au Mac Do. Ma mère a touché ses droits d'auteur pour son texte du mois dernier, elle m'a reversé dix pour cent.

Justine – Dans ces conditions, d'accord ! Et moi, j'offre le dessert : macarons au chocolat et à la framboise.

Léa – C'est parti !

Justine – Et ton régime ?

Léa – Je commence demain.

Ingrid et Guilhem n'étaient pas arrivés lorsque nous sommes entrées dans le café. J'ai proposé à Léa d'en profiter pour se sauver.

Justine – On lui envoie un SMS pour l'avertir qu'on les a cherchés en vain et quand elle rappelle, on ne décroche pas ! C'est pas un bon plan ?

Léa – Non.

Justine – Pourquoi ?

Léa – Parce que c'est beaucoup plus simple de rester dix minutes à les regarder s'embrasser que de se pourrir l'après-midi à les éviter. Allez, assieds-toi tranquillement et arrête de te gratter la tête.

Le portable de Léa a sonné alors qu'on s'installait.

Léa – Allô ? Oui... Pourquoi, tu viens toi aussi ? C'est Ingrid qui te l'a demandé ? OK. Mais nous, de toute façon, on ne restera pas longtemps. Comment ça ? Mais quand est-ce qu'elle les a prévenus ? D'accord, on vous attend.

Qu'est-ce qui se passe encore ?

Léa – Changement de programme.

Justine – Elle a annulé ?

Léa – Non, mieux !

Justine – Quoi ?

Léa – Elle a demandé à Nicolas, Thibault et Jim de venir.

Justine – Où ça ?

Léa – Ici.

Justine – Et alors ?

Léa – Ils arrivent.

Justine – Oh non ! Je ne me sens vraiment pas de me retrouver avec Jim et Thibault en même temps. Surtout si Nicolas fait ses commentaires habituels.

Léa – Je comprends, mais c'est peut-être l'occasion pour le club des CIK+I de reprendre du service. Si tout le monde accepte de venir, c'est certainement parce qu'on a envie d'être ensemble, non ?

Justine – Je ne sais pas.

Léa – Qu'est-ce que tu voudrais ?

Justine – Comment ça ?

Léa – Si tu avais les moyens de tout effacer et de repartir à zéro, que souhaiterais-tu ? Recommencer ton histoire avec Thibault ? Vivre ta relation avec Jim ? Rencontrer un autre garçon ?

Justine – Décidément, c'est l'idée du jour ! Tu es la deuxième personne à me proposer ça.

Léa – Ah oui ? Et tu en penses quoi ?

Justine – Rien. Je ne sais pas exactement où j'en suis. Enfin, si... Je sais que, depuis trois semaines, je suis super malheureuse. Je me sens seule et coupable.

Léa – À ce point ? Pourquoi tu ne m'en as pas parlé ? Pourquoi tu t'es arrangée pour changer de sujet à chaque fois que je tentais d'en discuter avec toi ?

Justine – Qu'est-ce que tu voulais que je te dise ? J'ai trompé Thibault avec Jim puis Jim avec Thibault, j'ai menti à tout le monde et j'ai détruit le club des CIK+I. Ah oui, j'oubliais le pire : je t'ai soigneusement caché, à toi, ma meilleure amie, que j'avais revu Thibault après le jour de l'an ! C'est ça que tu voulais entendre ?

Léa – Non, ça je le savais avant que Jim le lise sur ta fiche.

Justine – C'est impossible !

Léa – Non ! Mais peu importe. Ce qui compte à ce moment précis, c'est la nouvelle configuration du jour. On va se retrouver tous ensemble, les colères sont plus ou moins retombées, alors, pose-toi vite la question de ce que tu veux vraiment.

Justine – Comment on fait pour savoir ?

Léa – On tente d'être honnête avec soi-même. Demande-toi par exemple lequel, de Thibault ou de Jim, t'a le plus manqué ces derniers temps. Auquel penses-tu avec le plus de regrets ? Lequel imagines-tu avec le plus de douleur dans les bras d'une autre ? Si l'un des deux devait partir à l'étranger pour un an, lequel laisserais-tu s'en aller sans trop de chagrin ? À qui penses-tu quand tu t'endors ?

À moins que ce soit le moment de faire le deuil de cette double aventure et de rencontrer quelqu'un d'autre ?

Justine – Il faut vraiment que je réponde à chacune de ces interrogations ?

Léa – Ce n'est pas un contrôle sur table ! Ce doit être un dialogue entre toi et toi-même. Et arrête de te gratter la tête, ça devient un tic. Ferme les yeux un petit moment et essaie de réfléchir calmement.

J'ai mis ma tête dans mes mains, j'ai fermé les yeux et j'ai tenté de répondre aux questions de Léa. Mais dès que je croyais cerner un sentiment fort et sûr pour l'un, une émotion m'envahissait aussitôt pour l'autre. Finalement, le pervers avait raison, j'étais l'archétype de la romantique écervelée qui ne savait pas ce qu'elle voulait.

Le plus sage était que je m'en aille de ce café. Je ne maîtrisais pas assez la situation pour me retrouver en présence de Jim et de Thibault. Ça allait être un fiasco. Pour une fois, Léa avait tort de me conseiller de rester.

J'ai relevé la tête pour lui annoncer que la seule décision que je pouvais prendre aujourd'hui était celle de disparaître le plus rapidement possible quand je les ai vus à travers la vitre...

Jim et Thibault arrivant droit sur le café, l'un sur le trottoir de gauche, l'autre sur celui de droite.

Comme pour mon cœur, ils empruntaient deux chemins différents mais se retrouvaient lovés au même endroit.

J'ai voulu me lever pour m'enfuir, je suis restée clouée sur place.

J'allais devoir assumer...

LOTION
ANTIPOUX
À votre
bon coeur !

Léa – Justine…

Justine – Quoi ?

Léa – J'ai vu des lentes sur tes cheveux.

Justine – Comment ça ?

Léa – Dans la lumière, quand tu as relevé la tête, j'ai vu des lentes sur tes tempes.

Justine – T'es sûre ?

Léa – J'en ai bien l'impression.

Justine – Oh non, pas les poux ! C'est Théo qui a dû me les refiler. Sa maîtresse a dit qu'il y en avait dans sa classe.

Léa – C'est pour ça que tu te grattes la tête depuis ce matin ! Bon ben, il ne te reste plus qu'à te faire un shampoing anti-poux et à laver tes affaires.

Justine – Oui mais là maintenant, je fais quoi ? Il y a…

Je n'ai pas eu le temps de finir ma phrase. Jim et Thibault sont apparus exactement au même moment devant notre table.

Jim – Bonjour les filles ! Bravo pour vos bacs blancs, Nicolas m'a dit que c'était dans la poche.

Léa – Ouais, mais de justesse.

Thibault, qui avait juste souri poliment en arrivant, a ajouté :

Thibault – Ce qui compte c'est d'avoir réussi, peu importe avec quelle moyenne. Je n'ai pas eu cette chance-là, moi.

Léa – Ne t'inquiète pas, le vrai bac on l'aura tous.

Durant cet échange complètement faux où l'on sentait le malaise de chacun, je ne pensais qu'aux poux qui se promenaient sur ma tête.

Mais pourquoi je suis un boulet pareil ? Ça ne suffit pas que je sois une pauvre fille n'ayant pas la moindre idée de ce qu'elle veut, il faut en plus que je sois une pouilleuse ?

Jim – Ça va Justine ?

Justine – Oui.

Jim – T'as l'air bizarre.

Surtout ne pas prononcer le mot « poux », surtout ne pas se gratter la tête. Parler avec aisance comme si tout allait bien.

Est-ce que quelqu'un peut m'expliquer comment paraître normale alors que j'ai une colonie de parasites dans les cheveux, et les deux garçons que j'aime et qui m'ont quittée en face de moi ?

Thibault – Tiens, voilà Nicolas, et on dirait qu'il est accompagné... Ah ! Il sort avec Charlotte ?

Léa – Oui, ça fait partie de la longue liste des scoops du jour.

Jim – Pourquoi, il y en a beaucoup ?

Léa – Ah ça oui ! Si je récapitule dans l'ordre d'apparition à l'image : Ingrid et 2 d'tens, Nicolas et Charlotte, Justine...

Justine – NON !

Elle est folle ou quoi ? Elle ne va quand même pas lancer un avis à la population à propos de mes poux, non ? Elle ne veut pas aussi me mettre une clochette comme aux lépreux au Moyen Âge ?

Jim et Thibault m'ont regardée avec étonnement. Oui, bon d'accord, j'ai réagi un peu vivement mais c'était le seul moyen de faire taire Léa.

Léa – Je disais donc que Justine, Ingrid et moi avons eu notre bac blanc.

Ah, c'était ça qu'elle voulait annoncer? Je n'avais pas compris.

Jim – Apparemment il y a des secrets dans la vie de Justine. Léa a failli gaffer, elle s'est bien rattrapée. Remarque, Thibault et moi, on a l'habitude d'être les derniers au courant. Hein Thibault?

Le regard noir de mon ex-prince a jeté un froid polaire. Mon Coca a givré dans mon verre. Mais pourquoi Jim rappelle-t-il nos mauvais souvenirs? Léa a tenté de sauver la situation.

Léa – Je n'avais rien à annoncer de plus que sa réussite au bac blanc. Vous vous faites des idées. D'accord il y a eu ce mois-ci quelques cafouillages entre vous, alors peut-être serait-il temps de mettre tout ça à plat au lieu de laisser pourrir la situation.

Oh non, c'est pas le moment! Je ne sais toujours pas lequel des deux j'aime et en plus j'ai des poux.

Thibault – Ce mois-ci? Tu es gentille Léa! Les cafouillages, comme tu les nommes très élégamment, durent depuis plus longtemps que ça si on s'en tient aux notes très précises de notre cher voisin écrivain. Pour être franc, je pense que Justine est la reine de l'hypocrisie et je ne serais pas étonné d'apprendre qu'elle s'amuse depuis le début à passer d'un cœur à l'autre.

– Salut les copains!

Nicolas venait de faire son entrée, accompagné du lapin. Euh... de Charlotte. Juste à temps pour que je n'aie pas à me justifier de ma très grande faute.

Nicolas – Eh ben, vous en tirez une tronche. Vous allez faire peur à Charlotte. Elle qui me disait qu'on avait l'air d'être une super bande de potes, bonjour l'ambiance! Il y a un problème?

Un problème? Non. Une série de catastrophes? Oui.

Thibault – Léa était en train de nous annoncer les nouveaux couples : Ingrid et Guilhem, toi et la charmante Charlotte, Justine et...

Nicolas – Justine et qui encore ?

Nicolas a pris l'air du mafioso sicilien à qui on annonce que sa sœur couche avec le fils du voisin, qu'elle est enceinte de sept mois et demi et que le type n'a pas l'intention de l'épouser. J'ai même cru entendre le réarmement de sa 22 Long Rifle.

Justine – Justine et PERSONNE !

Nicolas – C'est bon, t'excite pas, je m'en tape de tes histoires à la con. Vous connaissez tous Charlotte ?

Jim – Non, pas moi. On ne s'est jamais rencontrés. Je ne me souviens pas de toi au collège.

Charlotte – Je suis arrivée en seconde.

Jim – Et tu te plais au lycée Colette ?

Charlotte – Oui. C'est sympa.

Jim – T'es en quoi ?

Charlotte – En S.

Jim – Tu veux faire quoi après ?

Charlotte – Médecine.

Jim – Waouh ! Guérir son prochain, sauver l'humanité. Quel projet !

Charlotte – Je veux être médecin légiste.

Nicolas – Quoi ? Tu ne m'en as jamais parlé !

Charlotte – C'est vrai mais on ne sort ensemble que depuis vingt-quatre heures.

Charlotte a fait cette remarque avec un petit sourire parfaitement ironique qui a cloué le bec de mon cousin.

Thibault – Et qu'est-ce qu'une jolie fille comme toi trouve d'intéressant dans ce métier ?

Charlotte – Pourquoi une jolie fille ? Ça te poserait moins de problèmes si j'étais un thon ?

Et de deux ! Je ne sais pas ce que fait cette fille en privé pour séduire les garçons mais en public, elle les casse bien. Elle commence à me plaire !

Jim – Reconnais que médecin légiste, c'est une drôle de profession. En général, les étudiants qui se destinent à la médecine cherchent à soigner les gens.

Charlotte – Moi, ce sont les cadavres qui m'intéressent. Eux, au moins, ils ne mentent pas et on peut se fier aux informations qu'ils livrent. Un médecin légiste est un scientifique, un vrai. Il observe et déduit.

Et de trois ! Je pense qu'il est temps de changer de sujet...

Charlotte – Pour être honnête, j'ai toujours été fascinée par les meurtres. Et puis, dans une enquête, le travail du légiste est primordial.

La dernière remarque de Charlotte n'a donné lieu à aucun commentaire. Ça, c'est une chose à retenir : le ton avec lequel on dit les choses est plus important que ce qu'on dit. Cette fille est sûre d'elle et ne se laisse démonter par personne. Du coup, tout le monde s'écrase.

Nicolas a regardé sa nouvelle dulcinée d'un air admiratif. Alors ça, c'est totalement inédit ! En temps normal, il est plutôt du genre macho qui vanne ses petites amies.

Léa a eu comme un rictus d'agacement.

Léa – Et ton bac blanc alors, ça s'est passé comment ?

Oh la peste ! Elle se prépare à ruiner une belle démonstration avec une seule question vacharde ! C'est trop fort ! Mademoiselle Charlotte nous a annoncés avec assurance qu'elle allait bientôt rejoindre l'équipe scientifique du FBI et trois secondes après, on va apprendre qu'elle n'a pas été capable de réussir un pauvre bac blanc.

Charlotte – Assez bien.

Nicolas – Assez bien ? Tu rigoles ! Elle a eu quatorze de moyenne. Et tu vas être impressionnée Léa, Charlotte a eu 16 en philo.

Jim – 16 en philo ?! Alors ça, même Léa qui est la littéraire de notre bande n'a jamais eu cette note-là.

Charlotte – Oui enfin, les profs n'ont pas les mêmes exigences en S qu'en L. J'imagine que ma copie ne vaudrait pas cette note si j'étais en section littéraire.

Nicolas a pris Charlotte avec enthousiasme dans ses bras, l'a embrassée bruyamment sur la joue et a prononcé d'un air totalement énamouré :

Nicolas – Ne sois pas si modeste, tu es un génie, c'est tout ! Tu es une scientifique et une littéraire. C'est rare mais ça existe.

– Eh là, bas les pattes jeune homme, on se calme, on est dans un lieu public ! On n'embrasse pas les jeunes filles comme ça.

La voix suraiguë d'Ingrid m'a vrillé les oreilles. Je ne me suis pas donné la peine de me retourner.

Ingrid – Excusez-nous, on est un peu en retard. Vous savez ce que c'est, le temps passe à une allure quand on est amoureux ! On s'était dit juste deux trois minutes en tête à tête avant de vous rejoindre et plus d'un quart d'heure s'est écoulé...

Il ne fallait surtout pas qu'ils se gênent s'ils voulaient rester seuls. On avait déjà ce qu'il fallait pour une réunion ratée entre amis : deux ex en colère, une pauvre pouilleuse qui faisait des efforts surhumains pour ne pas se gratter la tête, une future médecin légiste, un macho amoureux et une sorcière agacée.

Ingrid – Alors, inutile que je vous présente Guilhem. Il est avec nous depuis le collège. Vous lui dites bonjour gentiment.

On a répondu d'une seule voix : « Bonjour Guilhem », sauf Charlotte qui s'est permis un « Bonjour gentiment ». Nicolas l'a regardée transi d'admiration.

Il a fallu près de dix secondes pour que le chevalier servant d'Ingrid émette un borborygme dans lequel j'ai cru reconnaître un « salut ». Vu de près, il était encore pire que de loin : grand, maigre, les épaules voûtées, il posait sur le monde un regard vitreux qui ne reflétait aucune intelligence.

Nicolas – Ah ça, nous on le connaît bien ton mec, depuis la sixième en plus, hein Jim ?

Jim a souri d'un air entendu qui ne laissait rien présager de bon.

Nicolas – Il y a prescription maintenant ! On peut raconter ce qu'on a vécu ensemble, hein Guilhem ?

Ingrid, ravie de voir son amoureux intégré si vite dans le clan des garçons, ne s'est pas méfiée. Elle a crié de sa voix de souris :

Ingrid – C'est quoi cette histoire inédite avec mes meilleurs amis ? Qu'est-ce que tu m'as caché Honey Chéri ?

Honey Chéri ? Mais d'où elle sort un surnom aussi ridicule ?

Guilhem – Je ne t'ai rien caché du tout.

Euh là, je vous l'ai fait en accéléré parce qu'il faudrait à peu près cinq pages de blanc entre la question d'Ingrid et la réponse de Guilhem pour refléter la réactivité hors du commun de Honey Chéri.

Nicolas – C'est sûr que tu n'as pas eu envie de t'en vanter de cette histoire-là ! Allez, je raconte... On était en sixième et 2 d'tens était dans notre classe. Quoi ? Qu'est-ce que j'ai dit ? Pourquoi tu me regardes comme ça Léa ?

Léa a prononcé avec une certaine fermeté dans la voix :

Léa – Il s'appelle Guilhem.

Nicolas – Ah c'est ça ! Tu m'as fait peur, je croyais que j'avais dit une connerie. Donc, on était en sixième avec Guilhem et il nous faisait marrer parce qu'il avait toujours un train de retard. Quand un prof dictait un truc, il sortait son stylo deux heures après la fin du texte, quand quelqu'un lui posait une question en première heure, il trouvait la réponse à l'heure du repas. En anglais, il...

Charlotte – Je crois que c'est bon, Nicolas, on a compris. Guilhem a un rythme plutôt lent qui lui est propre.

Mon cousin a stoppé net. Il a semblé déçu de ne pas avoir captivé sa belle par son récit. Mais résolu à la faire rire, il a repris avec un enthousiasme un peu forcé.

Nicolas – Je te raconte ce qu'on lui a fait, tu vas voir c'est mortel !

Jim – Finalement, je me demande si c'est une bonne idée. C'était pas très sympa de notre part.

Nicolas – Oh ça va, c'était des plans de gosses, il n'y a pas de drame non plus. Hein Guilhem ?

(Temps réel : dix secondes.)

Guilhem – Non.

Nicolas – Un jour avec Jim, on était dans les vestiaires après un cours de gym. Tandis qu'on se rhabillait, on a vu 2 d'tens assis sur le banc en train de fixer ses chaussettes sans un seul battement de cils. J'ai dit à Jim :

« *Nicolas* – Il est mort ?

Jim – Non, il est en low battery comme d'hab.

Nicolas – Qu'est-ce qu'on fait ? On essaie de le réveiller ?

Jim – Fous-lui la paix. Il va bien finir par bouger. Il a la récréation pour remettre son jean et ses baskets.

Nicolas – T'as vu ses chaussettes ?

Jim – Ah oui, ça c'est un handicap dans la vie !

Nicolas – Mais il y a des usines qui fabriquent des trucs pareils ?

Jim – Oui ! Et même des stylistes payés très cher pour dessiner les modèles. Là, par exemple, il y a un type qui s'est pris la tête pour imaginer ces petits Martiens verts avec leur soucoupe rouge et leurs champignons à pois !

Nicolas – En fait, c'est une œuvre d'art ?

Jim – En quelque sorte.

Nicolas – Mais une œuvre d'art, ça s'expose ?

Jim – Oui, quand l'artiste trouve des gens pour faire sa promo.

Nicolas – Alors, nous allons être ceux-là... »

Nicolas – Il ne nous a pas fallu plus de trois secondes pour échafauder notre plan. On a subtilisé les baskets de 2 d'tens et on est partis dans la cour. Il s'est rendu compte de rien, ce con. Il n'a même pas vu que c'était nous ! Quoi ? Qu'est-ce que j'ai dit encore ? Ah mais « ce con », c'est affectueux, hein Guilhem ?

(Temps réel : dix secondes.)

Guilhem – Oui, bien sûr.

Nicolas – Non, parce que là, je ne peux pas continuer à raconter, Léa me regarde méchamment et Justine fait des gestes étranges.

Tous les regards se sont braqués sur moi. Je me suis immobilisée net, les deux mains en mode grattouille façon bébé chimpanzé. Ah mince, prise par l'histoire, je ne m'étais pas contrôlée.

Justine – Je ne fais pas de gestes étranges, je me recoiffe, c'est tout.

Et afin d'être plus crédible, j'ai remis mon chouchou noir. Pourvu qu'il n'y ait pas de poux qui tombent dans mon Coca ! Ce serait l'horreur.

Nicolas – Donc, on lui a piqué ses baskets et on a attendu qu'il arrive dans la cour en chaussettes. On était super fiers de notre mauvais coup. On a été déçus parce que, lorsque la cloche a sonné, 2 d'tens n'avait pas réapparu. Il a bien fallu monter en cours. Il devait être près de midi quand on a frappé à la porte de la classe. On avait presque oublié l'affaire des chaussettes. Mademoiselle Hilsz est entrée.

Thibault – Qui est-ce ?

Nicolas – Mademoiselle Hilsz ? C'était la CPE du collège. Un mètre cube, du poil aux pattes et une moustache de hussard. Le genre qui était vieille à la naissance et qui a attendu que les années passent pour avoir l'âge qui correspond à son physique. Elle est entrée, l'air mauvais, flanquée de 2 d'tens en chaussettes. Si on n'avait pas eu autant la trouille de se faire piquer, on aurait explosé de rire. Elle s'est avancée sur l'estrade et a dit d'un ton de général quatre étoiles :

« *Mademoiselle Hilsz* – Des petits rigolos se sont amusés à subtiliser les chaussures de sport de Mercier et l'ont laissé en chaussettes dans les vestiaires. Ils ne perdent rien pour attendre. »

Nicolas – Inutile de vous dire qu'à ce moment précis on ne rigolait plus du tout.

Thibault – Et alors ?

Nicolas – Et alors rien. Les chaussettes de Guilhem sont devenues le sujet de conversation de la classe pendant près d'un mois et malgré une enquête serrée de miss Dragon, on n'a jamais été punis. Personne n'a su que c'était nous... Enfin si ! On l'a avoué un jour à Guilhem mais on était déjà en quatrième ou en troisième. Tu as dû être surpris, non ?

(Temps réel : huit secondes.)

Guilhem – Non.

2 d'tens qui depuis le début de l'histoire acquiesçait à tout et paraissait le dindon de la farce a soudain semblé reprendre la main. Nicolas ne s'en est pas rendu compte tout de suite. Il a continué sur sa lancée :

Nicolas – Oh allez ! Avoue que tu ne savais pas que c'était nous ?

(Temps réel : six secondes. Tiens, ça s'accélère.)

Guilhem – Si.

Nicolas a perdu son beau sourire et, cherchant à redevenir le héros de l'histoire, il a affirmé :

Nicolas – Tu dis ça aujourd'hui pour ne pas paraître trop con mais à l'époque t'y as vu que dalle.

(Temps réel : trois secondes. Alors là, il pulvérise le high score !)

Guilhem – Si. Je vous avais vus avec vos têtes de sales mômes prêts à tout et je vous ai laissés agir. Si ça pouvait vous amuser, ça ne me coûtait pas grand-chose.

Jim – Et tu ne nous as pas dénoncés ?

Guilhem – Pour quoi faire ? Voir vos airs apeurés à chaque fois que quelqu'un frappait à la porte dans les semaines qui ont suivi était nettement plus drôle. Et surtout...

Nicolas – Et surtout ?

Guilhem – Laisser croire à quelqu'un qu'il tire les ficelles alors qu'il est en train de se faire avoir, ça m'a toujours réjoui.

L'éclat de rire de Charlotte a signé l'effondrement de Nicolas par K-O technique. Ingrid s'est jetée dans les bras de Guilhem en lui hurlant :

Ingrid – Tu es mon héros !

Charlotte en a rajouté une couche.

Charlotte – C'est sûr, elle a raison d'être fière de son mec ! Je trouve ça génial comme histoire. Être capable d'une telle maîtrise psychologique en sixième, c'est très fort. Généralement, à onze ans, on a plutôt des comportements de petits dominants du genre de celui de Nicolas ou alors des personnalités dominées qui se laissent sadiser parce qu'elles n'ont pas les moyens de réagir. Mais toi, tu te situais déjà ailleurs. Tu me plais vraiment !

Je ne sais pas lequel, d'Ingrid ou de Nicolas, a eu le plus de mal à déglutir après cette déclaration d'amour. L'arrivée du garçon pour prendre la suite des commandes est tombée à pic.

Durant quelques minutes, il y a eu un petit remue-ménage et chacun a pu respirer. Thibault s'est levé pour aller téléphoner.

À son retour, l'ambiance était plus détendue. L'épisode chaussettes de Martiens était oublié et Ingrid racontait en détail son coup de foudre pour 2 d'tens.

Ingrid – Alors je l'ai regardé et je lui ai susurré : « Et si on s'embrassait ? » J'aurais dit ça à n'importe quel garçon, il se serait jeté sur moi. Pas lui. Il s'est approché doucement et a mis plusieurs secondes avant de poser ses lèvres sur les miennes.

Oui, ça ne nous étonne pas vraiment. Elle aurait annoncé qu'il était un foudre de guerre en amour, on n'y aurait pas cru.

Charlotte – Quelle chance ! Un garçon romantique qui prend son temps et ne joue pas les play-boys. Le rêve !

Je ne le jurerais pas mais ce portrait du lover idéal peint par Charlotte était le négatif exact de Nicolas.

Décidément, cette fille ne s'en laissait pas conter.

Cette fois-ci, Ingrid a réagi. Même si elle l'a fait avec humour, on a tous senti l'agressivité de celle qui défend son terrier.

Ingrid – Oui eh bien va rêver ailleurs ! La première qui s'approche de mon héros, je lui crève les yeux.

Charlotte – Ne t'inquiète pas, Ingrid, j'ai...

Nicolas – Elle a exactement ce qu'il lui faut comme mec !

Charlotte a regardé mon cousin en souriant, puis reprenant sa phrase à son début, elle a dit :

Charlotte – Ne t'inquiète pas Ingrid, j'ai pour habitude de ne jamais toucher aux mecs des autres.

Ingrid – Tant mieux ! Chacun chez soi et les vaches seront bien armées.

Personne n'a pensé à rétablir : « Chacun chez soi et les vaches seront bien gardées » parce que tel qu'Ingrid l'avait dit, le proverbe collait bien mieux à la situation du jour.

Nicolas – Je commence à avoir la dalle, pas vous ? Si on se prenait un sandwich ?

Léa – Non merci, avec Justine on a des trucs à faire cet après-midi. On était juste venues pour passer un petit moment avec Guilhem et Ingrid.

Ingrid – Oh merci mes darlings ! Mais c'est qui cette blonde là-bas qui mate Guilhem comme si elle voulait le dévorer ?

On s'est tous retournés. À l'entrée du café se tenait une créature de rêve. Le genre de fille que tu détestes sans la connaître. Elle a fait un petit geste de la main pour signaler sa présence. Ce qui était inutile vu que, depuis son apparition, le café entier avait cessé de respirer et que les regards étaient fixés sur elle.

Ingrid – Mais je rêve ou quoi ? Elle insiste. Tu la connais Guilhem ?

Savez-vous d'où vient l'expression : « Chacun son métier, les vaches seront bien gardées » ?

C'est la conclusion d'une fable de Jean-Pierre Flaris de Florian, *Le vacher et le garde-chasse*. Colin part à la chasse pour remplacer un garde-chasse fatigué, il lui confie la garde des vaches de son père, mais à son retour, le bilan est désastreux : le garde-chasse s'est endormi, son chien a été blessé par Colin et les vaches se sont envolées.

Moralité :

« Chacun son métier, les vaches seront bien gardées » !

Le temps que 2 d'tens réponde, Ingrid avait déjà posé au moins dix questions : « C'est qui ? Qu'est-ce qu'elle te veut ? Pourquoi elle vient te chercher ici ? Tu la connaissais avant moi ? »

C'est fou ce que l'amour rend stupide. Comment Ingrid pouvait-elle imaginer un seul instant qu'une fille aussi belle drague un type comme Guilhem ?

Guilhem – Non.

Pourquoi il a dit non ?

Ah oui, il répondait à la question qu'Ingrid a posée il y a trois minutes. Le différé, c'est pas toujours facile à suivre.

Thibault – Ah mais c'est Tatiana...

Thibault s'est levé et est allé à la rencontre de la sirène. Il l'a embrassée furtivement sur les lèvres et lui a dit quelques mots à l'oreille. La grande blonde nous a regardés et a renversé la tête dans un rire cristallin.

Je retire ce que j'ai dit il y a cinq minutes. Ce n'est pas le genre de fille que tu détestes sans la connaître, c'est le genre de fille que tu détestes surtout quand tu commences à la connaître.

Thibault – Je vous présente Tatiana.

Ingrid s'est penchée vers moi et m'a chuchoté à l'oreille :

Ingrid – Est-ce que tu peux t'asseoir à côté de Guilhem et lui laisser ta place ? Je ne veux pas la voir frétiller près de mon mec.

Justine – OK.

Thibault – Alors Tatiana, je te présente mes amis : Nicolas, Charlotte, Jim, Léa, Ingrid, Guilhem et Justine.

Tatiana – Lesquels habitent à la maison bleue ?

Euh là, par écrit, ça ne donne rien. S'il y avait le son dans les livres, vous entendriez une voix suave et un délicieux accent américain. Ça ne lui suffit pas d'être sublime ? Il faut qu'elle ait en plus une voix merveilleuse ?

Nicolas s'est empressé de répondre.

Nicolas – Moi ! Et Justine.

La grande blonde m'a regardée avec un sourire naissant sur les lèvres. Quoi ? Qu'est-ce qu'il y a ? Elle veut ma photo ?

Comme je m'étais décalée pour protéger Guilhem des assauts improbables de la grande blonde, j'ai eu l'énorme privilège de me retrouver assise à côté d'elle.

Tatiana – Oh, what's that ?

On a regardé ce qu'elle tenait dans la main et qui la faisait s'extasier. J'ai reconnu mon bonnet péruvien noir et blanc.

Justine – C'est mon bonnet.

Si elle se permet la moindre remarque dessus, je le lui fais avaler.

Tatiana – Oh, il est vraiment lovely ! Tu permets ?

Et avant que je l'y autorise, elle l'a mis sur sa tête. Léa m'a lancé un regard horrifié. Ben quoi, si elle veut l'essayer, je m'en moque.

Et soudain, l'image d'une dizaine de poux tranquillement nichés dans les fibres de laine de mon bonnet m'est apparue. Ma main s'est levée pour l'arracher de la tête de la grande blonde, la protégeant ainsi de la contamination et puis... J'ai changé d'avis ! Je l'ai aidée à l'enfoncer profondément pour que même sa jolie frange raide soit dedans.

Tatiana – Thanks Justine !

Et se tournant vers Thibault :

Tatiana – Comment tu me trouves ?

Thibault – Superbe ! Tu portes le bonnet péruvien à merveille.

Tatiana – C'est vrai ? So, I'm gonna buy one !

Ça serait dommage qu'elle en achète un autre, non ? Il faut laisser le temps aux petites bêtes de croître et de se multiplier dans sa chevelure « parce que je le vaux bien ! ».

Justine – Non, ne l'enlève pas, je te l'offre !

Tatiana – Oh no, je ne peux pas l'accepter !

Justine – Si, ça me fait vraiment plaisir.

Tatiana m'a ouvert ses bras et m'a embrassée chaleureusement. J'ai croisé le regard de Thibault par-dessus son épaule. Le regard perdu du type qui ne comprend pas bien la situation. Jim et Nicolas semblaient aussi intrigués que lui.

Tatiana – Ça me touche, really !

Pas tant que moi. Il faudra que j'explique à Thibault comment on pschitte le produit qui pue et comment on passe le peigne fin pendant des heures dans les cheveux afin de récupérer poux et lentes mortes. Pour un début d'histoire, c'est top glamour !!!

Léa – Bon, nous, il faut qu'on y aille, on est déjà très en retard !

Ah non, moi, je ne pars pas. Je ne rate pas le spectacle de la grande blonde qui se pavane avec MON bonnet pouilleux sur la tête.

Je veux être présente à chaque ponte de lentes sur chaque fil d'or. Je tiens à être la marraine de chaque pou qui naîtra dans les jours qui viennent. Si je savais tricoter, je ferais à chacun un gilet pour l'hiver et de jolies petites chaussettes. Avec un peu de chance, Guilhem a gardé celles qu'il avait en sixième et je pourrai copier le modèle.

Léa – On y va, Justine ?

Justine – Encore un moment, non ?

Léa – Si on tarde, on ne pourra pas faire tout ce qu'on a prévu.

Justine – Mais si...

Nicolas – Alors on se commande des sandwichs ?

Justine – Super idée !

Pendant que tout le monde commandait, Léa m'a prise à part.

Léa – Tu es absolument monstrueuse !

Justine – Ah oui, pourquoi ?

Léa – Tu as conscience que cette fille qui ne t'a rien fait va se retrouver avec des poux ?

SAVEZ-VOUS Qui est le POU ?

1) Combien mesure un pou ?

➪ Deux à trois millimètres.

2) À quelle vitesse se déplace-t-il ?

➪ Il se déplace à la vitesse de 23 cm par minute dans des conditions habituelles.

3) Quelle est la fréquence de ses piqûres ?

➪ Il pique 2 à 4 fois par jour et chacun de ses « repas » sanguins dure environ 30 minutes.

4) Combien de temps peut-il vivre loin d'un cuir chevelu ?

➪ Loin de son « invité », il survit rarement plus de 36 heures, il meurt de faim ou de déshydratation.

Justine – Elle ne m'a rien fait ? Elle m'a piqué Thibault ! Ça ne te suffit pas comme raison ? Et puis, c'est pas ma faute si elle a voulu essayer mon bonnet.

Léa – Arrange-toi pour qu'elle l'enlève et je me débrouillerai pour le faire disparaître. Ce n'est peut-être pas trop tard.

Justine – Je te l'interdis. Arrête de vouloir toujours être la plus gentille. C'est Ingrid qui a raison, si une blondasse approche ses pompes de ton mec, il faut lui crever les yeux ou... se faire aider par des amis poux.

Léa – Vous êtes de pauvres filles primaires.

– C'est quoi ces messes basses ? Vous préparez un mauvais coup ou quoi ?

Je me suis tournée vers Nicolas avec un air angélique.

Justine – Pas du tout ! On était en train de voir comment on pouvait rester avec vous le plus longtemps possible sans renoncer à nos courses. Hein Léa ?

Léa – C'est ça.

Léa est allée se rasseoir sans ajouter un mot mais j'ai lu dans son regard toute la désapprobation du monde.

Puis Ingrid a proposé à Tatiana de nous raconter sa rencontre avec Thibault.

Ingrid – Allez, dis-nous comment ça s'est passé. Thibault a été plus que discret. Si un voisin n'avait pas révélé le secret, on ne saurait pas que tu existes.

Tatiana – Un voisin ? C'est quoi cette histoire ?

Thibault – Oh rien, un vieux fou qui s'amuse.

Tatiana – À quoi ?

Thibault – À rien... Ça n'a aucune importance. Raconte-leur notre rencontre, puisque ça les intéresse.

Ingrid s'est penchée discrètement vers moi et m'a chuchoté :

Ingrid – Il s'est bien gardé de lui dire qu'il l'avait trompée avec toi. Sa peur qu'on parle du voisin vient de là. Si on sort l'affaire des fiches, il est foutu. Tu veux que je le fasse et qu'on se débarrasse de la grande blonde ?

Justine – Je vais m'en occuper moi-même mais pas tout de suite. Merci Ingrid !

Ingrid – Pas de quoi. Et vive le GDCBPMA !

Justine – Le quoi ?

Ingrid – Le Groupement de Défense Contre les Blondasses Piqueuses des Mecs des Autres.

Si Nicolas ne m'avait pas regardée avec insistance à ce moment-là, j'aurais explosé de rire.

Tatiana a commencé à raconter leur love story. Le genre de rencontre que tu ne lis que dans « C'est mon histoire », ma rubrique préférée de *Elle*.

Étudiante en architecture, elle vient suivre ses études à Paris pour un an et vit dans un studio prêté par une amie de sa mère. Elle déprime beaucoup loin des siens et refuse toutes les invitations. Un soir, alors qu'elle n'a rien dans son réfrigérateur, elle se commande un repas japonais. Je vous passe les détails de l'arrivée de Thibault sur son beau scooter blanc, son regard de braise et ses bras réconfortants.

Charlotte – Et il est resté dormir chez toi dès le premier soir ?

Tatiana – Oh no !

Elle ne va pas nous faire le coup de la vierge effarouchée qui attend le mariage pour donner son premier baiser ?

Tatiana – J'aurais bien voulu mais il avait d'autres livraisons !

Ah oui, d'accord.

Tatiana – Il était libre le lendemain.

Respire, Justine... Évite de visualiser Tatiana nue dans les bras de Thibault. Imagine plutôt une nouvelle génération de poux se balançant de cheveu en cheveu comme Tarzan dans les lianes de la jungle et pondant des milliers de bébés poux.

Jim, qu'on n'avait pas beaucoup entendu depuis le début du repas, a demandé à Tatiana de se décaler pour venir s'asseoir à côté de moi.

Ben, qu'est-ce qu'il veut ? Aurait-il des doutes sur ma prétendue gentillesse à l'égard de la grande blonde ?

Il m'a dit tout doucement :

Jim – Ça va Justine ?

Justine – Oui, pourquoi ?

Jim – Tu veux te recoiffer ?

Justine – Me recoiffer ?

Jim – Ah non, pardon... Je te voyais avec tes mains dans les cheveux et j'ai cru que tu voulais remettre ton élastique.

Justine – Ah si... Il ne tient pas bien ce chouchou et je suis obligée de le réentortiller toutes les cinq minutes.

Jim – Reste avec les cheveux lâchés, je te trouve super jolie.

Justine – C'est vrai ?

Jim – Oui. Bien plus jolie que toutes les filles qui sont autour de cette table.

Justine – Là, tu exagères.

Jim – Non. Je n'ai aucun goût pour les blondes de magazine. J'aime mieux les grandes brunes dans ton genre.

Je rêve ou Jim serait en train de me draguer ? Aurait-il été frappé d'amnésie ? N'aurait-il plus en mémoire que je l'ai copieusement trompé avec Thibault ?

Jim – J'en suis certain maintenant, Justine...

Justine – Certain de quoi ?

Jim – Tu n'es plus amoureuse de Thibault.

Justine – Et comment le sais-tu ?

Jim – Ton comportement à l'égard de Tatiana. Jalouse comme tu es, jamais tu ne serais restée en présence de la petite amie de Thibault si tu l'aimais encore. Mieux, tu ne lui aurais pas offert ton bonnet péruvien préféré avec autant de cœur. Tes actes valent mieux que n'importe quel discours. Si tu savais comme je suis soulagé.

Alors là, j'ai un peu honte, et je ne sais pas comment m'en sortir.

Jim – Et si on s'accordait une nouvelle chance ?

Quoi ? Lui et moi ? Il est vraiment sérieux ?

Qu'est-ce que je lui réponds ? OUI ou NON ?

Et si cette proposition était la réponse à toutes mes interrogations ? Et si mon destin était lié depuis toujours à celui de Jim ? Et si Thibault n'avait été qu'un révélateur de cet amour ? Et si aujourd'hui, au moment où je m'y attendais le moins, la vie me faisait signe ?

Quel dommage que Léa soit assise si loin, j'aurais pu lui demander discrètement son avis. Non ! Je n'ai rien à demander à personne. Il est grand temps de faire mes choix, seule.

Je vais rapprocher ma chaise de celle de Jim et lui prendre la main sous la table. Ce geste discret marquera le début de notre nouvelle relation. Oui, c'est ça, je le sais, je le sens. C'est Jim que j'aime.

– Eh ben Justine, tu faisais quoi ? Je t'ai cherchée partout.

C'est qui ça encore ? C'est vraiment pas le moment.

Ah, Michaël Monet, le rigolo de ma classe. Pourquoi il me cherche ?

Michaël – Salut tout le monde ! Désolé d'interrompre votre repas mais je viens chercher ma chérie.

Sa chérie ? Il délire, lui !

Et se penchant vers moi, il me chuchote à l'oreille :

Michaël – Pas mieux que la jalousie pour attiser l'amour de tes deux hommes. Tu vas voir comment ils vont te courir après. Tu me remercieras !

Avant que j'aie eu le temps de rétablir la vérité, Jim m'a regardée, les yeux accusateurs :

Jim – Eh bien, nous avons la réponse à propos du scoop sur les couples du jour. C'était Justine et... Michaël ! Tu vois, Thibault, les choses ne changent pas, nous sommes toujours les derniers au courant. Allez salut, je me casse.

Permis de s'aimer

Nicolas – Finalement, je préfère que vous m'attendiez au Mac Do, je vous rejoindrai après.

Justine – Alors, on ne déjeune pas ensemble ?

Nicolas – Non.

Justine – Mais c'est pas vrai, tu as encore changé d'avis ?

Nicolas – Ne fais pas ta lourde, Justine, t'as pas besoin de moi pour tremper tes nuggets dans ta sauce curry.

Justine – Ce que tu peux être désagréable. J'espère que je serai moins pénible avec vous quand ce sera mon tour !

Léa – Ça ne sera pas trop difficile, je crois.

Nicolas – Mais c'est une coalition ou quoi ? Vous ne pouvez pas me foutre la paix, vous ne voyez pas que je stresse ?

Charlotte a éclaté de rire.

Charlotte – Euh si. Moi, je m'en rends très bien compte depuis deux jours et pour tout te dire, vivement ce soir que ça se termine !

Justine – Ce soir, dans le meilleur des cas ! Sinon on remet ça le mois prochain !

Ma petite remarque n'a pas fait rire mon cousin. Il a embrassé Charlotte et a traversé la rue sans nous dire au revoir. Elle lui a hurlé :

Charlotte – Bonne chance ! Et à tout à l'heure au Mac Do !

– Où il va Nicolas ? Il ne déjeune pas avec nous ?

Ingrid, flanquée de 2 d'tens, se tenait juste derrière nous.

Justine – Non, il veut y aller tout seul.

Ingrid – Il a changé d'avis ?

Léa – Eh oui...

Ingrid – Encore ?

Léa – Eh oui...

Ingrid – Alors on fait quoi ?

Justine – On mange sans lui et on attend qu'il revienne.

Ingrid – C'est bizarre, moi, si j'étais à sa place, je préférerais que mes amis soient là. Ça me rassurerait.

Léa – Moi, je le comprends. Avant une épreuve importante, il faut se concentrer. Si les gens que tu aimes sont là, tu as tendance à te laisser aller.

Charlotte nous a regardées avec son petit air de la fille qui remet les choses à leur place.

Charlotte – Je vous rappelle qu'il ne part pas escalader l'Annapurna à mains nues, ni traverser l'Antarctique avec ses chiens de traîneau, il va juste passer son permis.

Léa n'a rien répondu mais j'ai senti que la remarque de Charlotte l'agaçait. Depuis quelque temps, ma meilleure amie n'était plus tout à fait la même. Je la sentais souvent tendue et un peu perdue, comme si elle ne trouvait plus aussi facilement sa place.

Ingrid – Il s'angoisse parce qu'il paraît que les examinateurs sont plus durs avec les jeunes qui passent le permis la veille des vacances. Ils craignent qu'ils fassent de longs trajets tout de suite, alors ils les recalent à la moindre faute. Et là, comme les vacances de février arrivent, ça risque d'être tendu...

Charlotte – C'est Nicolas qui t'a raconté ça ?

Ingrid – Oui, pourquoi ?

Charlotte – Non, pour rien.

Léa a jeté un regard noir à Charlotte.

Léa – Ben si, va jusqu'au bout de ta pensée : Nicolas est un menteur qui se cherche des excuses pour expliquer son futur échec, c'est ça ?

Charlotte – C'est pas moi qui l'ai dit !

Léa – Non, c'est pire, tu l'as laissé entendre.

Charlotte – Ça va. Ne le prends pas mal... Vous êtes toujours là à le protéger. Il n'est pas en sucre !

Léa – Qu'est-ce que tu en sais ? Qu'est-ce que tu connais de lui ?

Charlotte – Assurément des choses que tu ne soupçonnes même pas !

Cette allusion à peine masquée à leur vie intime a stoppé net Léa. Je me suis sentie obligée de réagir à sa place.

Justine – Léa est sa meilleure amie, celle à qui il confie tout.

Charlotte – Ah oui, la fameuse bonne amie, celle qui ne fait qu'écouter les histoires d'amour des autres !

L'arrivée de Jim nous a empêché de poursuivre cet échange qui ne demandait qu'à dégénérer.

Jim – Salut tout le monde ! Où est le roi du jour ?

Justine – Il est parti.

Jim – Il ne déjeune pas avec nous au Mac Do ?

Je crois que je vais m'accrocher un panneau autour du cou « Nicolas a décidé de nous rejoindre après avoir passé son permis », ça me fera gagner du temps !

Ingrid – Non, il a encore changé d'avis.

Jim – Bon... C'est comme il le sent ! On va manger en patientant, Thibault et Tatiana nous attendent déjà là-bas.

Ingrid n'a pas pu s'empêcher d'exprimer sa joie :

Ingrid – Yes ! Tatiana est là !

Eh oui ! La belle et grande blonde était toujours dans la vie de Thibault et ne semblait pas vouloir en partir. Le pire, c'est que je ne pouvais pas la détester. Cette fille était un amour. D'humeur égale, elle avait pour chacun à tout moment un mot sympa. En plus de la beauté, la nature l'avait dotée d'une gentillesse exceptionnelle. Tout le monde l'aimait. Et aujourd'hui, même si elle était la petite amie officielle de Thibault et que j'avais des raisons de la maudire, je ne pouvais pas m'empêcher de regretter de lui avoir offert mon bonnet pouilleux.

En plus, l'affaire avait fait grand bruit ! Trois jours après mon cadeau, elle avait consulté un dermato, persuadée d'avoir une irritation du cuir chevelu causée par le stress. Le médecin l'avait rassurée sur ce point mais lui avait annoncé sans ménagement la présence des parasites. Tatiana, bonne fille, nous avait téléphoné pour nous prévenir et nous conseiller de faire un shampoing préventif. Elle avait lavé les draps et la housse de canapé chez Thibault en s'excusant platement. Jamais elle n'avait incriminé mon bonnet malgré certains sous-entendus de Charlotte. Pire, elle m'avait offert un béret noir ravissant avec l'écharpe assortie pour me remercier de mon cadeau.

J'étais engluée dans la culpabilité. Depuis, je ne savais plus comment me comporter avec elle. Je détestais la sirène qui prenait ma place dans le cœur de Thibault mais j'avais une réelle sympathie pour Tatiana. Le problème, c'est que c'était la même fille !

Alors que je m'interrogeais sur le comportement à adopter avec elle pour être cohérente (ce qui dans mon cas relève de la haute voltige), Léa m'a attrapée par le bras et m'a chuchoté :

Léa – Je n'ai pas envie de rester avec Charlotte en attendant Nicolas. Elle commence franchement à m'énerver avec ses airs de fille qui comprend tout.

Justine – Et qu'est-ce que tu proposes comme bonne raison pour éviter le Mac Do ? Malaise ? Extraction de dent de sagesse ? Grand-mère en panne ?

Léa – La vérité. Je vais expliquer sans chichis que Charlotte m'horripile et que je n'ai aucune affinité avec les futurs médecins légistes qui ont des dents de lapin.

Justine – Vraiment ?!

Ma meilleure amie m'a souri.

Léa – Non ! Mais si tu savais comme j'en ai envie. Tu n'aurais pas une idée de génie pour me venger des dernières remarques de cette fille ? Comme un bonnet plein de poux, par exemple.

Justine – Tiens, maintenant tu trouves que c'était une idée de génie de l'offrir à Tatiana ? Tu as pourtant cherché à m'en empêcher...

Léa – J'ai eu tort !

Justine – Tu te moques de moi ?

Léa – Pas du tout.

J'ai cherché dans les yeux de Léa la lueur d'ironie qui teinte son regard quand elle fait de l'humour.

Mais rien.

Justine – Tu veux que je lui offre une botte de carottes empoisonnées ?

Léa n'a pas eu le loisir de me répondre, c'est Ingrid s'en est chargée :

Ingrid – Ah oui, je veux ça.

Quoi ? Elle veut des carottes empoisonnées ?

Devant mon air ahuri, la peste toujours collée à 2 d'tens a cru bon de m'expliquer :

Ingrid – Je ne cherchais pas à vous espionner mais j'ai entendu ce que tu as dit.

Justine – Ah oui ! Et qu'est-ce que tu as entendu ?

Ingrid – Que tu voulais manger des carottes pas assaisonnées. Je suis d'accord avec toi, il y en a assez des crudités pleines de sauce chimique.

Je n'ai pas essayé de rectifier la remarque du professeur Tournesol. D'ailleurs comment aurais-je pu ?

Jim – Bon les filles, crudités ou cheeseburger, on verra sur place. On y va ?

J'ai jeté un œil vers Léa pour savoir ce qu'elle avait décidé à propos de notre désertion Mac Donaldesque. Jim a intercepté mon regard et a demandé à Léa, d'un air un peu agacé :

Jim – Qu'est-ce qui se passe encore ? Il y a un problème ?

Léa – Ah non ! Pour moi, tout va bien. C'est Justine, elle tient absolument à manger des carottes et je lui disais qu'au Mac Do, elle n'en trouverait pas.

Le culot de ma meilleure amie m'a laissée sans voix.

Remarquez, personne ne s'en est rendu compte parce qu'Ingrid a monopolisé l'attention avec un discours sur la mal-bouffe depuis la sortie du lycée jusqu'au Mac Do ! Elle a dû d'ailleurs s'auto-écœurer parce qu'au moment où la jeune caissière lui a demandé ce qu'elle désirait, elle a prononcé avec l'air de la fille au bord de la nausée :

Ingrid – Ah non, rien. C'est impossible de manger quoi que ce soit ici.

La serveuse n'a fait aucun commentaire et s'est penchée vers moi pour prendre ma commande.

J'ai évidemment eu droit au regard noir de la peste lorsque j'ai demandé mes douze nuggets sauce curry et une grande frite. Histoire de clore le débat immédiatement, j'ai ajouté un muffin au chocolat.

Jim a commenté en souriant :

Jim – C'est sûr, c'est beaucoup plus léger que des carottes. De toute façon, tu peux tout te permettre, tu as un corps de rêve.

Justine – Arrête de me charrier !

Jim – Mais je suis sérieux !

Ça veut dire quoi à votre avis ? Il y a une ouverture ou c'est juste de la galanterie ?

Parce que depuis quelque temps, je déprime... Je me dis que je tiens à Jim et que j'ai vraiment tout gâché, notre amitié et notre histoire d'amour.

Lorsque nous nous sommes avancés vers leur table, Thibault et Tatiana ne nous ont même pas repérés tant ils semblaient absorbés l'un par l'autre. Ils avaient visiblement fini de déjeuner mais s'étaient arrangés pour nous garder des places.

Charlotte – Salut les amoureux !

Pauvre fille ! Je suis sûre qu'elle fait exprès de hurler : « Salut les amoureux ! » pour me rendre jalouse. C'est complètement raté, ça ne me fait aucun effet.

Euh... Si Tatiana pouvait arrêter de caresser les cheveux de Thibault comme s'il avait six mois et qu'elle cherchait à l'endormir, ça m'arrangerait.

Thibault – Ah ben vous voilà enfin ! Désolé, on ne vous a pas attendus pour manger nos cheese, on avait trop faim.

À l'évocation des hamburgers, Ingrid a eu un haut-le-cœur.

Tatiana – You don't feel well Ingrid ?

Ingrid – Non, c'est juste que...

Excusez-moi si je mets sur « mute » la réponse de notre bio-peste préférée, mais je n'ai pas envie d'un nouveau réquisitoire complet contre le ketchup, les frites et les hamburgers.

J'ai bien tenté de l'interrompre, peine perdue. Elle a presque réussi à nous couper l'appétit avec son documentaire américain dans lequel un journaliste décide de se nourrir exclusivement chez Mac Donald's pendant un mois et enquête à travers les États-Unis sur les effets hautement néfastes du fast-food.

Ingrid – Si vous voulez, je loue le DVD et on le regarde ensemble.

Charlotte – Super !

Ingrid, ravie de voir Charlotte se rallier à sa cause, a continué sur sa lancée :

Ingrid – Et je peux même vous préparer un repas diet.

Charlotte – Moi, je suis partante à condition qu'il n'y ait pas de...

Ingrid – Qu'il n'y ait pas de quoi ?

Charlotte a souri hypocritement à Léa avant de finir sa phrase :

Charlotte – À condition qu'il n'y ait pas de carottes ! Parce que malgré mes grandes dents, je ne suis pas un lapin.

Comment elle sait qu'on la traite de lapin ? Vous voulez que je vous dise ? Cette fille ne se destine pas à être médecin légiste mais espionne de copines qui cancanent.

À la remarque de Charlotte, tout le monde a ri sauf Léa et moi. Vous comprenez pourquoi !

Thibault – Au fait, pourquoi Nicolas n'est pas venu déjeuner avec nous ?

Jim – Je ne sais pas. Il préfère nous retrouver après.

Ingrid a immédiatement abandonné sa panoplie de nutritionniste pour enfiler sa panoplie de psy.

Ingrid – Il a besoin d'assumer seul ses responsabilités, c'est sa façon à lui de passer à l'âge adulte.

Jim – Ah bon ?

La peste a pris l'air de la fille qui maîtrise à fond le sujet et a poursuivi son explication.

Ingrid – Vous ne vous êtes pas rendu compte que Nicolas avait changé ? Il est beaucoup moins en demande qu'avant au niveau affectif.

Je ne sais pas s'il y avait un dossier spécial « confiance en soi » dans le *Biba* du mois dernier mais elle n'a pas tort.

Ingrid – Regardez, pour son anniversaire, il n'a pas cherché à organiser quoi que ce soit. On a bu un pot rapidement à la sortie des cours, c'est tout. Rappelez-vous, les années précédentes, il voulait toujours qu'on organise une fête avec ses copains. Là, il a dit qu'il préférait rentrer tranquille et qu'on le fêterait peut-être une autre fois.

Jim – C'est vrai, ça m'a étonné, mais j'ai respecté. Vous croyez qu'on a eu tort ? Il s'attendait peut-être à ce qu'on lui fasse une surprise.

Léa qui, jusque-là, écoutait sans vraiment prendre part à la discussion a semblé ennuyée.

Léa – C'est possible.

Justine – On n'a qu'à organiser une fête pour son permis et on lui souhaitera son anniversaire en même temps.

Jim – Ouais, c'est une bonne idée. T'en penses quoi Charlotte ?

Pourquoi il lui pose la question ? En quoi ça la regarde ? Bon, d'accord, elle est la petite amie de Nicolas mais c'est le genre d'emploi pour lequel mon cousin signe des CDD et je dirais même des CDTD : contrats à durée très déterminée. Et sans vouloir être méchante, j'ajouterais que c'est un contrat en multi-propriété. On n'a jamais vu Nicolas sortir avec une seule fille à la fois !

Charlotte – Lui organiser une fête ? Pourquoi pas !

Évidemment Charlotte ne s'est pas contentée de dire « pourquoi pas », il a fallu qu'elle nous fasse son sourire genre fille mystérieuse.

Léa a réagi au quart de tour :

Léa – Oh déesse, si tu sais quelque chose que nous, pauvres mortels, ignorons, aie l'extrême gentillesse de nous éclairer.

Ma meilleure amie a tellement surjoué en prononçant sa réplique qu'on a tous éclaté de rire. Pourtant, il n'y avait pas de quoi.

Charlotte – Je ne sais pas grand-chose de plus que vous mais il me semble que si Nicolas avait eu envie de fêter son anniversaire avec vous, il l'aurait demandé.

Léa – Il n'a peut-être pas osé et, si ça se trouve, sa soirée d'anniversaire a été super triste.

Charlotte – Je ne crois pas, non.

Jim – Tu ne crois pas que quoi ?

Charlotte – Que sa soirée d'anniversaire a été triste. Il m'a d'abord invitée au resto, puis on a été au ciné et on a fini la soirée au grenier avec bougies et petits coussins rouges. C'était sympa...

Je n'ai pas besoin de vous décrire la décharge électrique provoquée par la révélation de Charlotte. Nicolas – notre Nicolas – nous avait abandonnés le soir de son anniversaire pour offrir à cette étrangère un moment de rêve.

Léa a blêmi et j'ai même cru l'entendre déglutir avec difficulté.

Jim – Oh le salaud !!! Il ne s'en est pas vanté de celle-là. Il l'a jouée je rentre chez moi façon poor lonesome cow-boy alors qu'il avait un super plan en vue.

Jim avait à peine terminé sa phrase que son portable a sonné. Il a décroché en nous prévenant : « C'est lui ! Je vais lui dire ma façon de penser. »

Jim – Allô ? Oui... Pourquoi ?... Attends un peu...

Jim nous a regardés d'un air gêné et s'est levé pour aller parler plus loin.

Je ne voudrais pas jouer les paranos mais j'ai l'impression que mon cousin me fait beaucoup de cachotteries en ce moment. J'ai désespérément tendu l'oreille mais j'étais trop loin pour entendre ce que disait Jim. J'ai demandé à Léa :

Justine – Qu'est-ce qui se passe ?

Léa – Je ne sais pas.

Charlotte m'a déclaré en regardant fixement Jim :

Charlotte – Jim tente de calmer Nicolas. L'examinateur est un tueur qui a massacré le premier candidat et Nicolas est complètement speed. Il veut s'en aller.

Mais comment elle sait ça ?

Comme on la dévisageait tous bouche bée, Charlotte nous a confié :

Charlotte – Je sais lire sur les lèvres.

Ingrid a applaudi :

Ingrid – Oh c'est trop bien ! Tu as appris pour tes futures enquêtes ?

Charlotte – Les cadavres se confient rarement.

Ingrid – Alors pourquoi ?

Charlotte a d'abord semblé ennuyée de répondre à cette question puis, reprenant son air frondeur :

Charlotte – Mon frère est sourd-muet et j'ai appris avec lui le langage des signes et la lecture sur les lèvres.

Tatiana – It's fabulous !

Charlotte – Non, c'est juste nécessaire.

Tatiana s'est mordu les lèvres. C'est étrange comme les êtres humains, même les plus subtils, se sentent toujours obligés d'en rajouter lorsqu'on parle d'un handicap ou d'une maladie grave. Comme s'ils ne trouvaient qu'un enthousiasme factice pour accueillir la confidence. Peut-être est-ce une façon de masquer leur peur.

Jim est revenu s'asseoir.

Jim – Je vais être obligé de partir. Je vous retrouve après.

Thibault ne l'a pas laissé se défiler.

Thibault – Que comptes-tu faire pour convaincre Nicolas de passer son permis ?

Jim – Comment tu sais ça, toi ?

Thibault – Avec Léa, on a une sorcière à l'ancienne capable de lire dans les pensées, maintenant avec Charlotte on dispose d'une sorcière high tech !

Jim – Elle a mis un micro dans mon portable ?

Charlotte – Non, j'ai lu sur tes lèvres, mais ce n'est pas le problème. Où est-ce que tu vas, là ?

Jim – Rejoindre Nicolas.

Léa – Je viens avec toi.

Justine – Moi aussi !

Jim – Je ne sais pas s'il appréciera que vous débarquiez comme ça.

Ingrid a répondu aussi sec :

Ingrid – On s'en moque de ce qu'il veut ou pas. Depuis quand on laisse tomber l'un d'entre nous ? Est-ce que Nicolas ne nous a pas toujours trouvés à ses côtés ? Au moment du divorce de ses parents, quand il a décidé de revenir chez son père, quand la

belle-mère a voulu s'installer à la maison bleue, quand il s'est fait avoir par la mystérieuse Anastasia... Pas vrai ?

Jim – Si.

Ingrid – Est-ce qu'il nous a demandé une seule fois de le laisser tranquille ?

Jim – Non.

Ingrid – Alors, on y va.

Aussitôt dit, aussitôt fait ! On est sortis du Mac Do et on s'est entassés dans la voiture de Jim en couches superposées façon millefeuille. *Freeek* chanté à tue-tête avec George Michael a servi de bande sonore à notre équipée sauvage.

Il ne nous a pas fallu longtemps pour arriver sur le lieu de la convocation. On a cherché Nicolas des yeux, il n'était nulle part.

Thibault – Tu crois qu'il est parti ?

Jim – Je ne sais pas.

Avec son énergie légendaire, 2 d'tens a pointé du doigt une voiture garée plus loin.

2 d'tens – Il est là-bas avec l'examinateur.

On a tous regardé dans la direction de son grand bras mou.

Tatiana – Yes, he's right ! He's in the car.

Effectivement, Nicolas, assis côté conducteur, se préparait à démarrer.

Après avoir vérifié ses rétroviseurs, il a bouclé sa ceinture et a mis le contact.

Léa – Qu'est-ce qu'on fait ?

Jim – Qu'est-ce que tu veux qu'on fasse ? On arrive trop tard pour lui parler, on va l'attendre ici.

LA CONDUITE ACCOMPAGNÉE

Actuellement en France, un futur conducteur peut choisir d'apprendre à conduire dès l'âge de 16 ans sous la responsabilité d'un accompagnateur, après une formation initiale en école de conduite. Il est possible d'avoir plusieurs accompagnateurs, y compris en dehors du cadre familial.

Cette filière d'apprentissage est suivie par 30 % des jeunes environ.

Quelles conditions faut-il remplir pour s'inscrire à l'école de conduite en AAC (Apprentissage Anticipé de la Conduite)?

- Avoir au moins 16 ans.

- Avoir l'accord écrit de son représentant légal (parent) et de l'assureur du véhicule.

- Avoir l'attestation scolaire de sécurité routière (ASSR) passée en classe de troisième ou l'attestation de sécurité scolaire (ASR).

Avant de pouvoir conduire avec l'accompagnateur, l'élève doit recevoir une formation initiale en école de conduite, qui comprend un nombre minimum d'heures de conduite, mais aussi une formation théorique. Après l'obtention du code et si le niveau de conduite est jugé satisfaisant, la conduite accompagnée peut débuter...

Léa – Et s'il avait besoin d'aide ?

Charlotte a éclaté d'un rire qui sonnait faux.

Charlotte – Et qu'est-ce que tu comptes faire depuis ta place ? Changer les vitesses, accélérer, freiner ?

Après l'avoir mitraillée du regard, ma meilleure amie a répondu sèchement :

Léa – Les trois à la fois. Tu y vois un inconvénient ?

Charlotte – Non, si ça t'amuse.

Jim, qui déteste les conflits, est intervenu fissa.

Jim – Les filles, vous réglerez vos différends après. Léa, qu'est-ce que tu veux que je fasse ?

Léa – Suis la voiture.

Jim – Comment ça ?

Léa – Tu suis Nicolas, on avisera après. La vie a plus d'imagination que nous !

Jim a éteint la radio. C'est dans un silence mortel qu'on a regardé Nicolas démarrer. Jim a laissé un véhicule passer devant nous.

Jim – S'il me voit dans son rétro, j'ai peur que ça le déconcentre. Il vaut mieux qu'on reste à distance.

On a roulé tout droit sur la grande avenue.

Thibault – Tu connais le circuit ?

Jim – Non.

Thibault – Je ne vois pas bien ce qu'on va pouvoir faire.

Charlotte – Je ne te le fais pas dire.

Ingrid a volé au secours de Léa :

Ingrid – On n'est pas toujours obligé de faire pour les gens qu'on aime, on peut juste être avec eux. Même de loin.

Elle a avalé un précis de psychanalyse ou quoi ? Comme je la regardais avec étonnement, elle m'a chuchoté :

Ingrid – Un problème, Justine ?

Justine – Non, c'est juste que...

Ingrid – Que quoi ?

Justine – Parfois tu me surprends !

Ingrid – Ça, c'est parce que tu as des a priori sur les blondes, tu es bien forcée de trouver des motifs à tes jugements infondés... Mais je t'aime quand même !

Je crois que j'aurais eu à repenser entièrement mon système de valeurs si elle n'avait pas ajouté :

Ingrid – Qui veut tuer son chien l'accuse de l'orage.

Ah oui, comme ça, c'est vraiment notre Ingrid !

Jim – Mais pourquoi il met son clignotant à droite ? C'est une impasse la rue après le feu.

2 d'tens – L'examinateur a dû lui demander de tourner à droite dès qu'il le pouvait et Nicolas n'a pas remarqué que la première rue à droite était en sens interdit. C'est un piège assez banal lors de l'examen.

Thibault – Tu crois ?

2 d'tens – J'en suis certain.

Jim – Qu'est-ce que je peux faire alors ?

2 d'tens – Dès que le feu passe au vert, tu démarres, tu le doubles et tu restes garé devant la rue. Ça lui laissera le temps de voir le panneau.

Jim a passé la première. On a hurlé en même temps : « Vert ! » Il a démarré immédiatement. Avec beaucoup de prudence, il a accéléré et changé de file en vérifiant qu'il ne coupait la route à aucune voiture.

On s'est retrouvés juste devant Nicolas.

2 d'tens – Bien. Maintenant, mets tes warnings et arrête-toi devant l'impasse pour empêcher Nicolas de s'engager.

Jim s'est exécuté.

2 d'tens – Parfait. Personne ne se retourne. Jim, tu regardes dans le rétro et tu nous dis ce qui se passe.

Jim – Il arrive... Il ralentit... Il lève la tête... Je crois qu'il observe le panneau... *Yes* !!! Il continue son chemin !

Comme avec Léa, on applaudissait pour fêter cette victoire, 2 d'tens nous a dit avec une fermeté qu'on ne lui connaissait pas :

2 d'tens – Du calme, ce n'est pas gagné. Jim, recule, tu as la place... Bien. On le suit.

Jim – OK.

On a toutes fixé 2 d'tens avec admiration. En temps normal, il a l'énergie d'un spaghetti cuit mais en situation de crise il assurait comme une bête ! Le fait d'avoir un nouveau fan-club ne l'a pas perturbé. Il a continué à surveiller la voiture de Nicolas.

Ingrid n'a pas apprécié notre intérêt pour son homme.

Ingrid – Bas les pattes, les filles. Il est à moi ! La première qui s'approche, je lui crève les yeux.

Euh là, elle s'égare. On admire le stratège, de là à le voir comme un petit ami potentiel, il y a de la marge.

Jim – Tout va bien. Il roule à bonne allure.

Thibault – Il va peut-être l'avoir finalement son permis !

Justine – Ça serait bien ! On sera moins tassés à l'arrière quand vous serez deux à conduire.

Jim – C'est sûr !

Ingrid – Mais il va s'acheter une voiture, Nicolas ?

Justine – Non... Son père lui a promis de lui prêter la sienne le week-end et ma mère lui a dit que, s'il était prudent, elle lui laisserait sa poubelle certains soirs.

Ingrid – Sa poubelle ?

Justine – C'est comme ça que mon père appelle la vieille Polo de ma mère. Il faut avouer qu'elle est dans un état... Tous les mois, elle échoue au garage.

Tatiana – Pourquoi elle n'en change pas ?

Justine – Elle trouve que c'est une dépense stupide pour le peu d'usage qu'elle en fait.

Jim – C'est vrai que c'est super cher. Moi, je m'en sors à peine avec mon petit salaire. Et pourtant, je ne paie pas de loyer.

Justine – Parfois quand je pense à ma vie plus tard, j'ai la trouille. Je me dis qu'il faudra absolument que j'aie un métier qui me rapporte beaucoup d'argent si je veux vivre correctement. Quand je vois ce que mes parents dépensent : le loyer, l'électricité, le gaz, l'eau, les assurances, la nourriture... Et je ne parle même pas de plaisirs genre ciné, resto, vacances.

Léa – Ouais, moi aussi ça m'angoisse. Si je veux réaliser mon rêve, c'est-à-dire faire du théâtre, je ne sais pas comment je vais me débrouiller. Les artistes ont une vie de galère.

Ingrid – Il ne nous reste plus qu'à devenir des stars !

Jim a éclaté de rire.

Jim – Si on pouvait avoir notre bac déjà !

Léa – C'est vrai, on s'inquiétera pour le reste plus tard.

Tatiana – Now, it's time to have fun !

Thibault a rectifié :

Thibault – Non ! Je crois que le moment crucial du créneau est arrivé.

Jim – Ah oui, t'as raison. Il a mis son clignotant et il amorce une marche arrière.

Thibault – Il ne réussira jamais à se garer dans cette place, elle est minuscule.

Jim – Quel salaud cet examinateur, il fait vraiment tout pour lui pourrir son examen. Il y a une place deux fois plus grande, là-bas. Qu'est-ce qu'on fait ?

Thibault – Là, on ne peut pas l'aider.

Jim – Guilhem, t'as pas une idée de génie comme tout à l'heure ?

2 d'tens – Non. Cette fois-ci, il va se planter.

2 d'tens n'avait pas fini sa phrase que Léa m'a poussée brutalement et est descendue de la voiture.

Justine – Mais où elle va ?

Léa, déterminée façon Sarah Connor quand elle veut sauver la planète de l'invasion de nouveaux Terminator, a foncé droit sur mon cousin.

Jim – Elle est complètement folle ! Elle frappe à la vitre de Nicolas !

Justine – Elle lui parle. Mais qu'est-ce qu'elle lui dit ?

Ingrid, qui ne perd jamais le nord, a demandé à Charlotte :

Ingrid – Tu arrives à lire sur ses lèvres ?

Charlotte – Non, elle est de profil.

Tatiana – Léa, Wonder Woman !

Charlotte – Ah oui ?! Ce n'est pas comme ça que je la surnommerais, moi.

Personne ne lui a demandé quel surnom elle lui donnerait. On était complètement scotchés par l'intervention de ma meilleure amie.

Justine – Elle parle à l'examinateur, maintenant.

Jim – Je rêve ou Nicolas a mis son clignotant pour repartir ?

Thibault – Non, tu ne rêves pas.

Jim – Et hop, il redémarre.

Ingrid – Qu'est-ce qu'elle a inventé pour l'obliger à s'en aller ?

Jim – On va le savoir très vite, la revoilà !

Léa est remontée dans la voiture. Quand elle m'a reprise sur ses genoux, j'ai senti son cœur battre à travers son manteau.

Jim – Qu'est-ce que t'as dit ?

Léa – J'ai demandé à Nicolas s'il pouvait me laisser la place parce que je venais chercher ma grand-mère qui est invalide et habite l'immeuble en face. J'ai insisté en disant qu'il y avait une place deux mètres plus loin et que pour des gens en bonne santé, deux mètres à pied, ce n'était pas grand-chose.

Thibault – Et alors ?

Léa – Vous avez raté sa tête ! Un Martien lui aurait demandé de se pousser pour garer sa soucoupe, il aurait eu l'air moins étonné.

Thibault – Et alors ?

Léa – L'examinateur s'est penché pour me regarder, il a semblé ennuyé puis il a donné l'ordre à Nicolas de se garer plus loin.

Jim a hurlé :

Jim – C'est ce qu'il est en train de faire ! Il se gare dans la grande place.

Thibault – Waouh, quel créneau magistral !!!

Léa – Gare-toi dans la petite place, Jim. On ne sait jamais, si l'examinateur vérifie, il ne faut pas qu'il se doute de quoi que ce soit.

Jim – Oui mais on ne pourra pas le suivre après.

Léa – Ce n'est pas grave. Il n'a plus besoin de nous, maintenant.

Jim – T'es sûre ?

Charlotte n'a pas laissé à Léa le temps de répondre.

Charlotte – Non, elle n'est sûre de rien. Elle la joue à l'intox ! Et parfois ça marche...

Justine – Parfois ça marche ? Je crois que tu connais mal Léa ! C'est une vraie sorcière qui réussit tous ses coups !

Jim – Ça c'est vrai ! Et elle vient de nous le prouver une fois de plus.

Charlotte – Si ça vous amuse de le croire.

La jalousie de Charlotte n'a pas entamé notre admiration pour Léa. On n'a d'ailleurs pas cherché à argumenter davantage tant le génie de ma meilleure amie venait une nouvelle fois d'éclater au grand jour.

Jim – Je propose qu'on reparte et qu'on attende Nicolas sur le lieu de sa convoc.

Thibault – Oui, c'est une bonne idée. Il ne devrait plus tarder maintenant.

Jim – Léa, tu peux lui envoyer un SMS pour le prévenir ?

Léa – Oui !

Charlotte – Je ne vois pas à quoi ça sert, son portable est forcément éteint.

Léa a souri et a déclaré avec une ironie mordante :

Léa – Ma chère Charlotte, il y a tellement de choses dont tu ne vois pas l'utilité et qui se révèlent pourtant extrêmement importantes. Dois-je te rappeler que tu jugeais inutile tout à l'heure de suivre Nicolas ? La preuve t'a été apportée, il me semble, que tu t'es lourdement trompée.

Et vlan, dans les dents !

Léa s'est penchée et m'a chuchoté à l'oreille :

Léa – Et je dirais même plus : « Et vlan, dans ses grandes dents de lapin ! »

Mais comment elle sait ce que j'ai pensé dans ma tête ???

Il nous a fallu attendre plus d'une demi-heure pour voir apparaître Nicolas au bout de la rue. Sa mine ravie laissait entendre qu'il était plutôt content de lui. On est sortis de la voiture pour l'accueillir.

Il a éclaté de rire en nous apercevant. Il a hurlé :

Nicolas – Vous savez quoi ? Vous êtes une bande de grands malades !

Charlotte a ronchonné dans son coin :

Charlotte – Voilà la première parole sensée que j'entends depuis plus d'une heure.

Mon cousin a continué en se dirigeant vers nous :

Nicolas – Mais une bande de grands malades que j'adore ! Toi, surtout...

Charlotte a esquissé un sourire triomphant face à Nicolas qui ouvrait ses bras.

Son sourire Lol s'est vite transformé en grimace lorsqu'ils se sont refermés sur Léa.

Nicolas – Tu es un génie ! Quand j'ai vu la taille de la place, j'ai commencé à avoir des sueurs froides. J'étais certain de rater mon créneau. Ton intervention m'a sauvé. J'ai eu envie de sortir de la voiture pour t'embrasser mais je n'ai pas osé ! Alors je me rattrape.

Et joignant le geste à la parole, il a sauté sur Léa pour la couvrir de baisers. Elle s'est laissé faire en riant. On a applaudi.

Tous ? Non... Pas Charlotte quand même ? Elle est où d'ailleurs ?

Je me suis retournée juste à temps pour la voir disparaître au coin de la rue.

Nicolas, qui tenait toujours Léa dans ses bras, a shooté gentiment dans les pieds de Jim.

Nicolas – Et toi, je peux savoir ce que tu foutais sur les clous devant une impasse ?

Jim – J'empêchais un vieux pote de se fourvoyer !

Nicolas – Trop fort !

Jim – C'était sur une idée originale de Guilhem.

Nicolas – Merci mec !

(Temps réel dix secondes.)

2 d'tens – Pas de quoi.

Thibault – Alors Nico, tu l'as ou pas ce permis ?

Nicolas – Je ne le saurai que dans deux jours, mais je le sens bien. On va se boire un truc ?

Jim – Et comment !

Nicolas – Je vous invite. Mais elle est où Charlotte ?

Jim – Je ne sais pas. Elle était là il y a deux minutes.

On l'a cherchée des yeux. J'ai improvisé :

Justine – On l'a appelée sur son portable, elle a dû partir très vite mais elle a dit qu'elle nous rejoindrait après.

Nicolas – Ah bon ? Ce n'est pas très cool. Elle aurait pu me prévenir. Elle est vraiment étrange comme meuf. Tant pis pour elle ! Si elle a envie de me retrouver, elle a mon numéro. Alors, on va au café ?

Thibault – Et si on allait chez moi ? Ça serait plus sympa.

Nicolas – Ça me va !

Thibault – Tout le monde est d'accord ?

On a voté pour !

Dans la voiture, Nicolas a demandé à Léa de s'asseoir sur ses genoux et il lui a chuchoté à l'oreille plein de trucs qui l'ont fait rire. Je n'ai pas pu savoir quoi à cause de la radio que Thibault avait rallumée.

Est-ce que quelque chose m'aurait échappé entre mon cousin et ma meilleure amie ?

Justine

All I need is love (with beaucoup de Nutella…) ! Allez, assez rigolé, un peu de culture. Bon d'accord, je ne savais pas tout ça avant de le lire sur Wikipédia !
All You Need is Love est l'une des œuvres les plus connues et les plus emblématiques des Beatles. En pleine année 1967, alors que la guerre du Vietnam fait rage, la chanson prône les idéaux d'amour et de paix. Elle va accompagner l'essor du mouvement hippie et devenir un hymne pour les jeunes du monde entier.
Qui sont les Beatles ? Un groupe pop mythique de Liverpool, composé de John Lennon, Paul McCartney, George Harrison et Ringo Starr. Il demeure, en dépit de sa séparation en 1970, l'un des groupes les plus populaires au monde. En dix ans d'existence et seulement huit ans de carrière discographique (de 1962 à 1970), les Beatles ont enregistré douze albums originaux et composé plus de 200 chansons. Ils ont sans cesse innové (créé un Album blanc), fait sensation lors de concerts de légende et même créé la mode. Leur surnom : The Fab Four…
Leurs plus grands succès : *Yesterday*, *Love me do*, *Back in the USSR*, *Strawberry fields forever*…

Hier, 22h27 · J'aime · Commenter

Ingrid aime ça.

Jim Tu oublies Hey Jude !

Hier, 23h09 · J'aime

Léa Me to my friend !!!

Hier, 23h29 · J'aime

Nicolas Moi je préfère nettement les Stones !

Aujourd'hui, 00h28 · J'aime

J'ai croisé le regard de Jim dans le rétro. Il m'a fait un clin d'œil. Je me suis penchée en avant pour lui demander discrètement s'il avait des infos sur le nouveau couple du siècle.

Il m'a proposé de m'approcher plus près. À voir ses yeux briller, il y avait du scoop dans l'air.

Justine – Alors ?

« All you need is love, la la la la la... All you need is love, love... »

Oh non !!! Thibault venait de mettre la radio à fond. Ça m'a empêchée d'entendre la phrase que Jim avait chuchotée. J'ai crié à son intention :

Justine – Quoi ? Répète, j'ai pas entendu...

Il n'en a pas eu le loisir. Mes amis, se méprenant sur ma question, m'ont répondu en hurlant :

« All you need is love, la la la la la... All you need is love, love... »

Vacances en salle d'attente

Ingrid – Vous croyez qu'il y aura un miroir en pied dans la salle de bain ?

Nicolas – C'est quoi un miroir en pied ?

Ingrid – C'est un miroir dans lequel tu te vois tout entier.

Nicolas – Ah ça oui, il y en aura certainement un.

Léa a jeté un regard discret mais noir à Nicolas. Elle a attendu qu'Ingrid remette son iPod sur les oreilles pour chuchoter à mon cousin.

Léa – Pourquoi tu lui racontes des histoires ? Un miroir en pied dans la salle de bain d'une auberge de jeunesse, tu rêves ou quoi ?

Nicolas – Écoute, Léa, quand on a décidé de partir au ski, Ingrid savait qu'on ne dormirait pas dans un quatre-étoiles. Personne ne l'a forcée à venir avec nous. Là, on a cinq heures de train plus une heure de car et je n'ai pas envie qu'elle nous fasse une crise d'angoisse maintenant. Donc si elle s'imagine que dans un dortoir pour six, à douze euros par personne, elle va trouver un miroir en pied, qu'elle le croie... J'ajoute un jacuzzi et un sauna si ça peut la rendre heureuse.

Jim et Thibault ont éclaté de rire. Je n'ai pas pu m'empêcher de rire aussi. Mon cousin n'avait pas tout à fait tort.

Ingrid a enlevé l'écouteur de son oreille gauche et nous a demandé :

Ingrid – J'ai loupé un truc drôle ?

Léa – Vraiment pas. L'humour bien lourd de Nicolas, tu vois le genre ?

Ingrid – Oui. Au fait, dans les chambres, on a la télé ?

Avant que Léa ait eu le temps d'ouvrir la bouche, Nicolas a répondu :

Nicolas – Il y a le câble avec un bouquet de plus de deux cents chaînes. Mais si aucun programme ne nous plaît, on pourra louer des DVD.

Ingrid – Génial !

Mon cousin s'est tourné vers Léa et lui a lancé un clin d'œil.

Nicolas – Tu vois, c'est pas compliqué de la rendre heureuse ! Un miroir, un bon film et c'est le bonheur. Ça change des petites intellos en noir à qui il faut un bellâtre qui fait du théââââtre...

Léa – T'es vraiment trop nul !

Nicolas – Ah oui, c'est sûr. Je ne cite pas Racine dans le texte, moi. Désolé. En revanche, je suis réel, j'existe, je ne disparais pas de la circulation sans crier gare.

Léa – C'est bien dommage !

Mon cousin a dégluti avec difficulté. Depuis un certain temps, les relations Nicolas-Léa étaient orageuses. Ils ne rataient pas une occasion de se faire des remarques désagréables. Rien à voir avec leur petit jeu habituel du chat et de la souris, non, là c'était une guerre assez pénible pour tous.

Pourtant, je ne sais pas si vous vous en souvenez, durant la période où Nicolas sortait avec Charlotte on pensait tous que Léa et Nicolas avaient une liaison. Aujourd'hui encore, je pense qu'il y a eu quelque chose entre eux à cette époque. Mais tout de suite après la rupture Nicolas-Charlotte, les relations entre ma meilleure amie et mon cousin s'étaient dégradées. Le rapport entre les deux événements ? Je ne sais pas...

Avec Jim et Thibault, on avait échafaudé des hypothèses. Une semblait tenir la route. Lorsque Nicolas était sorti avec Charlotte, Léa avait eu un pincement au cœur. Bien sûr, officiellement elle aimait toujours son Peter mais peut-être s'était-elle rendu compte à ce moment que Nicolas comptait vraiment pour elle. Parfois, on réalise qu'on aime les gens seulement quand on les a perdus. Notre thèse avait été étayée par une phrase que Léa avait taguée en rouge sur son grand sac noir : « J'ai reconnu mon bonheur au bruit qu'il a fait en repartant. » Consciente de ce ratage, elle aurait avoué ses sentiments à mon cousin. Il aurait aussitôt largué Charlotte. Malheureusement, une fois Nicolas libre, Léa aurait recommencé à douter. Il ne lui aurait pas pardonné...

Si les choses s'étaient passées de cette manière, cela expliquerait leurs relations tumultueuses d'aujourd'hui. Ils s'en voudraient encore, se chercheraient sans se trouver.

Du côté de mes amours à moi, il n'y avait rien de nouveau... Thibault était toujours in love avec sa belle Américaine Tatiana et si elle n'était pas dans le train, c'est parce qu'elle était partie quinze jours à New York voir ses parents. Jim, quant à lui, avait posé une semaine de vacances au *Paradisio* pour venir avec nous. Notre relation était redevenue amicale même si, parfois, certains de ses regards sur moi me semblaient ambigus.

Ingrid – Allô ? Oui honey chéri, je suis encore dans le train. Bien sûr je t'appelle quand j'arrive, sugar baby love. Bye...

Ah oui, j'oubliais ! Ingrid sortait toujours avec Guilhem alias 2 d'tens. Leur relation était du genre loukoum plaqué sucre massif. Personne n'aurait parié un euro sur leur histoire et pourtant elle durait. La peste top glamour aux deux mille tenues et le grand mollasson sans style s'aimaient d'amour tendre. Comment cette relation fonctionnait-elle ? Mystère.

Nicolas – Justine, c'est toi qui as les Pépito ?

Justine – Yes sugar baby love !

Nicolas n'a pas esquissé un sourire. Il s'est contenté de lever les yeux au-dessus de son magazine et de me balancer avec la plus grande froideur :

Nicolas – Sugar baby love ? Tu vas pas bien ???

Justine – Euh si. J'essayais juste d'être tendance...

Nicolas – Ah... Fais péter les Pépito, steplaît, j'ai la dalle.

Et il s'est remis à lire.

Super ambiance ! Ces vacances au ski promettaient d'être joyeuses. Il fallait espérer qu'il y aurait de la neige, comme ça je passerais mon temps sur les pistes.

Ils avaient l'air tous absorbés par leur lecture, alors j'ai décidé de lire moi aussi. Seulement, je n'avais envie de connaître ni les possibilités du dernier mini-ordinateur Asus ni l'hôtel de luxe où Lindsay et Victoria passaient des vacances de rêve. La dernière mise en scène ultracontemporaine du *Tartuffe* et le nouveau tapis pour entraînement intensif m'intéressaient encore moins. Sans parler des annales de maths que Thibault consultait, ça me donnait carrément la nausée. C'est fou comme on peut être ami avec les gens et ne pas avoir les mêmes centres d'intérêt. Bon tant pis, je ne lis pas...

J'ai regardé mes messages. Ma mère m'avait laissé un énième conseil. J'avais quitté la maison depuis deux heures et j'avais eu droit à au moins dix SMS rédigés scrupuleusement : « Tu as pensé à prendre ta carte de réduction 12/25 ? », « Attention aux bagages dans le train, certaines personnes descendent aux arrêts avec les valises des autres ! », « Ne mets pas tous tes sous au même endroit, on ne sait jamais ! », « Pourquoi je reçois confirmation des SMS que je t'envoie et que tu ne réponds pas quand je t'appelle ? »

Euh ça, elle devrait pouvoir comprendre toute seule !!!

J'ai continué à faire défiler mes SMS. Ouh là, il y en a qui remontent à loin.

Octobre...

Novembre...

La grande période avec Thibault !!!

« RDV chez moi dès que tout le monde dort chez toi ? », « Tu es partie depuis 5 minutes, tu me manques déjà ! », « T'étais trop jolie tout à l'heure en culotte dans ma cuisine en train de manger du Crunch ! »

J'ai vite fermé le clapet de mon portable.

Léa – Tu ne te sens pas bien ?

Justine – Si, pourquoi ?

Léa – Tu es toute rouge !

Il y a des choses qu'on ne peut pas raconter... Même à sa meilleure amie.

Justine – Je dois juste avoir un peu chaud.

Léa a souri avec l'air de la fille qui comprend tout.

Ça m'a agacée.

Justine – Quoi, j'ai le droit d'avoir un peu chaud, non ?

Léa – Pas en culotte.

Attends, c'est pas possible. Je suis face à elle, elle n'a pas pu lire le SMS de Thibault.

Léa – Et arrête le Crunch, c'est mauvais pour la ligne !

Mais comment elle sait ? C'est vraiment une sorcière. Enfin, à part avec son Peter... Parce qu'avec lui, elle se fait manipuler. Je sais que je n'ai pas de leçons à donner côté garçons vu le fiasco de ma vie amoureuse mais Léa, c'est pire.

Comme ma meilleure amie avait repris sa lecture, j'ai continué à faire défiler mes vieux SMS.

« Je n'oublierai jamais notre première rencontre au zoo. Tu étais là à vouloir sauver ta girafe et je suis tombé instantanément amoureux de toi. »

J'ai eu une grande bouffée de nostalgie. Je me souvenais de cette première rencontre comme si c'était hier.

Thibault venait d'emménager à la maison bleue et malgré tous mes efforts pour voir ce nouvel habitant sur lequel je fantasmais déjà, il m'avait été impossible d'apercevoir son visage. C'était au zoo, au moment où je me battais pour que Patou ne soit pas transférée ailleurs, qu'il était apparu. Pour être tout à fait honnête, je n'étais pas tombée raide dingue de lui à cet instant précis. Mais dans les heures qui avaient suivi...

« Tu étais trop jolie endormie dans mon lit. Je t'ai mis une rose dans les cheveux. Avec toi, ça faisait un bouquet. »

J'ai essuyé discrètement une larme qui coulait sur ma joue. Qu'est-ce que je suis émotive aujourd'hui.

J'ai lu dans *Biba* que l'état dépressif était un des symptômes de l'état prémenstruel. Ça doit être ça, je suis à J – 4... Sinon, je ne vois pas pourquoi de vieux SMS me donneraient envie de pleurer.

J'ai regardé Thibault assis de l'autre côté de l'allée. C'était bien le même garçon, j'étais bien la même fille, et pourtant tous ces mots d'amour n'avaient plus aucune valeur. Il a levé la tête. Nos regards se sont croisés.

Il m'a souri comme on sourit à un vieux copain. Ça a augmenté mon blues.

J'ai lu le SMS suivant.

« Tu t'éloignes ma Justine. Impression ou réalité ? »

Réalité.

Histoires de filles

De la puberté jusqu'à la ménopause, la vie de la femme est rythmée par ses cycles hormonaux et par ses règles. À la fin de chaque cycle (de 27 à 35 jours selon les personnes), l'utérus non fécondé chasse la partie très superficielle de sa muqueuse, qui crée un flux sanguin – les règles. Celles-ci peuvent durer de 2 à 7 jours.

Même si l'on ressent parfois des symptômes désagréables (mal de ventre, fatigue), les règles sont un phénomène naturel, pas une maladie ! Le choix d'une protection est libre (tampons, serviettes périodiques), choisissez celle qui vous paraît la plus adaptée et confortable. Le sport n'est pas contre-indiqué, au contraire. On peut pratiquer toutes les disciplines sportives sans exception, y compris la natation.

Signe de féminité, les règles ne doivent pas être craintes. Si elles occasionnent une gêne ou des douleurs persistantes, il ne faut pas hésiter à en parler à son médecin.

Mais qu'est-ce qui m'avait pris de me détacher d'un type pareil ? Plus je le regarde, plus je le trouve craquant.

« J'ai adoré te rejoindre en cachette au grenier. J'ai redécouvert le goût des baisers de mes quatorze ans. »

Eh ben voilà ce qui m'avait pris : JIM, le retour... On s'était retrouvés un soir de déprime au grenier et, sans comprendre vraiment ce qui nous arrivait, on était tombés dans les bras l'un de l'autre.

N'importe quoi. Jim, le meilleur copain de mon cousin, mon amour de classe de quatrième... Le plan foireux par excellence ! Au lieu de dire stop tout de suite, j'avais continué. Et comme je n'avais pas envie de choisir entre Jim et Thibault, j'avais gardé au chaud les deux histoires. Oui, d'accord, c'est pas très moral mais ouvrez *Voici* ou *Elle*, et vous verrez que je ne suis pas la seule.

Seulement, avoir deux amoureux en même temps exige un mental fort et une organisation d'enfer. Ce n'est pas exactement ce qui me caractérise. Et le jour de l'an, après les sommations de Jim de choisir celui que j'aimais, je les avais perdus tous les deux. Oh non, pitié, je n'ai pas envie de raconter comment je m'étais couverte de honte en embrassant à tour de rôle mes deux chéris. Ce que vous devez retenir, c'est que j'étais célibataire le lendemain.

« Thibault le mois dernier, Michaël aujourd'hui ! Tu m'as vraiment pris pour un imbécile. Cette fois, c'est fini. Tu peux oublier jusqu'à mon prénom : JIM. »

Ah oui, c'est vrai... Michaël Monet, un copain de ma classe, me voyant « tristissime » avait tenté de m'aider. Cherchant à provoquer la jalousie de mes deux ex-prétendants pour les pousser à me reconquérir, il avait fait croire que je sortais avec lui. Manque de bol, il avait choisi le moment où Jim me proposait un nouveau départ pour faire « notre » coming out !!! Résultat, Jim, fou de rage, était parti sans que je puisse donner la moindre explication.

Je ne sais pas si vous connaissez des filles avec un destin amoureux plus catastrophique que le mien mais à part quelques héroïnes de tragédie grecque, moi, je ne vois pas.

Léa m'a tendu *Glamour* qui traînait sur la tablette.

Léa – Allez, lis ça au lieu de rabâcher les vieilles histoires.

Justine

Les filles, j'ai trouvé mon idéal : Antigone ! Elle refuse d'obéir à son oncle le roi Créon et n'hésite pas à mourir pour rester fidèle à ses idées !!! Trop forte !

Aujourd'hui, 19h19 · J'aime · Commenter

Léa Elle finit enterrée vivante et cause la mort de son fiancé et de la mère de celui-ci. Tu la trouves toujours aussi forte ??? Bon, je te donne quelques infos « culture » pour compléter le portrait de ton héroïne.

Antigone (en grec ancien Ἀντιγόνη / Antigónê) est une tragédie grecque de Sophocle, écrite vers 441 avant J.-C. Elle appartient au cycle des pièces thébaines, avec *Œdipe roi* et *Œdipe à Colone*, décrivant le sort tragique d'Œdipe, roi de Thèbes, et de ses descendants.

Le mythe antique est repris par le grand dramaturge Jean Anouilh en 1944. Sa pièce de théâtre est jouée devant l'occupant allemand sans que celui-ci saisisse que derrière Antigone la Grecque, se cache Antigone porte-parole de la résistance française… Anouilh a mis Antigone en résonance avec la tragédie de la guerre.

Aujourd'hui, 20h33 · J'aime

Justine – De quoi tu parles ?

La sorcière s'est penchée vers moi et m'a chuchoté à l'oreille :

Léa – Thibault, Jim, Michaël et les autres. C'est bon, ça va, c'est du passé.

Justine – Tu lis dans ma tête ou quoi ?

Léa – Inutile, tu penses assez fort comme ça !

Justine – Et tu peux écouter tout le monde ?

Léa – Je crois, oui.

Justine – Là, par exemple, tu pourrais me dire ce qui se passe dans la tête de Thibault ?

Léa – C'est pas une table d'écoute, non plus !!! C'est plutôt comme des flashs. Et pourquoi voudrais-tu écouter ce que pense Thibault ?

J'ai souri d'un air entendu.

Léa – Ah non, ça ne va pas recommencer. Et puis, il aime Tatiana maintenant !

Justine – Elle est à New York !

Léa – Elle est dans son cœur. La distance n'a aucune importance.

Justine – Si ça te rassure de le penser !

Ce n'était pas très gentil de rétorquer une chose pareille à Léa. Évidemment, elle pensait à son Peter en disant cela. Elle le voyait rarement, elle ne savait pas vraiment quelle était sa vie, mais pour elle ils formaient un couple inséparable.

Léa – Tu es capricieuse Justine. Tu veux un garçon puis tu n'en veux plus. Et une fois qu'il est amoureux d'une autre, tu le désires à nouveau.

Justine – Et alors ? On n'est pas toutes un peu comme ça ?

Je croyais que cette question perfide allait obliger Léa à me parler de son comportement avec Nicolas, eh bien non. Elle m'a fixée droit dans les yeux et elle m'a répondu sèchement.

Léa – Certainement pas. Mais si ça te rassure de le penser !

Et toc !

Reprenant le livre qu'elle avait posé sur la tablette devant elle, elle s'est remise à lire sans plus me jeter un seul regard.

Je me suis sentie super mal. Je déteste quand Léa est fâchée contre moi. J'ai sorti le paquet de fraises Tagada de mon sac. Avec un calumet de la paix pareil, ma meilleure amie allait me sourire à nouveau.

Justine – Tu veux des fraises, Léa ?

Léa – Non merci.

Alors là, c'est grave. Je n'ai jamais vu Léa refuser un paquet de Tagada même en plein régime.

Thibault – Moi, j'en veux bien.

Justine – De quoi ?

Thibault – Ben, des fraises Tagada. Pourquoi, tu as autre chose à proposer ?

Ah ça oui, bien sûr. Seulement la décence m'empêche d'en parler ici.

Je lui ai tendu le paquet.

Thibault – Tu ne lis pas ?

Justine – Non.

Thibault – Tu veux mon iPod ? J'ai plein de nouvelles chansons.

Justine – Bof !

Thibault – Qu'est-ce que tu as ?

Justine – Je sais pas. Le blues.

Thibault – Tu veux qu'on regarde un épisode de *24 heures chrono* sur mon portable ?

Justine – T'as la saison 8 ?

Thibault – Non, je n'ai que la saison 1. Alors, ça te dit ?

Justine – Yes !

Thibault a sorti son ordi et l'a posé devant lui.

Nicolas – Qu'est-ce que tu fous ?

Thibault – Je vais regarder un épisode de *24* avec Justine. D'ailleurs si tu pouvais t'asseoir avec les filles et lui laisser ta place, ça nous arrangerait.

Nicolas – Oh putain, vous faites chier.

Et se levant de mauvaise grâce, il a hurlé à travers le wagon :

Nicolas – Eh Crueléa, ça te dérange si je m'assieds à côté de toi et que je ne lis pas *Le Cid*, j'ai *01 Informatique* à terminer ?

Léa – Aucun problème chéri, du moment que tu te tais !

On avait connu mieux comme ambiance au club des CIK+I...

Cinq minutes plus tard, j'étais assise tout contre Thibault et on partageait les écouteurs en regardant Jack Bauer sauver femme, enfant et sénateur Palmer.

Justine – Il est trop fort, il obtient toujours ce qu'il veut.

Thibault – C'est parce qu'il ne renonce jamais.

Vous croyez que c'est un message subliminal ? Thibault serait-il en train de me dire que tout est encore possible entre nous à condition que je ne renonce pas ?

Je me suis rapprochée de lui sous prétexte de mieux voir l'écran. Son portable a vibré, il a eu un sourire ravi.

Thibault – C'est un message de Tatiana, tu m'excuses ?

Justine – Je t'en prie.

Thibault – Prends mon écouteur, je reviens.

Et il m'a plantée là, en plein enlèvement de Kim Bauer. J'ai regardé la petite blonde se faire scotcher la bouche par un crétin qui allait bientôt le payer cher. J'étais désespérée. Pas pour Kim, elle est increvable comme son père. Pour moi !

Il suffisait que Tatiana lui envoie un SMS pour que Thibault coure le lire en cachette. Il allait évidemment lui répondre par un mot doux semblable à ceux qu'il m'envoyait, il y a quelques mois à peine. Je n'ai vraiment pas de chance en amour.

J'ai senti une main sur mon bras. J'ai tourné la tête. Ma meilleure amie m'a souri.

Léa – Tu m'as bien parlé de fraises Tagada tout à l'heure ?

Justine – Oui, tu en veux ?

Léa – Oui.

Se levant pour prendre la place de Thibault, elle m'a chuchoté, complice :

Léa – Et arrête de penser que tu n'as pas de chance en amour. Moi, je trouve que tu es la plus chanceuse de nous toutes. Tu as voulu Thibault, tu l'as eu. Après tu as changé d'avis et tu l'as trompé avec Jim. Et je ne parle pas de la période où tu les avais tous les deux. C'est toujours toi qui as choisi. Avec ton air de godiche, tu les as menés par le bout du nez !

Justine – Mon air de godiche ?

Léa – Oui. Pour être plus exacte, de godiche grande bringue romantique et gaffeuse !

Justine – Je te remercie.

Léa – Pas de quoi, je suis ton amie ! Thibault est craquant certes, Jim aussi, mais il y a des milliers d'autres garçons sur terre. Tu n'es pas obligée de faire du recyclage en permanence.

Justine – Tu crois ?

Léa – J'en suis sûre ! On arrive à Saint-Jean-de-Clarmont, alors ouvre grand tes yeux. Tu vas voir plein de nouveautés.

Ingrid – Moi, la fascination des gens pour Angelina Jolie m'échappe.

Tiens, ça faisait longtemps qu'on ne l'avait pas entendue, elle...

Ingrid – Oui, elle est belle, riche et célèbre mais il ne faut pas oublier qu'elle a piqué le mec de cette pauvre Jennifer Aniston qui s'est retrouvée complètement anéantie à cause de cette mante religieuse.

Ingrid n'avait pas dû voir que Léa m'avait rejointe côté garçons et qu'elle avait Nicolas pour seul interlocuteur.

Nicolas – Calme-toi Ingrid, on s'en tape. Elle choisit qui elle veut la miss. La reine d'Angleterre même, si ça l'excite.

Jim a éclaté de rire. La peste a regardé mon cousin d'un air désespéré.

Ingrid – Mon pauvre Nicolas, tu ne comprendras jamais rien aux rapports humains.

Thibault qui était de retour dans le wagon a été pris à partie par Nicolas.

Nicolas – Eh Thibault, ça te pose un problème qu'Angelina Jolie ait pris le mec d'une autre ?

Thibault – Personnellement non. Du moment que Tatiana ne fait pas la même chose ! J'ai le mensonge et la duplicité en horreur.

Je ne voudrais pas jouer les paranos, mais je sens comme un reproche direct dans ces paroles.

Thibault – Alors Justine, où en est Jack ?

Justine – Il souffre en silence.

Ils ont tous éclaté de rire. Ben quoi, qu'est-ce que j'ai dit ? Je me suis retournée vers Léa pour lui demander ce qui était risible.

Léa – C'est le ton avec lequel tu as prononcé ta phrase. Tu semblais personnellement touchée !

J'ai haussé les épaules. Heureusement Ingrid a vite fait diversion avec un commentaire sur la révision de la pension alimentaire extorquée par Kevin à cette pauvre Britney.

Ingrid – Quelle ingratitude ! Elle lui a tout donné... Il a été son premier vrai grand amour.

Justine – Eh oui.

Ingrid – D'accord, elle a commis quelques erreurs mais elle était très jeune et inexpérimentée.

Justine – Exactement.

Ingrid – Il pourrait lui pardonner et lui proposer de tout recommencer au lieu de la laisser se remarier.

Justine – Absolument, et je dirais oui sans hésiter cette fois !

Ingrid – À qui tu dirais oui ?

Justine – Euh... À lui, si j'étais elle.

Thibault m'a regardée d'un air intrigué, j'ai fait semblant d'arranger le fil des écouteurs. Il y a eu quelques secondes de flottement.

À la descente du train, un gars du coin nous a annoncé en bégayant que le car avait au moins vingt minutes de retard. Vu la température ambiante, on ne pouvait pas rester plantés à l'arrêt. On s'est donc rapidement repliés dans la salle d'attente de la gare.

Ingrid – Il y a un truc que je ne comprends pas. Pourquoi, dans une gare, la salle d'attente s'appelle la salle des pas perdus ? Si les gens ne sont pas perdus, ils n'ont pas besoin d'une salle.

Léa – Ce sont leurs pas qui sont perdus. Ce n'est pas le « pas » de la négation.

Nicolas – Ah... Ben, s'il faut être agrégé de lettres pour savoir où attendre dans une gare, c'est normal que ça reste vide.

Jim – Qui veut un chocolat chaud ou un café ? Il y a un distributeur là-bas.

On a crié « Moi » en même temps. Il était plus de dix-neuf heures. La nuit noire et glacée était tombée. On était tous gelés.

Jim s'est chargé des commandes. On s'est jetés avec avidité sur les boissons chaudes.

Thibault – Attendez, ne bougez pas, je vais vous photographier avec mon portable. Avec vos sacs, vos mines défaites et vos vieux gobelets marron, vous faites carrément pitié. Personne ne croirait que vous partez en vacances. Ne souriez pas ! Parfait !!!

Jim – Thibault, viens te mettre dans le groupe, qu'il y en ait une avec toi.

Thibault – Bonne idée, je l'enverrai à Tatiana. Avec une photo pareille, elle ne pourra plus s'inquiéter.

Nicolas – S'inquiéter de quoi ?

Thibault – Tu connais les filles et leur jalousie. Elle s'imagine que, sur les pistes, je vais rencontrer la créature sublime qui me détournera d'elle. Avec une photo aussi pitoyable, elle sera rassurée.

Elle commence franchement à m'énerver, l'absente. S'il ne faisait pas si froid dehors, je crois que j'irais me promener.

Jim – Ingrid, tu viens ? On t'attend pour la photo.

Ingrid – Deux secondes, je me refais une beauté. Si cette photo doit partir à New York, j'aime autant être à mon avantage. On ne sait jamais, un contrat avec l'agence Élite est si vite signé.

Nicolas – Justine, il n'y a plus de gâteaux ? J'ai la dalle. On ne sera pas avant huit heures et demie à l'auberge, je ne tiendrai pas jusque-là.

Justine – Il reste trois Pépito au chocolat, quelques fraises Tagada et un bout de mon sandwich au camembert de midi.

J'ai partagé équitablement mes victuailles. Même Ingrid, qui en temps normal ne mange qu'une branche de céleri et une fane de carotte, s'est jetée sur sa part.

On a mâché chaque bouchée religieusement, assis serrés les uns contre les autres pour avoir plus chaud.

Nicolas – On devrait peut-être se renseigner pour le car, ça fait plus d'un quart d'heure maintenant.

Jim – Ouais, il s'agit de ne pas le louper. Vous venez les filles ?

Léa – Tout de suite, je n'ai aucune envie de rester une minute de plus dans cet endroit glauquissime.

Justine – C'est vrai que c'est moche ici.

Jim – Allez, courage. Dans une heure, on se glisse sous nos draps.

Ingrid – Moi, c'est mon bain que j'attends avec impatience ! Pourquoi vous me regardez comme ça ?

À ce moment précis, personne n'a eu envie d'avouer à Ingrid qu'il n'y avait qu'une seule salle de douche pour les deux dortoirs de filles.

On a enfoncé plus profondément nos bonnets, noué trois fois autour du cou nos écharpes et on est sortis dans la nuit glaciale.

Nicolas – Putain, il fait encore plus froid que tout à l'heure.

Thibault – C'est le vent.

Jim – Ne parlez pas, vous faites entrer de l'air froid dans vos poumons. Remontez vos écharpes sur votre nez.

On a marché jusqu'à l'arrêt l'un derrière l'autre tels des alpinistes encordés pendant l'ascension de l'Annapurna. Les roulettes de nos valises faisaient un bruit sinistre de charrette de condamnés à mort.

Euh là, peut-être que j'en rajoute... Mais ce qui compte ce n'est pas la réalité, c'est notre perception de la réalité. Et je vous assure qu'à – 8 °C, l'estomac presque vide, perdue le soir dans une ville de montagne à des kilomètres de son foyer, la réalité vous semble angoissante.

Jim – Les filles, vous vous collez contre la paroi de l'arrêt et nous, on va se mettre devant vous, ça vous protégera. Le car ne devrait plus tarder. Bougez vos mains à l'intérieur de vos gants et sautillez sur place, il ne faut pas se laisser engourdir par le froid.

Mon portable a sonné. J'ai sorti péniblement les mains de mes poches. « Encoremum » s'est affiché. « Encoremum », c'est le nom sous lequel j'ai enregistré le numéro de ma mère dans mon répertoire. Inutile de vous expliquer pourquoi !!!

Justine – Ouais maman ? C'est bon, pas de problème, tout va bien. Le car a vingt minutes de retard mais il arrive. Quoi, comment je te parle ? Je te parle normalement. Je ne sais pas... Attends, je lui dis... Léa, il faut que t'appelles ta mère, elle t'a laissé au moins cinq messages.

Léa – OK, je l'appelle tout de suite.

Justine – Mais non, maman, je te jure qu'on ne fait pas exprès pour vous angoisser. Allez, à demain, promis je t'appelle.

J'ai enfin réussi à raccrocher tandis que Léa se justifiait auprès de sa mère.

Il faisait de plus en plus froid, je ne sentais plus mes mains. J'éprouvais une douleur sourde dans les oreilles. Le car avait plus de vingt minutes de retard.

Thibault – L'année prochaine, à cette époque, on part au soleil !

J'aurais bien aimé sourire à Thibault pour lui montrer que j'appréciais sa plaisanterie mais mes lèvres s'étaient transformées en glaçons.

Jim – Allez, on saute sur place pour activer la circulation.

Léa – Je n'ai plus de pieds.

Jim – Ce n'est qu'une impression, saute !!!

Nicolas – Putain, on se gèle les couilles.

Léa – Pas moi.

Là, malgré les conditions extrêmes dans lesquelles nous nous trouvions, on a éclaté de rire. Les phares d'une voiture nous ont éblouis. Le conducteur s'est arrêté et a baissé sa vitre.

Le conducteur – Vous attendez quoi, les jeunes ?

Thibault – Bonsoir monsieur, nous attendons le car pour Saint-Jean-de-Clarmont...

Le conducteur – Ah ça, vous pouvez toujours l'attendre, il est déjà passé.

Nicolas – Quand ?

Le conducteur – Ben à l'heure prévue, il y a plus d'un quart d'heure.

Jim – Mais on nous a dit qu'il avait du retard.

Le conducteur – Qui ça ?

Nicolas – Un grand type brun à la sortie de la gare.

Le conducteur a semblé assez ennuyé.

Thibault – Il y a un problème ?

Le conducteur – Le grand type brun qui vous a renseignés portait un anorak bleu lavande et un bonnet rouge ?

Thibault – Peut-être... La nuit était tombée, je n'ai pas fait attention.

Le conducteur – Il bégayait ?

Thibault – Oui, ça j'en suis certain.

Le conducteur – Ah...

Jim – Il y a un problème ?

Le conducteur – C'est Bernard, le fils au vieux Raymond. Il est pas bien normal et il adore les blagues.

Nicolas – De quel genre ?

L'automobiliste a souri comme si l'anecdote qu'il allait raconter était hilarante.

Le conducteur – La dernière fois, il a piqué tous les anoraks qui étaient accrochés au portemanteau du café. Résultats, les gars sont rentrés en pull chez eux par – 10 °C.

Thibault – Effectivement, c'est très drôle. Mais en ce qui nous concerne ?

Le conducteur – Une autre fois, il a fait bien plus fort, il a...

Thibault – Je suis désolé de vous interrompre mais pour notre car ?

Le conducteur – Ah ben, il adore faire ça pour le dernier car du soir, le Bernard. Il annonce aux touristes qui descendent tout chauds de leur train que le car a du retard et il leur conseille de s'abriter plus loin. Résultat : ils n'ont plus qu'à attendre jusqu'au lendemain matin.

Nicolas – QUOI ???

Le conducteur avait certainement oublié qu'il s'adressait à six victimes de Bernard, le fils au vieux Raymond. Il nous a regardés, hilare, presque étonné qu'on ne goûte pas l'humour du Gad Elmaleh des Alpes.

Nicolas – Vous êtes en train de nous dire que c'était le dernier car ce soir ?

Le conducteur – Ah ben ça, c'est sûr. Le prochain passe demain matin à sept heures.

Vu la bordée d'injures que Nicolas a lancée en shootant dans les roues de la voiture, le conducteur a saisi la situation à sa juste mesure. Vous m'excuserez de ne pas répéter les paroles de mon cousin mais, croyez-moi, la censure est obligatoire pour les moins de cinquante-cinq ans !

Effrayé, il a remonté aussitôt sa vitre et a démarré sans même nous saluer. On ne s'attendait pas à ce démarrage en trombe, si bien qu'aucun de nous n'a réagi.

Nicolas – Putain, quel enfoiré de merde !

Pour une fois, aucun membre du club des CIK+I n'a reproché à mon cousin sa façon de s'exprimer. Pour être honnête, j'aurais moi-même volontiers utilisé des termes aussi crus pour qualifier cet individu si je n'avais pas eu les lèvres gelées.

Ingrid – Mais qu'est-ce qu'on va devenir ?

Nicolas – Tu vois les pizzas en rayon chez Picard ?

Ingrid – Euh... Oui.

Nicolas – Eh ben, on aura la même consistance demain quand on nous découvrira morts sur le bord de la route.

Ingrid a explosé en sanglots.

Ingrid – J'ai froid...

Jim – Ne pleure pas Ingrid ! Ça va s'arranger. T'es nul Nicolas de dire des trucs pareils. On est tous super ennuyés par ce qui arrive, inutile de faire monter la pression.

Léa a serré Ingrid dans ses bras.

Léa – Ne t'inquiète pas, on va trouver une solution. Ce n'est pas très grand ici mais il y a forcément un hôtel. On va louer une chambre.

Thibault a renchéri.

Thibault – Excellente idée. On retourne à la gare voir le type au guichet. Il nous renseignera.

Nicolas – Vous ne voulez pas qu'on essaie de trouver quelqu'un qui pourrait nous conduire en voiture là-haut ?

Jim – On a trois filles avec nous, c'est la nuit, on ne saura pas à qui on aura affaire, moi, je ne le tente pas.

Léa – Je suis d'accord avec Jim. On a déjà testé l'humour des gens d'ici, je ne fais pas de stop. Il vaut mieux attendre le car de demain matin. On retourne au guichet.

Et on est repartis dans le blizzard. J'avais l'impression que des milliers de lames de rasoir m'entaillaient les joues. Je n'avais désormais ni pieds ni mains.

Nicolas – Putain, j'y crois pas. Le guichet est fermé !

Thibault – Il est plus de huit heures, il a fini son service.

Jim – Le type tout à l'heure a parlé d'un café où il y avait du monde, on n'a qu'à aller voir. Les filles, vous voulez rester dans la salle d'attente ?

Ingrid – Ah non, moi j'ai trop peur. Je préfère mourir de froid plutôt qu'être violée.

N'importe quoi...

Léa – Il vaut mieux qu'on reste groupés. C'est vraiment très isolé ici.

Jim – Qu'est-ce qu'on fait des valises alors ? On ne va pas les traîner avec nous ?

Ingrid – Moi, j'emporte la mienne. Je ne supporterais pas qu'on me vole ma combi rose et mes bandeaux bayadère.

Nicolas – Et tu supporterais d'avoir cinq doigts coupés ?

Ingrid – Pourquoi tu dis ça ?

Jim – Pour rien, c'était pour rire, mais je crois quand même qu'il serait plus sage de cacher nos valises et nos sacs quelque part et de revenir les chercher quand on aura trouvé un abri pour cette nuit. D'accord ?

Épouvantée par les paroles de mon cousin, Ingrid a abandonné sans discuter sa combi rose et ses bandeaux bayadère.

Les garçons ont dissimulé nos bagages dans un recoin.

Nicolas – C'est bon là, personne ne les verra.

Jim – OK. Les filles, vous sortez les magazines de vos sacs et vous arrachez les pages.

Ingrid – Pas question que je déchire les miens, je n'ai pas fini de les lire. Et puis on n'a pas autre chose à faire à cette heure que de participer à un atelier de découpage ?

Cette fois-ci, Nicolas n'a pas eu besoin de formuler la moindre menace, son regard noir a suffi.

On avait arraché une bonne vingtaine de pages lorsque Jim nous a arrêtées.

Jim – C'est bon. Enlevez vos chaussures !

J'aurais bien aimé qu'Ingrid demande pourquoi il fallait se déchausser mais comme elle s'exécutait sans broncher, j'ai fait de même. Jim a tapissé les semelles de toutes les chaussures avec du papier puis il a exigé qu'on mette deux feuilles sous nos pulls au niveau des poumons.

Jim – Le papier isole. Les motards et les chasseurs font cela lorsqu'ils sont surpris par le froid.

Je n'avais pas le cœur à prendre une photo – de toute façon, je n'avais plus de doigts valides pour appuyer sur le déclencheur – mais j'aurais bien aimé garder un souvenir de ce moment mémorable.

C'est donc gelés et fourrés de papier que nous sommes partis à la recherche du fameux café où sévissait, les soirs de franche rigolade, Bernard, le Gad Elmaleh des Alpes.

Léa a demandé à travers son écharpe :

Léa – Quelqu'un a un Kleenex ? J'ai besoin de me moucher.

Nicolas – Pas la peine, laisse couler. Dans moins d'une seconde, ça fera des stalagmites.

Léa – Des stalactites. Parce que les stalagmites, c'est vers le haut.

Nicolas – Incroyable ! Léa est à deux doigts de l'hypothermie et elle nous récite le *Grand Larousse*.

Je ne dirais pas que la guéguerre Léa-Nicolas nous a laissé froids parce que, vu notre état, ça passerait pour du mauvais humour, mais aucun de nous n'a tenté d'intervenir.

Et on a continué à marcher à la queue leu leu dans la nuit glaciale.

Nicolas – Là-bas, il y a de la lumière.

Jim – Où ça ?

Nicolas – A gauche.

On a hurlé de joie comme des naufragés qui aperçoivent un bateau après des jours de dérive. C'était bien un café. On voyait le comptoir et deux clients accoudés à travers la vitre. Thibault a poussé la porte.

Une grosse voix a hurlé :

– C'est fermé !

On est entrés quand même. Quel bonheur, il faisait presque chaud. Un petit homme maigre et raviné par des milliers de kirs partagés avec ses clients nous a dévisagés d'un air mauvais. Nicolas a réagi aussi sec.

Nicolas – Fermé ou pas, c'est pas notre problème. On a froid, on a faim et on a besoin d'une chambre.

Le patron du café – C'est fermé. Vous comprenez le français ?

Thibault – Parfaitement monsieur et excusez-nous pour cette intrusion. Nous voulions juste...

Le patron du café – J'ai dit c'est fermé, c'est fermé.

Thibault – Je suis obligé d'insister parce que nous avons raté notre car à cause d'une fausse information donnée par Bernard, une de vos connaissances, je crois...

Les deux types accoudés au comptoir ont ri le nez dans leur verre. Le patron les a regardés, goguenard, puis il a hurlé :

Le patron du café – Dehors les jeunes !

Ingrid, pensant que son charme opérerait, a tenté d'intervenir.

Ingrid – Vous n'auriez pas une chambre à louer pour ce soir, nous avons si froid !

Le patron du café – J'ai deux chambres mais elles sont déjà prises. Alors dehors, je ferme...

Nicolas a explosé.

Nicolas – Et à part votre bouge, on peut dormir quelque part dans votre village ?

Thibault a demandé d'un coup d'œil à Jim de s'occuper de mon cousin, puis il s'est adressé avec son calme habituel au patron.

Thibault – Excusez-le, il est très nerveux. Auriez-vous l'obligeance de nous indiquer un hôtel et un endroit où nous pourrions dîner ?

Le patron du café – Et un cinéma pendant que vous y êtes ? Mais mon pauvre gars, il n'y a rien d'ouvert ici le soir. Il va falloir vous démerder autrement.

Et ils se sont remis à rire.

Le patron du café – Allez, assez rigolé maintenant, vous sortez de chez moi et vous emmenez votre copain, le petit nerveux, sinon je vais lui botter l'arrière-train.

Jim et Thibault ont attrapé Nicolas avant même qu'il ne réagisse et on est sortis aussi sec.

L'air glacé s'est engouffré dans mon bonnet. J'ai ressenti une douleur horrible dans les oreilles comme si j'avais une otite aiguë. Je me suis mise à pleurer.

Il faisait nuit noire, personne n'a vu mes larmes.

Jim – Bon, je propose de retourner dans la salle d'attente. On va mourir de froid si on reste dehors.

Ingrid – On ne va quand même pas dormir là-bas ?

Jim – Pour l'instant, c'est la seule solution.

Le retour à la gare a été monstrueux. Le froid était de plus en plus pénétrant et la perspective de dormir sur les bancs de la salle des « très perdus » nous plongeait dans un état dépressif sévère.

Jim s'est activé lorsque nous sommes arrivés.

Jim – Nicolas et Thibault, allez chercher les bagages et ramenez-les ici. Les filles, sortez les magazines qui vous restent, on va calfeutrer les portes.

On a obéi sans broncher. Les garçons sont revenus avec nos affaires.

Jim – Maintenant chacun ouvre sa valise et vous enfilez le plus de couches possible. Pull, gilet, collants, chaussettes, et surtout combi.

Tandis que je fouillais dans ma valise, j'ai trouvé un sac que je n'y avais pas mis. Je l'ai ouvert.

Justine – Oh la merveille des merveilles !

Léa – Quoi ?

Justine – Regardez !

J'ai sorti six paquets de Prince au chocolat. Mes amis se sont jetés sur moi !

Justine – Ne vous battez pas, il y a un paquet pour chacun.

Léa – Mais c'est quoi, cette mine de biscuits ?

Justine – Un coup de ma mère ! Elle a toujours peur que j'aie faim ! Elle faisait systématiquement ça quand je partais en colonie, je ne croyais pas qu'elle y penserait encore.

Il était près de vingt-deux heures. La température de la salle était supportable. On a dévoré nos gâteaux sans laisser une seule miette. On était en combi, un gobelet de chocolat chaud à la main, à rire aux éclats.

Jim – Je lève mon verre à nos vacances qui commencent merveilleusement bien.

Au moment où on s'apprêtait à lever nos verres en répétant la phrase de Jim, Ingrid a crié :

Ingrid – Attendez, attendez... Je souhaiterais ajouter quelque chose. Je lève mon verre à nos vacances qui commencent merveilleusement bien et au bain brûlant dans lequel je vais me plonger aussitôt arrivée à l'auberge.

La peste n'a pas compris pourquoi son intervention provoquait le fou rire du siècle...

Piste noire

Pour Léa

– Désolé, mais comme vous n'étiez pas là hier soir, on a attribué vos lits à un groupe de skieurs allemands.

Voilà la phrase par laquelle nous avions été accueillis à sept heures et demie du matin, après une nuit passée à dormir sur les bancs de la salle des « très perdus ». Notre capacité à recevoir des mauvaises nouvelles était proche du zéro. Nos mines catastrophées ont fait sourire le responsable de l'auberge.

Le responsable – Respirez. Vous allez récupérer vos lits d'ici une heure ou deux.

Sa queue de cheval grisonnante et son blouson en cuir lui donnaient l'allure d'un vieux rocker échappé d'un album de Johnny.

Nicolas – Et on fait quoi en attendant?

Le responsable – Vous prenez un petit-déjeuner dans la cuisine. Il y a de la très bonne confiture de framboises aujourd'hui.

Ingrid – Elle est diet?

Le responsable – Pardon?

Ingrid – Excusez-moi, les mots me viennent parfois en anglais. Elle est sans sucre?

Le responsable – Une confiture sans sucre? Ah non, tu ne trouveras pas ça ici. Tu es diabétique?

Ingrid – Non, juste au régime.

Oh la honte! Elle nous a affichés en trois secondes.

« Johnny » a de nouveau souri gentiment. Comme son portable sonnait, il nous a indiqué où se situait la cuisine et il est sorti.

Ce n'était pas le grand luxe. Cinq tables rectangulaires recouvertes d'une toile cirée sans âge s'entassaient dans un local assez peu éclairé. Des chaises dépareillées étaient posées çà et là. Cette vision aurait pu nous donner le cafard si elle n'avait pas été accompagnée d'une autre, beaucoup plus réjouissante : des boules de pain de campagne, du beurre et un énorme pot de confiture trônaient sur un buffet. Au fond de la salle, sur la cuisinière, une théière et une cafetière fumaient.

Jim a trouvé en moins de temps qu'il ne faut pour le dire des bols et des assiettes.

On s'est installés et on a enfin mangé.

Nicolas – Putain, ce que c'est bon !

Thibault – Et en plus, il fait chaud. Le bonheur !

Jim – Repasse-moi le pot de confiture, s'il te plaît Thibault.

Léa – Qui veut encore du pain ?

Justine – On est en train de tout manger, il ne restera rien pour les autres.

Nicolas – On s'en tape, ils nous ont pris nos lits, on leur bouffe leur pain. Fais péter d'autres tranches...

Nicolas n'avait pas fini sa phrase qu'une jolie brune est entrée dans la cuisine. Grande, mince, elle portait les cheveux très court. Elle avait un petit diamant sur la narine droite. Ses yeux bleus très clairs contrastaient singulièrement avec sa peau mate. Elle devait avoir confiance en elle parce que le regard admiratif des garçons ne l'a pas perturbée. Elle a dit d'une voix cassée assez sexy :

La jolie brune – ¡ Hola ! ¿ Qué tal ?

Mon cousin a lâché sa tartine dans son café, s'est dépêché d'avaler sa bouchée de glouton et a répondu.

Nicolas – Muy bien, gracias.

La jolie brune est allée chercher un bol de café au fond de la salle. Nicolas a chuchoté à Jim :

Nicolas – Je regrette déjà d'avoir séché les cours d'espagnol.

– ¡ Hola ! ¿ Qué tal ?

On s'est tous retournés en même temps. À l'entrée de la cuisine se tenait une deuxième brune souriante. Un autre genre que sa copine mais vraiment jolie aussi. De longs cheveux bouclés qui tombaient en cascade sur ses épaules, des yeux noirs pétillants et surtout d'adorables fossettes sur les joues.

On l'a saluée, tandis que Nicolas répétait en boucle la seule phrase dont il se souvenait :

Nicolas – Muy bien, gracias.

Elle a rejoint sa copine. Ingrid s'est empressée de commenter :

Ingrid – Plutôt jolies mais vulgaires.

Jim – Pas du tout...

Les deux Espagnoles se sont assises à la table près de la fenêtre. La grande brune a coupé du pain et a commencé à beurrer une tartine. Nicolas s'est précipité pour lui tendre le gros pot de confiture. Elle l'a remercié d'un petit hochement de tête discret.

Le portable d'Ingrid a sonné. Elle a décroché rapidement.

Ingrid – Oui, sugar baby love... Non, ça y est, on est arrivés... Il ne faut plus t'inquiéter.

Pauvre Guilhem ! Je me demandais comment il pouvait rester zen après le cirque qu'Ingrid lui avait fait au téléphone la veille au soir. Elle lui avait décrit notre situation à la gare de façon dramatique.

Oui, je sais, j'avais été la première à en rajouter sur les conditions de notre périple mais mon récit, c'était « Petit ours brun en promenade » à côté de celui de la peste.

À l'entendre, les températures étaient polaires, la nuit totalement noire et les habitués du bar des violeurs en série auxquels elle avait réussi à échapper de justesse. 2 d'tens épouvanté l'avait rappelée dix fois durant la soirée. Vers une heure du matin, alors qu'on commençait à s'endormir, il avait téléphoné une fois de plus. Nicolas avait répondu avec son tact habituel puis il avait confisqué le portable après l'avoir éteint.

Malgré les supplications d'Ingrid, il n'avait pas voulu le lui rendre. Léa s'en était mêlée.

Léa – Tu lui rends tout de suite son portable, Nicolas.

Nicolas – Non, si je lui rends on ne pourra pas dormir.

Léa – Bien sûr que si. Guilhem est inquiet mais il suffit qu'Ingrid le rassure et lui propose de le rappeler dès qu'elle se réveillera.

Nicolas – Il ne sera jamais rassuré après ce qu'elle lui a mythoné.

Ingrid – Qu'est-ce que j'ai mythoné ?

Nicolas – C'est bon Ingrid, tu as déjà oublié ? Le pauvre mec va passer une plus mauvaise nuit que nous !

Ingrid – Parce qu'en plus t'écoutes aux portes quand je téléphone ?

Nicolas – D'abord il n'y a pas de porte, je te rappelle qu'on est coincés dans une salle d'attente et puis surtout on ne peut pas dire que tu te la sois jouée discrète !

Jim, qui déteste les conflits, était intervenu à son tour.

Jim – On ne va pas se disputer pour une broutille. La proposition de Léa est la bonne. Ingrid récupère son portable, explique à Guilhem que les choses se sont arrangées. Ça te va comme ça, Nicolas ?

Nicolas – OK si on la briefe avant sur ce qu'elle doit dire à l'Autre.

Voilà comment, à une heure du matin, on s'était retrouvés à écrire un long monologue explicatif pour Ingrid.

Léa, forte de son expérience théâtrale, lui avait fait travailler plus particulièrement les intonations et les silences pour être crédible. Guilhem avait tout gobé et on avait enfin pu s'endormir.

– Oh hé, tu te réveilles Justine ?

J'ai ouvert les yeux avec difficulté. Je ne me souvenais plus du tout où j'étais.

Léa – On va pouvoir s'installer dans la chambre, les Allemands sont levés et nos lits sont prêts.

Je me suis redressée. J'avais dû m'assoupir un long moment parce qu'il y avait plein de nouvelles têtes dans la cuisine. Ça mangeait et discutait dans tous les sens et dans toutes les langues.

Justine – Ouh là, c'est qui tous ces gens ?

Léa – À la table du fond, c'est le groupe d'Allemands à qui on a prêté nos lits cette nuit. Les deux garçons qui discutent avec Nicolas et Jim sont marseillais. Les trois types avec Thibault sont libanais, ils parcourent l'Europe. Les Espagnoles, tu les connais. Quant au grand blond qu'Ingrid est en train de vamper, je ne sais pas d'où il sort...

Justine – Sympa l'ambiance...

Léa – Oui, ça a l'air.

Nicolas a hurlé :

Nicolas – Les filles, vous venez avec nous louer les chaussures et les skis ? Damien et Ben vont nous emmener au magasin où ça douille pas trop niveau prix.

Ma meilleure amie m'a regardée, consternée.

Léa – Pitié !

Justine – Tu as fait une promesse, je te la rappelle : « Oui, je jure que je skierai avec vous. »

Léa – C'est de l'agent gaspillé. Je vais me casser la figure à peine debout et je ne remonterai plus jamais sur ces skis.

Jim

Pour Léa chérie, j'ai trouvé une liste d'exercices et d'activités à pratiquer avant de partir au ski. Je suis certain que ça va te plaire et tu arriveras en pleine forme à la station !

1 - Marcher une heure par jour d'un bon pas.

2 - Oublier les ascenseurs et arrêter de boycotter les escaliers.

3 - Aller à la piscine et faire des longueurs en changeant de nage si possible. Éviter le solarium.

4 - Pratiquer quotidiennement des exercices de gymnastique en n'oubliant pas de bien respirer.

5 - Faire du jogging : je préconise des séances de 40 minutes 2 à 3 fois par semaine. Léa, essaie au moins de courir pour attraper le bus !

Aujourd'hui, 13h27 · J'aime · Commenter

Justine et **Nicolas** aiment ça.

Léa C'est ça, rêve !!!

Aujourd'hui, 13h29 · J'aime

Ingrid Jim, tu ne vas pas le croire, mais c'est exactement la discipline que j'ai adoptée ces dernières années !

Aujourd'hui, 20h10 · J'aime

Justine Et les gens qui trouvent le temps de faire tout ça, ils ont arrêté de bosser ou quoi ???

Aujourd'hui, 20h37 · 2 personnes aiment ça

Justine – Une promesse est une promesse.

Léa – On ne peut pas attendre demain ? Le temps que je m'habitue ?

Justine – Non, on ne peut pas !!!

Léa – Bon, eh bien tu auras mon échec au bac sur la conscience.

Justine – Quel rapport avec ton bac ?

Léa – C'est simple. Comme je n'ai pas envie de skier, je vais forcément tomber et me casser quelque chose. Résultat, fracture ouverte de la cheville, intervention, un mois d'hospitalisation, deux mois de rééducation. Et le plus grave : échec au bac !

Justine – Rien que ça. Tu sais quoi ? On dirait du Ingrid.

Léa – S'il te plaît, pas d'insulte !

Jim s'est assis à notre table.

Jim – Alors les filles, vous venez ? Ça serait bien qu'on loue les skis maintenant sinon on va perdre un après-midi de ski.

Léa – C'est vrai, ce serait tellement dommage !

Jim a regardé Léa en souriant gentiment.

Jim – Ne t'inquiète pas, je me chargerai de tes premiers cours. Je ne te confierai pas à un moniteur avec bronzage de Sioux et sourire Colgate.

Léa – Mais on ne pourrait pas commencer demain ?

Jim – Léa chérie, on est dimanche et on reprend le train samedi après-midi. Ça fait déjà très peu de jours...

Nicolas et les deux Marseillais nous ont rejoints.

Nicolas – Je vous présente Justine ma cousine et Léa, ma sorcière préférée. Les filles, voilà Damien et Ben, deux mecs cool.

On a dit bonjour en chœur. Les deux garçons avaient effectivement l'air sympa.

Damien, un petit brun plutôt replet, avait en permanence un sourire sur les lèvres. On le sentait blagueur et léger.

Ben quant à lui affichait un mètre quatre-vingt-dix et des biceps de sportif. Un bracelet maori était tatoué sur son bras droit. Il aurait pu être inquiétant s'il n'avait pas eu cet accent chantant du Sud qui rend les gens vite attachants.

Damien – Alors, il paraît que vous avez vécu l'enfer hier soir en arrivant ?

Justine – C'est rien de le dire !!! On a dormi sur les bancs de la salle d'attente de la gare.

Damien – Nicolas et Jim nous ont raconté...

Léa – Si ça ne vous dérange pas, on souhaiterait prendre une douche avant d'aller chercher les skis.

Ben – Pas de problème.

Léa – Merci, c'est vraiment sympa.

Comme on se levait, Léa m'a chuchoté à l'oreille :

Léa – Et une demi-heure gagnée !

Avant de rejoindre notre chambre, il a fallu désincruster Ingrid du grand blond. Ça n'a pas été une tâche facile. Elle tenait absolument à nous le présenter.

On a évidemment eu droit au CV de sa nouvelle victime.

Ingrid – Stieg est suédois, il écrit des articles pour un petit journal à Stockholm. Il s'occupe de la rubrique art et culture. Il est passionnant !

Léa – Formidable !

Ingrid – Il voyage beaucoup.

Léa – Très bien.

Ingrid – Il a vingt-cinq ans.

Léa – Parfait.

Je ne voyais pas en quoi le fait d'avoir vingt-cinq ans était une qualité mais comme Léa avait dit parfait, j'ai pris aussi un air admiratif.

Ingrid – Bye Stieg, see you later !

Stieg – OK.

On a dû littéralement remorquer Ingrid pour qu'elle nous accompagne.

Ma meilleure amie a frappé à la porte de notre chambre. Il y avait six lits, nous étions trois, cela signifiait que nous allions cohabiter avec trois inconnues.

On est entrées. Ingrid a chuchoté :

Ingrid – Elles sont peut-être dans la salle de bain ?

Léa – Peut-être...

Je n'ai pas pu m'empêcher d'aller voir de plus près les affaires qu'elles avaient laissées sur une chaise. Un paquet de cigarettes, des petits gâteaux secs et deux livres.

J'ai hurlé :

Justine – Ce sont les Espagnoles !

Léa – Comment tu le sais ?

Justine – Leurs bouquins ! Ils sont écrits en espagnol.

Léa – Eh bien tant mieux alors, parce qu'elles ont l'air hyper-soignées. Je n'aurais pas aimé partager ma chambre avec des filles sans hygiène.

Ingrid – Elles n'ont pas intérêt à nous ramener un seul garçon dans la chambre.

C'est fou comme le discours décrit toujours le locuteur.

Ingrid – Bien le genre à vamper tout ce qui bouge et à se faire raccompagner par un nouveau mec tous les soirs.

Léa – S'il y a une chose que je ne supporte pas dans la vie, ce sont les a priori sur les gens qu'on ne connaît pas.

Le ton agacé avec lequel Léa a prononcé cette phrase a stoppé net Ingrid dans ses délires. Elle a d'ailleurs changé de sujet.

Ingrid – Bon, on va le prendre ce bain ?

Léa – Tu n'as pas peur que les Espagnoles entrent avec une armée d'hommes à leurs trousses ?

La peste a éclaté de rire. Dans la mesure où elle allait apprendre très vite que la « salle de bain » était une horrible salle de douche collective, j'ai pensé que c'était la dernière fois qu'on l'entendrait rire de la journée... Euh de la semaine. Peut-être même de toute sa vie !

On a sorti nos affaires de toilette de nos valises.

Ingrid – Regardez, les filles, ce que j'ai apporté : des sels de bain à la papaye et de l'huile d'argan pour qu'on s'hydrate après nos ablutions...

Je n'ai pas osé lever les yeux. J'avais trop peur que la vérité se lise dans mon regard. Léa s'est assise sur le lit et a demandé à Ingrid de venir près d'elle.

Ingrid – Pourquoi ?

Léa – J'ai besoin de te parler.

Léa est folle ! Elle ne devrait pas lui avouer la vérité de but en blanc. Elle va déclencher un cataclysme.

Moi, j'ai un autre plan ! On indique à Ingrid où se trouve la salle de douche et on part en courant. On lui laisse la matinée pour cuver sa colère et on réapparaît sur les coups de midi.

Léa – Voilà, en fait la salle de bain est...

Ingrid a coupé la parole à Léa.

Ingrid – Une salle de douche collective totalement spartiate où on doit se battre chaque matin pour avoir un peu d'eau chaude.

J'en suis restée bouche bée. Alors elle savait...

Ingrid – Vous me prenez toujours pour une jolie blonde un peu gourdasse, c'est fou ça, non ? Jolie blonde, vous avez raison, je le suis !!! Mais gourdasse, vous devriez regarder de plus près. Si je vous ai laissées vous occuper des réservations pour les vacances, j'ai quand même vérifié. Internet, c'est pas fait pour les riens.

Euh... Pour les chiens, non ?

Ingrid – Remarquez, je ne regrette pas. Je me suis beaucoup amusée à vous voir devenir blêmes chaque fois qu'on abordait le sujet salle de bain. Je me demandais quand vous m'en parleriez. Je te remercie Léa de ne pas m'avoir envoyée me doucher sans m'avertir.

Léa – Je n'aurais jamais fait une chose pareille.

Justine – Moi non plus.

Quoi, qu'est-ce qu'il y a ? Comment ça, je suis de mauvaise foi ?

Ingrid – Bon, ben moi j'y vais, je suis prête. À tout de suite.

Et elle a disparu avec sa grande serviette rose. Léa m'a souri.

Léa – Cette fille arrivera toujours à me surprendre... Allez, à la douche !

Ma Justine, à te répéter trois fois avant de porter un jugement sur quelqu'un :

Un préjugé est une idée admise sans démonstration et sans preuve. Cependant le préjugé est considéré par celui qui y adhère comme une vérité absolue.

Exemples pris au hasard (toute ressemblance avec la réalité est complètement fortuite !!!) :

1. Les blondes sont stupides, Ingrid est blonde, donc Ingrid est stupide !!!

2. Le prince charmant existe : il est forcément beau, riche et arrive dans un monospace blanc.

3. Toutes les filles sont d'horribles rivales et veulent me piquer le garçon avec qui je sors.

Une demi-heure plus tard, on était dehors. Je vous passe la description de la tenue d'Ingrid pour skier... Paris Hilton aurait fait figure de nonne à côté !

Le ciel était au bleu fixe et les toits des chalets couverts de neige, le paysage ressemblait à une carte postale. Le froid était sec mais le soleil chauffait à fond les rayons !

Nicolas – Putain, c'est beau ici.

Damien – C'est encore plus beau là-haut.

Léa – Et le restaurant d'altitude, il est comment ?

Ben – Cher... Tu paies dix euros un verre de Coca. Si tu ramènes le prix au litre, le Coca est cent fois plus cher que le pétrole.

Léa – Tu as déjà essayé de boire du sans plomb avec deux glaçons ?

On a éclaté de rire.

Je pensais que la location des chaussures ne durerait qu'un quart d'heure, c'était compter sans Ingrid ni Léa. Entre le désir de l'une d'avoir des chaussures qui ne jurent pas avec sa combi et la résistance de l'autre à tenir debout une fois ses pieds harnachés, on a mis plus d'une heure à récupérer notre matériel. Ben et Damien étaient partis depuis longtemps quand on est sortis.

Le temps d'acheter les forfaits et de faire la queue au télésiège, il était plus de onze heures quand on est arrivés en haut des pistes.

Léa – Il n'est pas l'heure de déjeuner ?

Jim – Certainement pas.

Thibault – Comment on s'organise ?

Nicolas – Moi, je me la joue cool ce matin avec une piste rouge, le temps de me chauffer. Je vous retrouve pour bouffer un truc rapide et cet après-midi je passe aux choses sérieuses. Qui m'aime me suive.

Léa – Pas moi.

Nicolas – Pas toi, quoi ? Tu ne m'aimes pas ou tu ne me suis pas ?

Il y a eu un long moment de silence.

Jim – Léa et moi, on reste ici. Je dois lui donner sa première leçon. On se rejoint vers treize heures devant la buvette.

Nicolas – Thibault ? Justine ? Ingrid ? Vous faites quoi ?

Thibault – Moi, je te suis.

Justine – Pareil.

Ingrid – Me too.

J'ai eu l'impression d'abandonner Léa lorsque je me suis dirigée vers le tire-fesses. Elle m'a regardée comme Théo lorsqu'on le laissait à l'école le matin en première année de maternelle. De grands yeux de chiot et les coins de la bouche vers le bas. Si Jim ne m'avait pas fait signe de repartir juste au moment où je revenais sur mes pas, je l'aurais emmenée au restaurant d'altitude boire un chocolat chaud.

Le reste de la matinée a été un enchantement. Une poudreuse de rêve, un soleil qui nous permettait d'ouvrir un peu la combi. Si j'excepte la queue monstrueuse au tire-fesses, c'était le paradis.

Quand on est arrivés vers treize heures à la buvette, Léa et Jim nous attendaient, hilares.

Thibault – Alors Léa, elle était comment cette première leçon de ski ?

Léa – Formidable !

Justine – Vraiment ?

Léa – Demande à Jim.

On s'est tournés vers Jim.

Jim – Je n'ai jamais vu un phénomène pareil.

Ingrid – Elle sait skier sans avoir appris ?

Jim – Je ne dirais pas exactement ça...

Nicolas – Tu dirais quoi ?

Jim – Léa a son centre de gravité placé dans les fesses. Elle descend les pentes accroupie. Je crois qu'elle vient d'inventer une nouvelle spécialité : le sitting-ski.

Nicolas – C'est une technique d'avenir avec les vieux qui ne tiennent plus debout...

Justine – Mais ça t'a plu ?

Léa – J'ai trouvé ça amusant. Ce sont les insultes des skieurs qui m'ont posé problème.

Thibault – Les insultes ? Parce que tu skiais assise ?

Jim – Ce n'est pas la posture de Léa qui a gêné les gens, c'est sa vitesse. Elle ne la contrôle pas. Elle ne contrôle rien d'ailleurs. Elle descend, c'est tout. Une sorte de bombe humaine !

Léa a éclaté de rire.

Léa – Pour une fois qu'un garçon me dit que je suis une bombe, il faut que ce soit dans ce contexte.

Nicolas – Si ça te fait plaisir, je peux te le dire hors contexte.

Gros silence.

Jim – Bon, on va manger ! On a déjà repéré ce qu'il fallait éviter à la buvette : les sandwichs thon-crudités baignent dans la mayonnaise et le pain des hot-dogs a l'air très élastique.

Nicolas – Et on s'assied où ?

Jim – Il n'y a pas de chaises ici. Il n'y a qu'au *Snowbeach*, le restaurant d'altitude, qu'on peut s'asseoir.

Nicolas – Alors les pauvres bouffent debout !

Ingrid – Oui, enfin les pauvres comme toi ont de quoi manger et se payer des vacances au ski, ce n'est pas la définition de la pauvreté. Tu sais que dans certains pays d'Afrique...

Nicolas – Pitié Ingrid, tu ne vas pas encore nous raconter l'histoire des enfants qui boivent l'eau au ras du sol avec une paille pour ne pas avaler les larves qui grouillent dedans... Ça m'a donné envie de gerber l'autre fois.

Ingrid – Ce qui donne envie de gerber, c'est pas que je le raconte, c'est que ça existe.

– Alors croque-monsieur, sandwich, hot-dog... Qu'est-ce que je vous sers ?

On a tous regardé le serveur de la buvette avec une énorme culpabilité.

Le serveur – Personne n'a faim ?

Ingrid – Si, moi. Un sandwich crudités s'il vous plaît, sans mayonnaise.

Et se retournant vers Nicolas, la peste a dit la bouche pleine :

Ingrid – Le but, ce n'est pas de se couper l'appétit, c'est d'agir pour que tout le monde sur cette planète puisse manger.

Léa a raison, cette fille arrivera toujours à nous surprendre.

Dix minutes plus tard, assis au soleil sur un muret, après avoir avalé nos sandwichs, nous dévorions nos crêpes Nutella.

Jim – C'est le bonheur.

Thibault – Je dirais même plus : c'est le bonheur.

Justine – C'est vrai, on est super bien.

Léa – Pas tant que moi cet après-midi !

Justine – Pourquoi, tu vas où ?

Léa – Vous attendre au *Snowbeach* avec un Coca et un bon roman.

Nicolas – T'es vraiment qu'une glandeuse !

Léa – Ça tombe bien, ça rime avec heureuse.

Jim – Mais tu ne vas pas t'ennuyer tout un après-midi assise à lire ?

Léa – Non.

Ingrid – Tu parles, dans un endroit comme ça, tu fais seulement semblant de lire. En fait, tu regardes les moniteurs bronzés qui se baladent en jean et petite doudoune.

Nicolas – Arrête, tu m'excites !

LOL...

Nicolas – De toute façon, avec Léa, on ne risque rien. Les garçons ne l'intéressent que s'ils lisent Shakespeare en version originale. Ils doivent aussi avoir une queue de cheval et un grand manteau noir. C'est pas pratique pour skier.

Léa – Tu ne veux pas me lâcher un peu ?

Nicolas – Je voudrais bien.

Re-gros silence !

Thibault – Je propose qu'on retourne sur les pistes et qu'on en profite tant qu'il y a du soleil.

Jim – OK.

Je me suis approchée de ma meilleure amie.

Justine – Tu veux que je reste avec toi cet après-midi ?

Léa – Pourquoi ?

Justine – Pour que tu ne sois pas toute seule à mater les monos !

Léa – Justine, tu adores skier, tu ne vas pas rester assise à une terrasse.

Justine – Mais tu es sûre que tu ne te sentiras pas trop seule ?

Léa – Avec un bon roman, je ne suis jamais seule ! Ne t'inquiète pas, je promets de t'attendre sagement. D'ailleurs où veux-tu que j'aille avec ces énormes chaussures ? Je ne peux pas faire un pas sans me casser la figure.

On a accompagné Léa jusqu'au *Snowbeach* et on a attendu de la voir assise sur la terrasse au soleil pour partir. Elle nous a adressé un petit signe de la main.

On a repris le tire-fesses et hop... de nouveau le bonheur de la glisse.

Pour ceux qui aiment le ski, je n'ai pas besoin de raconter cette impression de liberté totale, de limites dépassées, en apesanteur. Et de belles gamelles aussi !

Jim a créé l'événement sur les pistes avec quelques figures acrobatiques en snowboard. J'étais super fière de lui !!!

Vers quatre heures, le soleil a disparu et j'ai senti les morsures du froid. Mes doigts se sont engourdis sous les gants et mes pieds dans mes chaussures. Il était temps d'arrêter.

Ingrid était déjà en bas des pistes lorsque je suis arrivée. Elle m'a fait des grands signes pour que je la voie. Comme si on pouvait la louper avec sa combi rose fuchsia et son bandeau bayadère.

Ingrid – Ça va ?

Justine – Super !

Ingrid – Les garçons arrivent, ils descendent la piste noire une dernière fois. Ils nous rejoignent devant le *Snowbeach*, le temps qu'on récupère Léa.

Justine – OK.

On a déchaussé, dégrafé les premiers crochets de nos chaussures et on a marché façon Robocop jusqu'à la terrasse. Léa ne s'y trouvait plus.

Justine – Elle a dû rentrer se réchauffer à l'intérieur. Je vais la chercher.

De nombreux skieurs buvaient du vin chaud assis sur les hauts tabourets design du bar. D'autres attablés dévoraient gâteaux et viennoiseries. J'ai cherché Léa près de la cheminée. Frileuse comme elle est, j'étais certaine qu'elle était collée près du feu.

Eh bien non. J'ai fait le tour du café. Je suis même allée voir dans les toilettes. Ma meilleure amie n'était nulle part. J'ai trouvé ça bizarre. Léa ne disparaît jamais sans dire où elle va.

Elle a peut-être laissé un message au grand type brun à la caisse.

Le type à la caisse – Ah non, personne ne m'a laissé de message.

Justine – Une jolie brune seule avec un pull noir qui lisait, ça ne vous dit rien ?

Le type à la caisse – Non.

J'ai refait un tour avant de me résigner à sortir.

Ingrid – Alors ?

Justine – Elle n'est pas là. Je ne comprends pas... On ne peut même pas la joindre, on a laissé nos portables à l'auberge.

Lorsque les garçons nous ont rejointes, je leur ai expliqué la situation.

Thibault – Il n'y a pas de quoi s'inquiéter, elle a dû en avoir assez de nous attendre et elle est rentrée.

Justine – Sans nous prévenir ?

Nicolas – Elle ne pouvait pas puisqu'elle n'avait pas son portable.

Justine – Et elle a retrouvé toute seule le chemin de l'auberge de jeunesse ?

Là, personne ne m'a répondu. Ma meilleure amie n'a aucun sens de l'orientation et c'est devenu un sujet de moquerie. Jim dit souvent que si on faisait tourner Léa trois fois sur elle-même dans sa chambre, elle ne retrouverait pas le chemin de son lit.

Nicolas – Elle est peut-être repartie chercher ses après-skis au magasin de location et elle nous attend là-bas.

Justine – Je suis certaine qu'elle ne se souvient même pas de quel magasin il s'agit.

Nicolas – Ne la prends pas pour une débile. Il y a au maximum cinq loueurs de matériel sur la station.

Jim – On y va.

On a repris les télésièges en sens inverse.

Malheureusement, pas trace de Léa dans le magasin de location. J'ai ouvert le casier dans lequel on avait mis nos affaires.

Justine – Ses après-skis sont toujours là.

Thibault – Elle a dû sortir se promener juste au moment où vous la cherchiez au *Snowbeach*. On a pu la louper.

Jim – Peut-être. Justine, tu y retournes et tu restes là-bas. Pendant ce temps, nous, on la cherche dans la station. Il n'y a pas de quoi s'inquiéter, on va la retrouver. Bon d'accord, elle n'a ni le sens de l'équilibre ni celui de l'orientation mais on ne l'a pas perdue pendant une tempête alors qu'on faisait du hors-piste.

J'ai foncé jusqu'au *Snowbeach* avec un mauvais pressentiment. Tous les jours, des filles disparaissent dans des endroits a priori sécures et elles ne réapparaissent jamais.

Léa n'était pas au restaurant. J'ai redemandé au type à la caisse si elle n'était pas venue dans l'intervalle. Il m'a répondu légèrement agacé :

Le type à la caisse – Non, je n'ai toujours pas vu votre petite brune avec un livre.

J'ai attendu plus d'une demi-heure avant que les autres me rejoignent. Bredouilles.

Jim – Bon, il n'y a plus qu'une solution, c'est qu'elle soit rentrée à l'auberge avec ses chaussures de ski.

Ingrid – Ou alors, elle s'est enfuie avec un beau mono et elle est en ce moment sur une peau de bête devant une cheminée en train de boire une coupe de champagne.

Nicolas – La ferme Ingrid, t'es pas drôle.

Ce n'était pas hilarant mais ce n'était pas une raison pour envoyer balader Ingrid à ce point. À moins que ce soit la vision de Léa dans les bras d'un homme qui rende mon cousin agressif.

On a regagné l'auberge au pas de charge. Je ne peux même pas vous dire s'il faisait froid ou si j'étais fatiguée. Je n'avais qu'une idée en tête, revoir ma Léa.

Je n'arrêtais pas de penser au coup de fil qu'il me faudrait passer à sa mère et à Eugénie, si on ne la retrouvait pas avant la nuit tombée.

Nicolas a foncé dans notre chambre après avoir vérifié que Léa n'était pas dans la cuisine. Les deux Espagnoles allongées tranquillement sur leur lit ont bondi quand il a ouvert la porte avec fracas.

Il ne s'est pas excusé. Il est allé droit à la salle de douche. On a entendu des cris de souris et une porte qui claque. Il est ressorti aussi sec.

Nicolas – Putain, elle est où ???

Jim – Nicolas, tu te calmes s'il te plaît. On n'a pour l'instant aucune raison de penser qu'il lui soit arrivé quelque chose de grave. Léa est une fille sensée, elle n'a pas pu suivre n'importe qui, on sait par le poste de secours que personne n'a fait de malaise ou de chute dans la station et il n'est que dix-huit heures.

Nicolas – Il commence à faire nuit, Léa est frileuse, elle n'a aucun sens de l'orientation, elle avait promis à Justine de l'attendre au *Snowbeach*, elle n'a laissé aucun message, elle n'a pas récupéré ses après-skis et elle n'est pas ici. Tu trouves toujours que je n'ai pas de raison de m'inquiéter ?

– Salut les petits nouveaux !

Ben et Damien, les Marseillais, venaient de faire irruption dans l'entrée. Ils ont immédiatement compris qu'il y avait un problème. Jim leur a expliqué la situation.

Damien – Elle ne peut pas être bien loin.

Jim – Oui mais où ?

Damien – Elle ne vous a pas laissé un message sur vos portables ?

Nicolas – Elle n'a pas son portable, je t'ai dit qu'on les avait laissés ici.

Damien – Oui, ça je sais. Mais elle a pu essayer de vous joindre à partir d'un autre téléphone.

Bien sûr !

Je n'ai fait qu'un bond jusqu'à la chambre. À mon tour, j'ai terrorisé les deux Espagnoles en fracassant la porte et je me suis ruée sur mon portable. Trois appels en absence. Trois messages.

« Allô Justine, c'est maman. Je pensais avoir un message au moment du déjeuner à défaut d'en avoir eu un au petit-déjeuner. J'espère que tout va bien. Papa et Théo t'embrassent. »

« Justine, c'est maman. Il est près de cinq heures. Je n'ai toujours pas de tes nouvelles. Appelle-moi s'il te plaît. »

« Justine, il est six heures moins cinq. Je te croyais plus responsable que ça, ma fille. Quand on a des parents qui vous autorisent à partir au ski à dix-sept ans, ça mérite un minimum de respect. Papa et moi, on n'est vraiment pas contents. »

« Fin de vos nouveaux messages... »

Ingrid – Alors ?

Justine – Rien. Enfin ma mère. Et toi ?

Ingrid – Guilhem et mon père.

Les garçons nous ont rejointes, leur portable à la main. Léa ne les avait pas appelés non plus.

Les Espagnoles qui commençaient à en avoir assez de voir débarquer tout le monde dans la chambre ont râlé. On n'a pas saisi les paroles mais l'intonation laissait comprendre qu'elles étaient en colère.

Thibault – Je propose qu'on aille dans la cuisine pour réfléchir.

Nicolas est resté debout et a fait les cent pas nerveusement tandis qu'on s'asseyait autour d'une table.

Thibault – Si on essaie d'analyser la situation calmement, qu'est-ce qu'on a ? Léa, dix-huit ans dans un mois, fille responsable et futée, est sortie du *Snowbeach*, restaurant d'altitude, après y être restée un temps indéterminé. Pour une raison que nous ignorons, elle est partie sans laisser d'indication et sans reprendre ses après-skis. Elle n'est pas rentrée à l'auberge. Quelles sont les possibilités, sachant qu'elle n'a fait ni malaise ni chute dans le resto, le patron l'aurait vue, ni dans la station, le poste de secours aurait été averti ?

Ben – Elle est allée se balader et comme elle n'a pas le sens de l'orientation, elle n'a pas retrouvé le resto.

Jim – Elle n'avait pas trente-six solutions. Après les télésièges, il n'y a qu'un resto et une buvette.

Ben – C'est vrai mais je pensais qu'elle aurait pu reprendre le télésiège pour aller se promener dans la station et qu'elle se serait paumée à ce moment-là.

Nicolas – Non ! On l'a cherchée partout. Et puis c'est des conneries tout ça. Elle pouvait toujours demander son chemin. Ce qui serait plus inquiétant, c'est qu'elle ait décidé de rentrer seule à l'auberge avec ses chaussures de ski. On marche super mal avec...

Mon cœur s'est serré. J'ai imaginé Léa tombant dans un fossé. Si ça se trouve, on était passés devant elle sans la voir. Blessée, elle nous avait entendus mais n'avait pas réussi à nous appeler. Je me suis mise à pleurer. Thibault m'a prise dans ses bras et m'a embrassée doucement dans les cheveux jusqu'à ce que je me calme.

Blottie contre lui, j'ai chuchoté :

Justine – Il faut prévenir la police et qu'elle commence les recherches.

Thibault – Ils vont nous rire au nez. Il est à peine sept heures.

Mon portable a sonné. On a sursauté. « Encoremum » s'est affiché. Ce n'était vraiment pas le moment de répondre à ma mère. J'ai éteint mon téléphone.

Ingrid, qu'on n'avait pas entendue depuis un petit moment, est intervenue.

Ingrid – On imagine Léa en fille perdue, sans repère et sans chaussures. Mais si quelqu'un qu'elle connaît était venu la chercher ?

Nicolas – Qui ?

Ingrid – Quelqu'un qui va et vient sans jamais prévenir.

Justine – Tu penses à Peter ? Il l'aurait rejointe et l'aurait emmenée quelque part.

Damien – C'est qui Peter ?

Nicolas – Un gros con à qui je péterais bien la gueule.

Jim s'est levé et a posé une main sur l'épaule de mon cousin.

Justine – C'est énorme mais ça serait possible. Il a pu venir la chercher en voiture à la station. Ça expliquerait qu'elle n'ait pas eu besoin de ses après-skis.

Nicolas – Et elle marcherait en chaussettes ?

Ingrid – Dans une chambre d'hôtel avec Peter, elle a dû enlever ses chaussettes.

Après cette remarque d'Ingrid, je n'ai pas osé regarder mon cousin. En revanche, je l'ai bien entendu quand il a shooté dans la table.

Ben – Vous dites que Léa est une fille responsable. Vous croyez qu'elle n'aurait pas pensé à vous laisser un message après les... ses... festivités à l'hôtel ?

Justine – Quand il s'agit de Peter, Léa est prête à n'importe quoi, elle...

Ingrid qui continuait à réfléchir dans son coin m'a interrompue.

Ingrid – Il y a un truc qui ne va pas. Si Peter lui a fait la surprise de la rejoindre à Saint-Jean-de-Clarmont, il ne pouvait pas savoir où elle était quand il est arrivé. Léa n'avait pas son portable pour le lui dire.

Nicolas – T'es sûre, Justine, qu'elle n'avait pas pris son portable ?

Justine – Je crois. Mais on peut vérifier...

Je vous passe les hurlements des Espagnoles quand on a redébarqué dans la chambre sans aucun ménagement.

J'ai fouillé dans les affaires de ma meilleure amie. Son téléphone était là. La piste Peter était à supprimer.

Dommage ! Pour une fois, j'aurais été heureuse de la savoir protégée par les bras de ce crétin.

L'image de Léa blessée mourant de froid dans une crevasse est revenue me percuter de plein fouet. On aurait dû l'écouter quand elle refusait de faire du ski. J'entendais encore sa voix m'affirmant ce matin : « Tu seras responsable de mon échec au bac. »

Nicolas – On va prévenir les flics. Tant pis s'ils se foutent de nous. Je ne veux pas me reprocher d'avoir tardé à prendre une décision.

Que mon cousin se projette dans un avenir lointain sans Léa et avec des regrets m'a anéantie. Quoi ? Il imaginait déjà qu'on ne reverrait jamais ma meilleure amie, ma sœur, ma gothique avec ses robes noires et ses Doc...

Tiens d'ailleurs, elles étaient où ses Doc ??? Elle les avait laissées au pied de son lit. Je me suis penchée pour voir si elles n'étaient pas en dessous. Rien. J'ai vidé tout le placard frénétiquement. Rien non plus.

Nicolas – Qu'est-ce qu'il y a Justine ?

Justine – Ses Doc noires ont disparu.

Jim – Ce qui signifie qu'elle est revenue les chercher.

Justine – Pourquoi n'a-t-elle pas pris son portable et son sac alors ?

Ingrid – Peut-être que Peter n'y a pas pensé.

Jim – S'il l'a accompagnée jusqu'ici en voiture, je ne vois pas pourquoi Léa n'est pas descendue elle-même.

Ingrid – Et si ce n'était pas Peter ?

Mon sang s'est glacé.

Justine – Un kidnappeur ?

Jim – Ou un gentleman qui ne veut pas qu'elle attrape froid !

Justine – Alors qui ?

Ingrid a souri.

Ingrid – Quelqu'un que Léa connaît, qui sait qu'elle loge dans cette auberge de jeunesse parce qu'il y est aussi. Un garçon qui serait assez séduit par une jolie intello gelée à la terrasse du *Snowbeach* qui le supplierait d'aller lui chercher ses bottes.

Nicolas – Putain Ingrid, accouche !

Ingrid – Je pense à Stieg.

Jim – C'est qui ?

Justine – Le Suédois de ce matin.

Nicolas – Ikea, le grand blond avec lequel vous parliez au petit-déjeuner ?

Ingrid – Il s'appelle Stieg.

Nicolas – C'est une piste à la con. Si ça se trouve, quelqu'un a piqué les bottes de Léa.

Jim – Sans prendre l'argent et le portable ? Non...

– Salut tout le monde ! Il y a une soirée pyjama dans notre chambre ?

LÉA !!! MA SORCIÈRE BIEN-AIMÉE !!!

On s'est retournés comme un seul homme... Ma meilleure amie, bien droite dans ses Doc Martens et les joues rosies par le froid, nous regardait en souriant. Elle était lumineuse. Je me suis jetée dans ses bras. Je me moquais totalement de savoir ce qu'elle avait fabriqué tout l'après-midi, une seule chose comptait : elle était là.

à gogo

Justine – Enfin Léa, tu me crois quand même ?

Léa – Oui bien sûr je te crois... Mais vous étiez en plein délire à ce moment-là. Vous pensiez qu'il m'était arrivé quelque chose de grave. Thibault a pu te prendre contre lui et t'embrasser parce que ton angoisse le touchait. Ce n'est pas forcément un retour de flamme.

Justine – Je n'ai pas pu me tromper à ce point. Il m'a embrassée tout doucement, je me suis blottie contre lui. Il n'a pas cherché à se dégager. On était comme deux amoureux.

Léa – À cet instant, oui. Mais depuis deux semaines qu'on est rentrés du ski, il file le parfait amour avec Tatiana.

Justine – Ça ne veut pas dire qu'il ne pense pas à moi.

Léa m'a souri très gentiment.

Léa – C'est drôle, on inverse les rôles aujourd'hui. D'habitude, c'est moi qui essaie de te convaincre de l'amour que Peter me porte et toi qui me rétorques qu'il se moque de moi.

Justine – Ce n'est pas pareil.

Léa – Non, bien sûr. Aucune histoire n'est semblable à une autre. Mais ce qui est certain, c'est que personne ne connaît la vérité pour son voisin. Il est possible que tu aies raison quand tu crois à l'amour de Thibault. Il est possible aussi que tu aies tort. Peu importe, c'est ta vision de l'histoire. Tu en sortiras peut-être victorieuse justement parce que tu y crois.

Justine – C'est ce que tu penses pour Peter et toi ?

Léa – Je suis déjà victorieuse avec Peter. Parce que je l'aime, que j'ai mis notre histoire dans une bulle et que je peux la regarder quand je ferme les yeux.

Justine – Et ça te suffit ?

Léa – Je sais aimer les absents.

Cette allusion à peine voilée à son père mort m'a remplie de tristesse. Léa ne m'a pas laissé le temps de l'exprimer. Elle m'a dit en me chatouillant :

Léa – Mais je sais aussi très bien aimer les présents !!! Surtout quand ce sont des gourdes qui pleurent quand elles m'imaginent mourant dans le froid comme la petite fille aux allumettes !

Justine – Arrête de te moquer de moi ! Il y avait vraiment de quoi s'inquiéter.

Léa – Il te suffisait de demander au serveur le mot que je t'avais laissé, tu aurais gagné du temps !

Justine – Je t'ai raconté mille fois que le type à la caisse m'a affirmé qu'il n'y avait pas de message pour moi.

Léa – Le serveur, Justine ! Les gens à la caisse sont en général préoccupés par les additions, les individus ne les intéressent pas ! Si tu veux demander un renseignement à quelqu'un dans un café ou un resto, il vaut mieux s'adresser à celui qui sert.

Justine – Il n'empêche que tu es partie sur un coup de tête.

Léa – Pourquoi, j'étais assignée à résidence ?

Justine – Bien sûr que non ! Mais on a eu super peur.

Léa – Ça, je m'en suis aperçue. Je crois que je n'oublierai jamais la réaction de Nicolas quand il m'a vue en chair et en os.

Justine – Nous non plus ! On aurait pu penser qu'il allait fulminer, hurler, se déchaîner contre ce pauvre Stieg. Pas du tout ! Il s'est retourné contre le mur et s'est mis à pleurer comme un bébé.

Léa – Et impossible de lui parler. Il a refusé de me laisser m'expliquer.

Justine – Le pire c'est qu'il n'est pas sorti de sa chambre pour dîner. Tu as déjà vu Nicolas sauter un repas ?

Léa – Non !

Je suis restée les yeux dans le vague à me souvenir de la soirée qui avait suivi. Léa nous avait raconté son escapade avec Stieg et on avait fini par rire de notre angoisse. Durant le reste du séjour, Léa avait été surnommée Kim Bauer en hommage à la fille du héros de *24 heures chrono* qui passe son temps à se faire enlever.

Léa – Tout ça pour aller voir l'expo d'un fou hollandais dans une vieille chapelle !

Justine – C'était bien au moins ?

Léa – C'était improbable.

– Au lieu de raconter pour la douzième fois le faux enlèvement de Léa par monsieur Ikea, vous pourriez me chauffer du lait ? C'est l'heure de mon goûter.

Théo, à l'entrée de ma chambre, nous toisait de son air de lutin malin.

Justine – Dis donc le morveux, on ne t'a pas appris à frapper avant d'entrer dans la chambre des autres ?

Théo – Si ! Mais si tu regardes la place de mes pieds, tu verras que je me tiens à l'extrême limite qui sépare le couloir de l'entrée de ta chambre. Je n'ai donc pas posé un orteil dans ta chambre, ce qui implique que je n'avais pas à frapper...

J'ai regardé Léa, consternée. Elle a beau me répéter que j'ai de la chance d'avoir un petit frère, je n'en suis pas toujours convaincue. Il faut avouer que Théo n'est pas un « petit » frère comme les autres. C'est un enfant de sept ans à l'intelligence précoce comme le répète son pédiatre.

Dans la réalité, cela signifie que c'est un surdoué ultrapénible capable de remettre en question la moindre de vos remarques.

Théo – Alors, c'est oui pour le lait ?

Comme je ne répondais rien, il a ajouté :

Théo – Si vous voulez, je continue le récit de la disparition de Léa à votre place en attendant. Ça nous fera gagner du temps.

Mais quel sale môme !

Théo – Je le raconte à la première personne du singulier, ça le rendra plus vivant... J'étais donc assise tranquillement au soleil, à la terrasse du café, en train de lire *Les liaisons dangereuses* lorsqu'une voix presque inconnue m'a demandé dans un français parfait s'il pouvait s'asseoir un moment. J'ai levé les yeux, c'était Stieg ! J'ai accepté, je ne voyais pas comment ni pourquoi refuser. Il a commandé un Coca pour moi et un café pour lui.

Léa a corrigé Théo en riant :

Léa – Non, il a pris un Perrier.

Mon petit frère a continué, imperturbable :

Théo – Il a commandé un Coca pour moi et un Perrier pour lui. Il m'a demandé quelle pièce je travaillais au théâtre actuellement. Ingrid lui avait parlé de mes cours et cela semblait l'intéresser.

J'ai interrompu un instant Théo pour demander à Léa :

Justine – C'est bizarre d'ailleurs qu'Ingrid ait parlé de quelqu'un d'autre qu'elle à un garçon. Pourquoi elle a fait ça ?

Léa – Je ne sais pas...

Théo – On a discuté de Lagarce et de Koltès et c'est au cours de cette discussion qu'il m'a parlé du travail d'un plasticien un peu dingue qui avait monté des installations loufoques mais très avant-gardistes dans une chapelle romane abandonnée, à vingt minutes à pied de l'auberge de jeunesse.

Léa et moi avons éclaté de rire. Mon frère venait de prononcer cette dernière phrase avec la voix d'un critique d'art dans une émission sur Arte.

Léa – Mais tu es incroyable ! Comment tu fais pour te souvenir de tout ça ?

Théo, ravi de son petit effet, a continué :

Théo – Comme j'avais l'air intéressée, il m'a proposé de m'y conduire. Malheureusement j'avais ces horribles paquebots aux pieds et je ne me souvenais plus dans quel magasin on avait laissé nos après-skis. Qu'à cela ne tienne, Stieg qui devait repasser à l'auberge pour prendre son appareil photo m'a proposé de me rapporter mes bottes.

Justine – OK Théo, c'est bon... Tu peux t'arrêter, je vais te chauffer ton lait.

Théo – Je vous ai donc écrit un mot pour vous prévenir et je l'ai donné au serveur.

Justine – STOOOOOOP !!!!!!!

Théo – Ensuite, nous sommes...

Justine – Théo, si tu ne t'arrêtes pas de suite, tu boiras ton lait froid.

Mon petit frère a observé Léa et, sûr de son immense pouvoir de séduction, il a pris un ton enjôleur :

Théo – Tu me ferais ça, Léa chérie ?

Ah non, elle ne va pas céder à ce dom Juan en culottes courtes ! J'ai hurlé d'une voix ultraferme :

Justine – Théo, quand papa et maman ne sont pas là, le chef ici c'est moi !

Mon frère m'a fixée un long moment sans un mot puis il a prononcé en plongeant ses yeux dans ceux de Léa :

Théo – Le vrai, le seul pouvoir, c'est celui du cœur.

Léa a souri, conquise.

Léa – Allez viens Justine, on va lui chauffer son lait ! Bien sûr, Théo va promettre avant d'être un petit frère obéissant.

Théo – Je promets.

Évidemment Théo a croisé les doigts derrière son dos avant de jurer. De toute façon, qui pourrait croire un instant que mon petit frère en fera autrement qu'à sa tête ?

Comme on était dans la cuisine et qu'il était près de quatre heures, on en a profité pour se préparer du thé et des tartines.

Léa – On n'avait pas décidé qu'on arrêtait le Nutella cette semaine ?

Justine – Si. Mais progressivement comme dans toutes les cures de désintoxication. Il serait extrêmement dangereux de nous sevrer d'un seul coup.

Léa – Tu as raison, repasse-moi le pot !

Justine – Tu sais Léa, parfois je me dis que c'est dommage que les haricots verts n'aient pas le goût du Nutella. On pourrait en manger plein sans culpabiliser.

Ma meilleure amie a éclaté de rire.

Léa – C'est profond comme pensée ! On sent que tu fais de la philo, toi, cette année !

Justine – Quand c'est Théo qui dit un truc c'est génial, mais quand c'est moi...

Léa – Justine, tu peux me rappeler ton âge ?

Justine – Dix-sept ans.

Léa – Et celui de Théo ?

Justine – Sept.

Léa – Tu vois la différence ?

Théo qui était revenu chercher du sucre dans la cuisine a répondu à ma place.

Théo – Le QI. Une énorme différence de quotient intellectuel. Elle est surtout là, la différence entre ma sœur et moi.

Et il est reparti comme il était venu. J'ai soupiré.

Justine – Il y a des fois où je déteste ce gosse.

Léa – Je n'en crois pas un mot !

Justine – En tout cas, mercredi prochain, il retourne au centre de loisirs.

Léa – S'il n'a pas mal au ventre comme ce matin !

Justine – Tu parles, c'était du cinéma. T'as vu comment il a mangé la moitié de notre pizza à midi ? Il n'y a que maman pour croire à sa gastro imaginaire.

Le téléphone a sonné.

Justine – Tiens, quand on parle du loup... Ça doit être elle qui veut des nouvelles de son petit chéri.

Léa – Je rêve ou t'es jalouse d'un môme de sept ans qui a mal au ventre ?

J'ai haussé les épaules et je suis allée répondre. Peine perdue... Théo s'était précipité sur le combiné et jouait à la perfection le rôle de l'enfant mourant. Il avait pris une voix faible et décrivait avec une précision incroyable ses « symptômes ». Au bout de cinq minutes, il m'a passé le téléphone.

Théo – Maman veut te parler.

La pauvre devait être dans un état d'angoisse maximal. Il était de mon devoir de la rassurer sur ma capacité à veiller sur mon petit frère.

Justine – Allô !

Je n'ai pas eu le temps d'en dire plus. Ma mère a déversé un flot ininterrompu de paroles dont j'ai réussi à capter quelques bribes : le numéro du pédiatre, celui des urgences médicales, de l'hôpital le plus proche, des pompiers, du Samu... Elle a juste oublié le GIGN, je crois.

J'ai quand même réussi à placer que son protégé n'allait pas si mal puisqu'il avait mangé la moitié d'une pizza et bu un énorme bol de lait au chocolat.

Malheur à moi...

La mère – Tu es complètement irresponsable, ma fille ! Ton frère est malade et tu lui donnes de la pizza et du lait ? Tu veux le tuer ou quoi ? Je n'arrive pas à comprendre comment...

Je mets sur « mute » pour la suite, à moins que le rabâchage de ma mère ne vous intéresse. Personnellement le rappel de mon silence téléphonique quand j'étais au ski il y a deux semaines, du jour où j'ai séché le cours de maths sans la prévenir l'année dernière, de la fois où je n'étais pas allée chercher mon frère quand j'étais en seconde et d'autres souvenirs antédiluviens, me fatigue.

Elle a fini par raccrocher, après s'être convaincue que j'étais l'adolescente la plus infernale de la planète.

Théo – Elle n'a pas l'air contente, maman. J'ai entendu tout ce qu'elle t'a dit tellement elle criait.

Justine – Théo, va dans ta chambre !

Théo – Mais je regarde *Nemo*...

Justine – Je vais faire une soupe de poisson de ton Nemo, si tu ne files pas.

Théo – Méchante.

Justine – Et éteins l'ordi que tu as laissé allumé avant de partir.

Théo – Non, t'as qu'à l'éteindre toi-même.

Et il est parti en claquant la porte du salon. Il commençait vraiment à me taper sur le système, celui-là.

J'ai éteint rapidement la télé, le lecteur de DVD et je m'apprêtais à faire de même avec l'ordi quand mon œil a été attiré par le texte sur l'écran : « Les symptômes de la gastro-entérite chez l'enfant. »

J'y crois pas ! Le monstre est allé prendre des infos sur Internet pour crédibiliser son mensonge ! Voilà comment il a pu décrire avec une précision quasi médicale ce qu'il ressentait. J'ai montré à Léa, qui m'avait rejointe, les recherches de mon frère.

Léa – Ce gosse est génial.

Justine – C'est tout ce que tu trouves à dire ?

Léa – Oui...

– Salut les filles, je dérange ?

Ingrid tout de violet vêtue venait de faire son apparition dans le salon. Évidemment, elle n'avait pas sonné. C'est tellement mieux d'apparaître d'un coup chez les gens. Effet de surprise garanti !

Léa – Waouh ! Tu es superbe Ingrid avec cette robe gypsy et ce foulard noué dans les cheveux.

La peste a fait quelques pas dans le salon comme si elle défilait sur un podium. Elle n'a pas oublié d'imiter la mine renfrognée des mannequins. Léa, bon public, a applaudi. Moi, je suis restée de marbre.

Non, je ne suis pas jalouse. C'est juste que je ne vois pas pourquoi je devrais m'esbaudir devant une fille habillée en madame Irma qui se trémousse entre mon canapé et ma télé.

Ingrid – Je viens juste de m'acheter la robe, le foulard et...

La peste a soulevé sa robe cache-poussière et nous a montré une paire de bottes en daim violet.

Ingrid – Je n'ai jamais rien touché d'aussi doux. Comment vous les trouvez ?

Léa – Très belles, j'adore la couleur !

Ingrid – Purple. La couleur qu'on doit porter...

Justine – Ah c'est du purple ? Je croyais que c'était du violet.

Je sais que purple signifie violet en anglais, ne me prenez pas pour une idiote. C'était juste pour me moquer un peu d'Ingrid et de son franglais de magazine féminin.

Ingrid – Et le it bag : la minaudière façon croco. Exactement la même qu'Angelina Jolie.

La peste nous a présenté son sac, pardon sa pochette taille ticket de bus, comme si elle était le roi Arthur et qu'elle avait trouvé le Saint-Graal.

Ingrid – J'écume les magasins et les sites Internet depuis un mois, et maintenant elle est à moi.

Justine – Ça ne va pas être pratique pour mettre tes bouquins de cours. Remarque, toi, un timbre-poste et un demi-crayon te suffiraient pour noter tes cours.

Ingrid a ri de bon cœur à ma remarque perfide.

Ingrid – T'es drôle Justine !!!

Mince, je voulais juste être désagréable.

Ingrid – Les filles, est-ce que je peux vous parler d'un truc important ?

Léa – Bien sûr.

Ingrid s'est laissée tomber sur le canapé et nous a fait signe pour qu'on s'asseye à côté d'elle. Elle a pris sa tête de conspiratrice.

Ingrid – J'ai un rendez-vous dans une demi-heure.

Léa – Guilhem ?

La peste a baissé les yeux façon vierge prise en faute et a confessé un tout petit « non ».

Eh ben, il a du souci à se faire, 2 d'tens... Son heure a sonné. Il va pouvoir retourner à ses chaussettes avec soucoupes et Martiens !

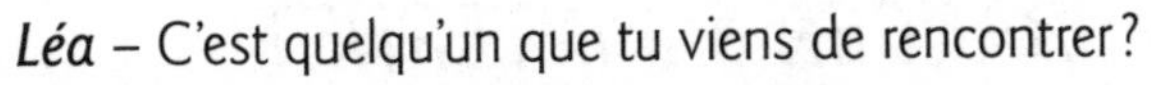

Léa – C'est quelqu'un que tu viens de rencontrer?

Ingrid – Pas exactement. Je ne l'ai jamais vu…

Encore un plan galère. Un tordu qu'elle aura rencontré sur Meetic et qui, après avoir annoncé « homme grand, brun, vingt-cinq ans, sportif et gérant d'une chaîne de magasins » se trouvera être un quinquagénaire petit, bedonnant, agent de la SNCF et marié.

Ingrid – Une amie m'en a parlé, c'est tout.

Ah non, pardon. Ce n'est pas un trip Internet, c'est un vide-grenier de copines! L'horreur! On se refile les ex dont on ne veut plus. Pas besoin d'écumer la cour du lycée pour le trouver. En plus, on sait à qui on a affaire, le pauvre garçon a déjà été testé et on peut se procurer sa fiche technique. Et puis si on n'en veut plus dans les jours qui suivent, pas de problème, on le repasse à sa voisine. Top romantique!

Ingrid – Il paraît qu'elle est incroyable.

Euh… Vous avez bien entendu comme moi le « ELLE »? Le féminin n'a pas échappé à Léa qui a ouvert de grands yeux.

Léa – Elle?

Ingrid – Oui, c'est une des plus grandes voyantes au monde et elle habite à trois rues d'ici.

Léa – Mais de qui tu parles?

La peste a souri. Une fois de plus, elle avait créé son petit buzz. Elle avait démarré la discussion comme si elle avait un rendez-vous amoureux et on avait foncé tête baissée pour se retrouver dans la salle d'attente de Mme Irma.

Voilà la raison du déguisement purple avec robe de bohémienne et foulard sur la tête. C'était pour la jouer ambiance locale.

Ingrid – Je ne sais plus très bien où j'en suis avec Guilhem. Je crois que je l'aime mais je m'ennuie. Et puis Ben m'a un peu tourné la tête. Il embrasse si bien.

Prévention ***DANGER*** *sur* ***INTERNET***

Et si le beau brun aux yeux verts d'un mètre quatre-vingts qui se dit élève de terminale S était en réalité un quinquagénaire bedonnant et pervers ?

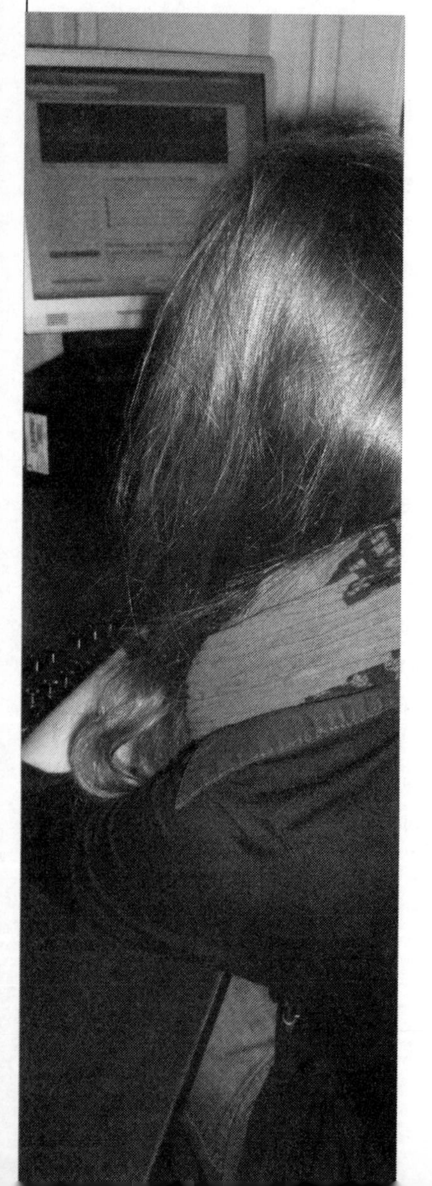

Voici les principales règles à respecter ABSOLUMENT quand on chatte avec un inconnu.

1 - Utiliser un pseudonyme neutre qui n'incite pas à la confusion, à la familiarité, et donc à des dérives verbales.

2 - Respecter les codes de bonne conduite : ne pas donner ses coordonnées (nom, prénom, adresse personnelle ou scolaire, numéro de téléphone) et ne pas accepter de rendez-vous.

3 - Prévenir un adulte référent : si vous vous sentez débordée, pressée par cet inconnu, ou s'il vous rend mal à l'aise, faites part de vos inquiétudes à un adulte de votre entourage (un parent, un professeur, une voisine, etc.). Il vous fera peut-être une petite leçon de morale mais c'est préférable à un piège prêt à se refermer sur vous...

Justine – Ben ? Le Marseillais du ski ? T'es sortie avec lui ?

Ingrid – Oh rien qu'une fois. Mais depuis, à chaque fois qu'on se téléphone, j'ai le cœur qui flanche après.

Léa – Et qu'est-ce que tu attends de la voyante ?

Ingrid – Je ne sais pas. Qu'elle me dise un truc qui m'aide.

Justine – Pourquoi tu ne demandes pas à Léa de te tirer les cartes ?

Ingrid – Je peux le faire aussi. Mais... J'ai quand même envie d'aller voir cette femme. Elle a vu des trucs incroyables pour une copine. Elle lui avait prédit qu'elle allait rencontrer un type du Soleil-Levant, qu'elle aurait dans les mois qui suivent des petits problèmes de santé et qu'elle ferait un voyage imprévu. Tout s'est réalisé : elle sort avec un Asiatique, elle a eu une énorme bronchite à Noël et ses parents ont décidé de lui offrir un voyage à New York pour ses dix-huit ans. Vous ne trouvez pas ça génial ?

Justine – Bof ! Des problèmes de santé et un voyage, elle ne s'est pas foulée, ta voyante. Si j'interroge cent personnes dans la rue, quatre-vingt-quinze me répondront qu'elles ont été malades au moins une fois cette année et qu'elles ont décidé d'aller ici ou là pour leurs vacances. Quant à son amoureux du Soleil-Levant, il devait bien y avoir quelques Asiatiques dans son lycée. Elle s'est convaincue que son prince charmant était l'un d'eux et hop, elle est tombée amoureuse. Tu ne crois pas, Léa ?

Léa – Je ne sais pas. C'est possible. Il ne faut être ni trop naïf ni trop sceptique. Peut-être qu'on peut écouter ce qu'une voyante a à dire et voir ce qui résonne en soi.

Ingrid – Alors vous seriez d'accord ?

Léa – D'accord pour quoi ?

Ingrid a pris son air de fillette malicieuse.

Ingrid – Pour venir avec moi. J'ai pris rendez-vous pour vous aussi.

Justine – QUOI ???

La peste a attendu qu'on digère l'information puis elle a habilement expliqué.

Ingrid – J'ai pris rendez-vous parce que j'ai pensé que ça vous aiderait. Toi, Justine, tu sauras ce que tu dois faire pour arracher Thibault des griffes de l'Américaine et toi, Léa, tu auras des révélations sur ta relation avec Peter... Sans parler du bac ! Vous n'avez pas envie de connaître les résultats ?

Effectivement, formulé comme ça, ça donne envie.

J'ai regardé Léa. Un doigt sur la bouche, elle fixait le bout de ses Doc. Elle était en phase de réflexion intense...

Il lui a fallu plus d'une minute pour lever les yeux et chuchoter comme si elle se parlait à elle-même.

Léa – Pourquoi pas ? Qu'est-ce que je risque ?

Ingrid a tapé des mains, ravie.

Léa – Et combien coûte une séance avec ta diseuse de bonne aventure ?

Ingrid – Elle nous fait un prix parce que je viens de la part d'une amie et qu'elle nous reçoit ensemble.

Léa – Mais encore ?

Ingrid – Trente euros chacune.

Léa – C'est cher ! Tu en penses quoi, Justine ?

J'en pense que je n'ai plus un sou depuis les vacances au ski. Qu'à sept euros le sandwich à la buvette et dix euros le Coca au *Snowbeach*, j'ai dépensé l'argent que j'avais eu à Noël et pour mon bac blanc, mais que je suis prête à trouver une solution rapide pour délivrer mon grand amour et avoir des infos sur mes matières à l'oral de rattrapage.

Justine – Je suis d'accord.

Ingrid – Alors c'est oui ? On y va ?

Léa – Il faut d'abord que je repasse chez moi pour prendre de l'argent.

Ingrid – Non, tu me le rendras après. J'avais prévu qu'il y ait une de vous deux qui n'ait pas de liquide.

Léa – T'as ce qu'il faut, toi, Justine ?

Justine – Euh... Je vais emprunter à Théo. Il a plein d'argent dans sa tirelire.

Au moment où je prononçais le prénom de mon petit frère, je me suis rappelé qu'il était dans sa chambre, malade, et que je ne pouvais pas sortir.

Léa a réagi en même temps.

Léa – Mince Théo !

Ingrid – Quoi ? Qu'est-ce qu'il a ?

Justine – Il a une gastro. Je ne peux pas venir avec vous, je dois le garder.

Ingrid – Ah non !!! La voyante ne nous reçoit que si on est ensemble.

Justine – Et qu'est-ce que tu veux que j'y fasse ? Je ne vais pas le laisser ici tout seul.

Ingrid – On n'a qu'à l'emmener. Il est vraiment très malade ?

Léa a soupiré.

Léa – À vrai dire, on le soupçonne de simuler sa gastro.

Ingrid – Raison de plus. On le couvre bien et il vient.

Il ne m'a pas fallu plus de trente secondes pour prendre ma décision.

Je suis allée chercher mon frère dans sa chambre mais je n'ai pas pu rentrer, il avait fermé sa porte à clé. Il fallait que je la joue fine pour qu'il accepte de nous suivre.

Justine – Théo mon cœur, tu m'ouvres ?

Théo – Même pas en rêve !

Comment ça « même pas en rêve » ? Il oublie que je suis sa sœur aînée ou quoi ? Si cette porte n'était pas fermée à clé, je le lui rappellerais avec une bonne fessée.

Justine – Théo, tu es gentil, tu ouvres. J'ai un super truc à te proposer.

Théo – Quoi ? Me dérober mon argent dans ma tirelire et m'emmener de force chez une sorcière avec Ingrid et Léa ? C'est ça ta super proposition ? Jamais de la vie. Je ne sortirai de ma chambre que quand maman rentrera.

Oh le monstre... Il nous a espionnées ! Il sait la vérité. Je ne réussirai pas à l'entraîner. Je vais rater mon bac et Thibault va rester avec Tatiana à cause de ce sale gosse.

Léa et Ingrid qui ne me voyaient pas revenir m'ont rejointe devant la porte du gnome.

Léa – Qu'est-ce qui se passe ?

Justine – Il ne veut pas sortir. Il devait être caché dans le couloir quand on parlait et il est au courant pour l'argent de sa tirelire et pour la voyante.

Théo a hurlé derrière sa porte.

Théo – Oui, je sais tout ! Et j'ai barricadé ma porte. Vade retro Satanas !

Ingrid m'a regardée, catastrophée.

Ingrid – Comment on va faire ?

Justine – Je n'en ai aucune idée.

Ingrid – On va rater le rendez-vous et notre vie par la même occasion.

Léa qui était restée silencieuse a souri.

Léa – Non, on ne va rien rater. Il faut juste jouer avec Théo.

Justine – Comment ça ?

Léa – Laissez-moi agir.

Ma meilleure amie a frappé à la porte.

Léa – Théo, c'est Léa.

Théo – Qu'est-ce que tu veux ?

Léa – Je n'irai pas par quatre chemins. Je sais à qui j'ai affaire. Je suis prête à négocier avec toi pour ce que tu sais.

Théo – Précise ta demande.

Léa – Il faut que tu me prêtes trente euros jusqu'à demain, que tu nous accompagnes sans rechigner à notre rendez-vous et surtout que tu ne répètes rien à ta mère.

Théo – Ça risque de te coûter cher.

Léa – Discutons-en. Mais pas à travers une porte fermée. Laisse-moi entrer. Je serai seule et sans armes.

Elle ne va pas bien, ma Léa !!! Seule et sans armes ? On se croirait dans un mauvais polar du vendredi soir sur TF1. Même mon petit frère va en rire.

Théo – Très bien, je t'ouvre. Dis aux autres de retourner dans le salon et de ne plus bouger.

Léa – OK. Laisse-nous trente secondes.

Léa nous a fait signe de disparaître rapidement.

Alors qu'avec Ingrid on s'asseyait sur le canapé, j'ai entendu la porte de la chambre de Théo s'ouvrir rapidement et se refermer aussitôt.

Silence total.

On a attendu près de dix minutes avant que le verrou se débloque à nouveau.

Ma meilleure amie est apparue flanquée de Théo fin prêt, écharpe, bonnet et gants compris.

Léa – On y va, les filles ? Je crois qu'on est en retard.

J'ai bredouillé bêtement :

Justine – Ben... Euh... Oui... D'accord...

Tandis qu'on descendait l'escalier de la maison bleue, j'ai demandé discrètement à Léa :

Justine – Comment t'as réussi ?

Léa – Je me suis pliée à certaines de ses exigences. Il est redoutable en affaires. Il va falloir payer.

Justine – Combien ?

Léa – Cinq mercredis dans l'année sans centre de loisirs, deux paquets de Pim's à la framboise avant ce soir et le DVD de *Ratatouille* d'ici samedi.

Justine – J'y crois pas. Et tu as cédé ???

Léa – Au lieu de me faire des reproches, tu devrais me féliciter. Si tu connaissais ses exigences de départ !

La voyante n'habitait pas à trois rues de chez moi comme l'avait annoncé Ingrid, mais à l'autre bout de la ville. Il a fallu prendre un bus et marcher un long moment pour arriver chez elle.

On était en nage quand on est entrés dans sa salle d'attente et Théo avait augmenté ses tarifs pour non-respect de la clause de départ. J'ai chuchoté :

Justine – OK pour les quatre paquets de Pim's, Théo, mais maintenant je ne veux plus t'entendre.

Je n'avais pas fini ma phrase qu'une femme blonde assez mince est apparue. Je n'ai pas tout de suite compris que c'était la voyante. Moi qui m'attendais à une grande brune avec un maquillage de sorcière. Comme quoi, on est plein de préjugés.

Elle nous a observés un long moment avant de nous saluer très gentiment.

La voyante – Bonjour. Laquelle de vous trois ai-je eue au téléphone ?

Ingrid – Moi.

La voyante a fixé Ingrid sans un mot, puis après quelques secondes elle a chuchoté en hochant la tête :

La voyante – Bien... Donc vous êtes Ingrid.

Elle a pris au moins deux ou trois minutes avant de s'adresser à nous.

La voyante – Et, vous, vous êtes ses deux amies ?

Léa et moi avons répondu « oui » en chœur.

La voyante m'a observée longuement puis son regard s'est posé sur Léa. Elle a fermé les yeux. Il n'y avait pas un bruit, j'ai commencé à me sentir un peu mal à l'aise. J'ai regardé autour de moi.

La salle d'attente était aussi simple que sa propriétaire. Des murs blancs, un parquet clair et des plantes vertes un peu partout. Un énorme bouquet de roses à l'ancienne était placé sur une table basse. Ni magazines ni livres.

Chez qui était-on ? Après tout, on ne connaissait même pas son nom.

La voyante – Je m'appelle Ariane.

Ah ben maintenant, on sait. C'est un hasard si elle le dit à l'instant où je me pose la question ?

La voyante – Et ce petit garçon, comment s'appelle-t-il ?

Théo – Théo.

La voyante – Très bien Théo. Tu m'as l'air d'être un petit garçon très intelligent. Malin surtout, non ?

Je n'ai pas pu m'empêcher de répondre.

Justine – Vous n'imaginez pas à quel point.

La voyante – Oh si !!!

Ah ben oui que je suis bête, c'est une voyante.

La voyante – Vous êtes sa sœur ?

Justine – Oui.

La voyante – Et vous vous prénommez ?

Justine – Justine.

Et se tournant vers Léa :

La voyante – Et vous ?

Léa – Léa.

La voyante – Ingrid, Théo, Justine, Léa.

Présents !

Ariane a de nouveau fermé les yeux. On a patienté en silence. Même Théo n'a rien dit.

La voyante – Et si on allait dans mon cabinet ?

J'ai sursauté.

Mon petit frère a demandé très timidement :

Théo – Et moi, j'attends ici ?

La voyante – Non, pourquoi ? Tu es le bienvenu, Théo.

Oh non, je ne veux pas qu'il vienne, il sera incapable de tenir sa langue après.

La voyante – Il n'y a pas de souci, je sais qu'on peut te faire confiance. Tu as déjà compris que ce que tu entendras ne doit pas sortir de ce cabinet. Allez, suivez-moi...

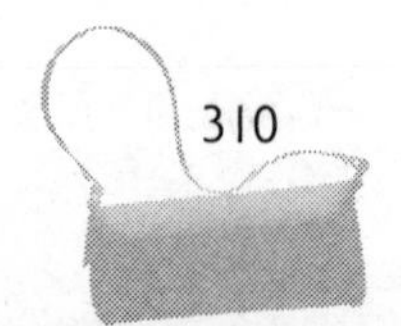

Léa

Les filles, j'ai trouvé sur Wikipédia mieux que notre chère voyante pour savoir si on va cartonner au bac ou si nos chéris nous aiment !

Un siècle avant Jésus-Christ, en Asie, on interprétait les fendillements des carapaces de tortues exposées à la chaleur, puis on faisait des lancers de tiges d'achillée pour connaître l'avenir.

Un peu plus tard à Rome, on pratiquait les haruspices, ce qui veut dire qu'on lisait dans les entrailles des animaux. Beurk !

Au début des années 60 en Inde, on consommait des boissons hallucinogènes pour voir et entendre les dieux. Incroyable, non ? Ne vous inquiétez pas, on n'est pas les seules à être crédules : j'ai lu sur Internet que chaque année, 15 millions de Français consultent des voyants en tout genre, ce qui génère 3 milliards d'euros de chiffres d'affaires…

Aujourd'hui, 21h15 · J'aime · Commenter

Jim et **Nicolas** aiment ça.

Ingrid Je ne te trouve pas drôle !

Aujourd'hui, 21h49 · J'aime

Justine Moi si !!!!

Aujourd'hui, 22h37 · 2 personnes aiment ça

Ariane nous a fait pénétrer dans une petite pièce qui sentait bon la lavande. Pas de boule en cristal ni de tentures en velours rouge comme dans les films. Juste un canapé blanc confortable en face d'une jolie méridienne écrue. Au sol, de gros coussins de toutes les couleurs. Elle nous a proposé de nous asseoir. Théo a choisi le coussin vert, Léa le bleu, Ingrid a préféré le violet assorti à sa robe et moi le canapé. Ariane s'est assise sur la méridienne.

La voyante – Qui voudrait me poser sa question ?

Avec Ingrid et Léa, on s'est regardées intimidées. Il y a eu de nouveau du silence.

Ingrid – Bon ben, je vais commencer puisque c'est moi qui ai eu l'idée de venir ici.

La voyante – Je t'écoute.

Ingrid – Voilà, je sors avec un garçon depuis un mois et demi. Au début, j'étais très amoureuse mais depuis deux semaines je doute un peu de mes sentiments pour lui.

La voyante – Et quelle est ta question ?

Ingrid – Je voudrais savoir si je l'aime vraiment.

La voyante – Tu voudrais savoir si tu l'aimes alors que tu penses à un garçon qui habite près de la mer ?

WAOUH !!! Elle voit tout.

Ingrid – Oui ! Comment vous le savez ?

La voyante – Je ne le sais pas, je le sens.

Ingrid – Et alors qu'est-ce que vous sentez de plus pour moi ?

La voyante – Un examen à passer. Une peur d'échouer...

Ingrid – C'est le bac ! Alors je vais l'avoir, dites ?

La voyante – Il y a des chances pour que tu l'aies.

Ingrid – Ça veut dire oui ou non ?

La voyante – La réponse est dans le cœur de celui qui la pose.

Ingrid – Ah...

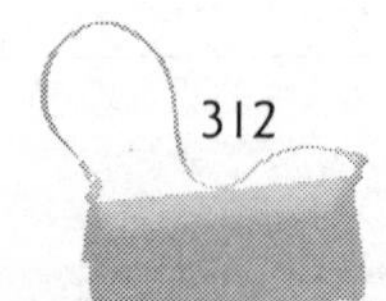

La voyante – Et toi Justine ?

Mon cœur s'est mis à battre la chamade. J'ai respiré un grand coup avant de parler.

Justine – Moi, j'aime un garçon qui sort actuellement avec une autre fille mais je suis persuadée qu'il a des sentiments pour moi.

La voyante – Et quelle est ta question ?

Justine – Je voudrais savoir s'il m'aime.

La voyante – Tu voudrais savoir s'il t'aime encore malgré tes volte-face avec l'autre qui vient de l'enfance ?

J'ai failli tomber du canapé. J'ai balbutié un vague « oui ».

Moi qui croyais que Léa était la plus grande sorcière au monde, je viens de rencontrer son maître.

La voyante – L'amour est un sentiment subtil qui se transforme.

Justine – Vous voulez dire que son amour pour moi s'est changé en amitié ?

La voyante – L'amitié est proche de l'amour.

Justine – Alors il m'aime d'amour ou pas ?

La voyante – Peut-on vraiment sonder le cœur de l'autre ? En tout cas, je sais que tu sais.

Justine – Ah bon.

La voyante – À toi, Léa.

Léa – Déjà ?

La voyante – Oui.

Léa – Il me semble pourtant que vous n'avez pas vraiment répondu aux questions de mes amies.

La voyante – C'est parce que tu n'as pas écouté les réponses.

Léa – Ah si, avec beaucoup d'attention ! Mais aucune d'entre elles n'était claire : « L'amour est proche de l'amitié... La réponse est dans le cœur de celui qui pose la question... Peut-on vraiment sonder le cœur de l'autre ?... Je sais que tu sais ! » Je n'ai rien entendu de très concret.

La voyante – Peut-être parce que la question ne te concernait pas. Et si tu me parlais de ce qui te préoccupe ?

Ma meilleure amie n'a rien répondu. J'ai rouvert les yeux pour voir ce qui provoquait son mutisme. Elle était face à Ariane et semblait préoccupée.

La voyante – Tu n'as pas de question, Léa ?

Léa – Si. Je voudrais savoir si le garçon que j'ai rencontré il y a trois semaines chez une amie de ma grand-mère et avec lequel j'ai une relation suivie depuis est l'homme de ma vie.

Hein ? Quoi ? Léa est sortie avec un type et je ne suis pas au courant ? C'est quoi cette histoire ? Même Ingrid qui semblait en méditation profonde a failli avaler sa langue en entendant cela.

Ariane a semblé décontenancée. Elle a hésité un moment puis elle a dit :

La voyante – Tu voudrais savoir si le garçon qui vit sur les planches et que tu as rencontré il y a trois semaines chez une amie de ta grand-mère est l'homme de ta vie ?

Ma meilleure amie a souri comme si elle venait d'obtenir ce qu'elle voulait. Elle a prononcé avec une certaine ironie :

Léa – Je n'ai jamais parlé d'un garçon qui vit sur les planches.

Ariane a posé sa main devant ses yeux dans un geste assez théâtral. Elle a dit d'une voix très inspirée :

La voyante – Je vois un garçon qui vit sur les planches et a une queue de cheval. Ça ne t'évoque rien ?

Léa – Non.

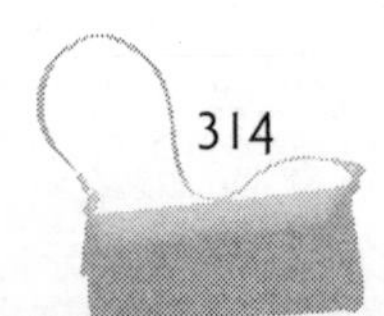

J'ai hurlé :

Justine – Enfin Léa, c'est Peter !

La voyante m'a demandé fermement :

La voyante – Qui est ce Peter ?

Léa ne m'a pas laissé le temps de répondre. Elle a lancé à Ariane sur un ton agressif :

Léa – Vous êtes sûre de ne pas pouvoir répondre à cette question ?

Qu'est-ce qui lui prend à Léa ? Pourquoi est-elle désagréable ?

Léa – Pourtant vous avez des informations très claires à son sujet.

La voyante – Je ne comprends pas ce que tu me dis.

Léa – Décidément, pour une voyante, vous ne saisissez pas grand-chose. Enfin, sauf ce que vous extorquez au téléphone quand les gogos vous appellent.

Alors là, ça ne se fait pas ! Ariane va se fâcher...

Ça n'a pas loupé. Elle s'est levée d'un coup et a crié :

La voyante – Qu'est-ce que tu insinues ?

Léa – Que vous êtes une menteuse et que vous profitez de la faiblesse des gens.

La voyante – Sortez tous immédiatement !

Léa – Avec plaisir.

Ingrid a tenté d'intervenir.

Ingrid – Mais enfin, qu'est-ce qui se passe Léa ? Ariane est une incroyable voyante. Elle a deviné que mon Ben habitait à Marseille, que Justine hésitait entre Thibault et son ami d'enfance. Et que Peter vivait sur les planches.

Léa – Deviné, vraiment ? Ingrid, peux-tu me dire combien de temps tu es restée avec cette chère Ariane au téléphone pour prendre rendez-vous ?

Ingrid – Je ne sais pas. Cinq minutes. Peut-être un peu plus...

Léa – Et que vous êtes-vous dit pendant ces cinq minutes ?

Ingrid – Je ne me souviens plus.

Léa – Peux-tu jurer que vous n'avez parlé que de l'heure et du lieu du rendez-vous ?

Ingrid – Euh...

Léa – Elle ne t'a posé aucune question directe ou indirecte sur nos vies ?

Ingrid – Non... Enfin, on a un peu échangé sur l'amour, l'amitié, l'existence.

Léa – Bravo Ariane, vous êtes encore plus forte que je ne le pensais. Joli travail d'enquête... Vous pouvez compter sur moi pour vous faire de la pub !

La dernière remarque de Léa a provoqué un cataclysme. Ariane s'est mise à hurler et nous a ordonné de disparaître. Elle n'avait plus du tout l'air d'une petite femme fragile et douce. Son regard était rempli de haine.

Je n'ai même pas pu remettre son manteau à Théo. On s'est retrouvés dehors en moins de temps qu'il ne faut pour le dire.

Justine – Tu peux nous expliquer, Léa ?

Léa – Vous venez de participer à une superbe mystification. Ariane n'a rien d'une voyante.

Justine – Ah bon !!!

Léa – C'est juste une manipulatrice hors pair. En parlant avec Ingrid, elle lui a soutiré quelques informations sur nos vies qui lui ont permis de crédibiliser son discours. Mais elle a été incapable de « voir » quoi que ce soit de notre avenir. Est-ce qu'on aura notre bac ? Qui est l'homme de notre vie ?

Justine – Comment tu t'en es rendu compte ?

Léa – J'ai eu des doutes dès qu'elle est apparue. Mais c'est surtout le décalage énorme entre ce qu'elle savait par Ingrid et ses réponses vaseuses de faux moine zen qui m'ont alertée. C'est pour ça que je lui ai raconté n'importe quoi. J'attendais de voir si elle allait chercher à associer les renseignements qu'Ingrid lui avait donnés à mes mensonges : la queue de cheval de Peter et les planches.

Ingrid – Je suis désolée.

Léa – Ce n'est pas ta faute Ingrid. Si tu savais tous les gens qui se font avoir, chaque jour, par des escrocs de la voyance, c'est terrifiant. On a tous tellement envie de savoir ce qui va se passer. Et puis, comme on n'a rien payé, c'est une leçon qui ne nous a pas coûté cher.

Théo a toussoté pour attirer l'attention.

Théo – Ça dépend de ce qu'on entend par pas cher. Jusqu'à maintenant on en était à cinq mercredis sans centre de loisirs, quatre paquets de Pim's et le DVD de *Ratatouille*. Mais vu ce qui vient de se passer, je me vois dans l'obligation d'augmenter mes tarifs.

J'ai regardé Léa et je lui ai dit en lui adressant un clin d'œil discret :

Justine – Je commence à en avoir assez des escrocs et des maîtres chanteurs. Si on se débarrassait de celui-là une bonne fois pour toutes ?

Les jeux de l'amour

Jim – Vous ne trouvez pas qu'ils ont un drôle de goût les champignons ?

Léa – Je ne sais pas, j'ai pris la Margherita.

Justine – Moi aussi.

Jim – Et vous les garçons ?

Thibault – J'ai mis plein d'huile piquante alors je ne sens plus rien.

Nicolas – Et moi, j'ai tellement la dalle que j'avale sans mâcher.

Léa – Donne-moi un champignon que je goûte, je vais te dire s'il est bon.

Jim a détaché un champignon d'un geste quasi chirurgical et l'a tendu à Léa. Elle l'a observé un petit moment puis en a coupé un bout avec ses dents. Elle l'a mâchouillé consciencieusement. On l'a tous regardée en continuant à manger.

Jim – Alors chef, votre verdict ?

Léa – Un arrière-goût de plastique avec une légère tonalité de moisi.

Nicolas a recraché la bouchée qu'il était en train de manger. Thibault et Jim, mieux élevés, se sont arrêtés net de mâcher.

Nicolas – C'est vrai ?

Léa – Non...

On a éclaté de rire. Plus exactement, les filles ont éclaté de rire.

Jim – Ah ben bravo... Tu es une excellente comédienne ! J'y ai vraiment cru.

Léa – Merci pour le compliment !

Nicolas – N'oublie pas, Jim, que Léa fait du théâââââtre avec un énoooooorme metteur en scène.

Léa – Exact. C'est un très grand ! D'ailleurs à ce propos, Nicolas, je ne tolérerai aucune remarque ironique demain. Si mon travail t'indiffère, pas la peine que tu viennes.

Il y a eu un silence lourd et pesant. Il faut dire que Léa n'avait pas épargné Nicolas. Lui demander de ne pas assister aux répétitions publiques de sa pièce alors qu'elle nous parle exclusivement de ça depuis plus de quinze jours, c'était violent...

Tatiana a demandé gentiment :

Tatiana – Vous ne m'avez pas expliqué comment je vous retrouvais demain.

C'est normal, on n'a pas envie que tu nous retrouves.

Enfin moi, surtout ! Oui, je sais, je ne suis pas sympa. Cette fille est formidable, douce, aimable et je n'ai officiellement aucun reproche à lui faire.

Sauf que je vous rappelle qu'elle vit une love story avec mon homme.

Léa – Tu ne viens pas avec Thibault ?

Tatiana – Euh non... Il m'a dit que vous restiez ensemble au lycée avant.

Jim – N'importe quoi ! On a prévu de se retrouver au *Louis XVI* vers quatre heures. J'ai posé mon après-midi au *Paradisio* pour qu'on aille boire un pot.

Tatiana a jeté un regard noir à Thibault, il a semblé mal à l'aise.

Tiens... Tiens... Il raconte des histoires à sa belle Américaine, il y aurait de l'eau dans le gaz ?

Yes ! Yes ! Yes !

Jim s'est rendu compte qu'il avait gaffé et a essayé de rattraper l'affaire.

Jim – Enfin, c'est ce que j'avais proposé mais on n'en a pas encore parlé aux filles.

Ingrid – Ben si, nous on le savait.

Oh la peste ! Je l'adore !

Léa – Qui reveut une part de pizza ?

Ingrid – Eh ben moi, j'ai une petite faim.

Léa – Tu es sûre ? Tu as arrêté définitivement ton régime céleri-carottes ?

Ingrid – Ouais, j'en ai marre des crudités. Je ne sais pas ce qui m'arrive mais j'ai envie de pizzas, de hamburgers et d'éclairs au chocolat.

Tatiana, qui n'avait pas supporté qu'Ingrid insiste sur le fait qu'elle était la seule à ignorer notre après-midi au café, a murmuré de sa jolie voix douce :

Tatiana – C'est typique des chagrins d'amour, ça. On s'empiffre parce qu'on se sent vide.

Dans la mesure où j'avais la moitié d'une pizza dans chaque joue, j'ai aussi pris la remarque pour moi. Je n'ai rien pu répondre parce que le temps que je mâche et que j'avale, il s'est écoulé au moins dix minutes.

La pauvre Ingrid, touchée en plein cœur, n'a pas réagi non plus.

Ce n'était vraiment pas gentil de lui dire ça parce que, depuis une semaine, elle était bien malheureuse. Guilhem alias 2 d'tens l'avait quittée au moment où elle avait réalisé qu'elle n'aimait que lui.

Il était arrivé jeudi dernier au lycée et il lui avait annoncé sans ménagement dans la cour :

2 d'tens – Nous sommes le 13 mars, soit à moins de trois mois du bac, je ne peux plus passer mon temps à obéir à tous tes caprices au détriment de mon travail. J'ai donc décidé d'arrêter là notre relation.

Et il était reparti sans permettre à Ingrid d'exprimer la moindre réaction.

Elle était restée plantée là, pleine de chagrin à ne pas savoir qu'en faire. Quand la cloche avait sonné, elle n'avait pas bougé. Léa l'avait remarquée au moment où on montait en cours.

Léa – Qu'est-ce qu'elle fabrique Ingrid ?

Justine – Je ne sais pas. Elle s'est mise au milieu de la cour pour qu'on voie sa nouvelle veste purple ?

Léa – Méchante. Elle fait une tête bizarre, non ?

Justine – Je peux pas te dire, je suis myope.

Léa – J'ai l'impression qu'elle a un problème. Je vais la voir.

Justine – On va être en retard !

Léa – Monte, toi. On se retrouve à la pause de dix heures.

J'avais évidemment suivi Léa. On n'avait pas été trop de deux pour consoler Ingrid. Elle avait explosé en sanglots dès que ma meilleure amie lui avait demandé pourquoi elle restait seule au milieu de la cour. On l'avait conduite à l'infirmerie tant elle avait du mal à respirer. Heureusement, c'était un jour Louise, l'infirmière sympa. Léa lui avait expliqué la situation et elle avait pris les choses en main.

Louise – Bon, je vais te faire un thé, Ingrid, et on va discuter de l'amour. Vous, les filles, vous remontez, je vous donne un billet pour entrer en cours mais ne traînez pas dans les couloirs. Revenez à dix heures chercher votre copine, elle ira mieux !

Louise avait été optimiste. Deux heures plus tard, Ingrid, les yeux bouffis par les larmes, avait toujours de violents accès de chagrin. Elle était blanche comme un linge et son rimmel qui avait coulé lui faisait un regard de raton laveur. Louise nous avait prises à part.

Louise – Elle n'est pas en état d'aller en cours. Elle serait mieux chez elle mais je ne veux pas qu'elle reste seule. Est-ce que vous croyez qu'elle peut parler avec sa mère de ce qui lui arrive ?

Léa – Je ne sais pas. Ingrid n'évoque jamais sa mère. C'est toujours son père qui l'accompagne ou vient la chercher. Ils ont une super relation.

Louise – Et on pourrait l'appeler sur son lieu de travail ?

Léa – Il est à la retraite. Il est peut-être chez lui à cette heure-ci.

Effectivement, il y était et il n'avait pas mis plus de dix minutes pour venir chercher sa fille. J'avais vu les yeux de Léa se remplir de larmes quand Ingrid s'était jetée dans les bras de son père. Du coup, j'avais pleuré aussi. Louise nous avait regardées en souriant.

Louise – Mais qu'est-ce qui vous arrive toutes les deux ? Ingrid n'est pas gravement malade, elle a juste le cœur en bandoulière. Allez, venez par là. Je vais vous faire du thé.

Ingrid partie, on avait bu un Earl Grey en silence.

Nous n'avions eu de ses nouvelles que tard le soir quand elle avait enfin accepté de nous répondre au téléphone. Elle semblait aller un peu mieux.

Elle était revenue au lycée dès le lendemain et même si ces derniers jours elle était plus glamour que jamais, sa peine se lisait dans ses yeux et dans son assiette.

Alors que Tatiana se permette de lui dire là, ce soir, en public, que sa boulimie était le signe évident d'un chagrin d'amour était inutile et méchant.

Thibault, d'ailleurs, ne s'est pas gêné pour le lui faire remarquer.

Thibault – Heureusement que tu aimes bien Ingrid, Tatiana, je me demande ce que tu lui dirais si elle t'était antipathique !

La belle Américaine a blêmi. Personne n'est venu à son secours. Elle s'est raclé la gorge, a hésité un long moment puis a fini par murmurer :

Tatiana – Sorry Ingrid.

Notre peste préférée, qui engloutissait sa quatrième part de pizza, n'a rien répondu.

Jim a vite lancé un sujet de conversation qui ne fâche pas.

Jim – Raconte-nous la pièce que tu vas jouer, Léa. De quoi ça parle ?

Léa – C'est l'histoire d'une jeune femme orpheline qui part loin de chez elle pour trouver ce qu'elle ne sait pas avoir perdu.

Nicolas – Si elle ne sait pas qu'elle a perdu quelque chose, comment elle peut savoir qu'il faut partir pour le rechercher ?

Léa – C'est justement le sujet de la pièce.

Nicolas – Quoi ?

Léa – Doit-on savoir ce qu'on a perdu pour partir à sa recherche ?

Euh... je ne voudrais pas jouer mon Nicolas mais ça a l'air d'être prise de tête.

Nicolas – Et alors, elle le retrouve ?

Léa – Quoi ?

Nicolas – Ce qu'elle a perdu.

Léa – Oui.

Nicolas – Et c'était quoi ?

Léa – Cheyodaat.

Nicolas – C'est qui ça ?

Léa – Celle-qui-sait.

Nicolas – Ah... Et elle sait quoi ?

Léa – Ce qui est à savoir pour continuer.

Mon cousin nous a regardés pour voir si l'un de nous comprenait. Devant nos airs ahuris, il a semblé rassuré. Léa s'est levée, a posé sa main droite au niveau de son sternum et a récité d'une voix étrange :

Léa – « Ici vit Cheyodaat... Celle-qui-sait... C'est une locataire discrète qui ne parle que lorsqu'on l'interroge. Elle parle très doucement et il faut faire taire beaucoup de choses en soi pour pouvoir l'entendre. Mais si tu lui poses une question, elle répond et ce qu'elle dit est bon pour toi. Essaie et tu verras. Commence par quelque chose de simple. »

Nicolas – Ah oui... D'accord... Je vois... C'est une sorte de secte.

Léa s'est rassise, agacée. Elle a repris une part de Margherita. Je n'ai rien trouvé d'intelligent pour détendre l'atmosphère.

C'est fou, on a beau être intime avec quelqu'un, il y a toujours des choses qui nous échappent.

Ingrid – C'est très fort ce que tu viens de réciter, Léa.

Léa – Vraiment ?

Ingrid – Oui, je ne sais pas si je comprends ce qu'il faut comprendre mais ça me parle.

Léa s'est approchée d'Ingrid et l'a embrassée comme si elles étaient les meilleures amies du monde.

C'est bon, ça va, moi aussi j'aime la pièce de Léa, seulement je ne le montre pas.

Tatiana, qui s'était faite toute petite depuis sa remarque désagréable, se l'est jouée elle aussi amateur de texte fort.

Tatiana – C'est vrai que c'est beau.

Attends, dans trois secondes, elles veulent un rôle.

Ce que ça peut m'agacer ! La meilleure amie de Léa, c'est moi, un point c'est tout !

Nicolas – Alors ça doit être un truc de meufs parce que je n'ai rien compris.

Léa a explosé de rire.

Léa – C'est ça, un truc de meufs ! Reprends une part de pizza, on t'entend moins quand tu as la bouche pleine.

La réaction joyeuse de Léa a redonné du peps à cette soirée qui devenait tendue. Du coup, la bonne humeur est revenue. On n'a plus parlé que de la super fiesta qu'on ferait samedi soir pour fêter les dix-huit ans de Léa.

Le lendemain matin, lorsqu'on s'est retrouvés dans la cour, ma meilleure amie a de nouveau mis Nicolas en garde.

Léa – Tu es prévenu, Nicolas, si le théâtre ne t'intéresse pas, tu n'es pas obligé de venir.

Nicolas – Oui seulement le problème, c'est que toi, tu m'intéresses et que je vais être obligé de me farcir un truc incompréhensible, juste pour te regarder.

Je ne voudrais pas tirer de conclusion hâtive mais il y a comme une déclaration d'amour dans l'air, non ?

Léa a fait semblant de ne pas comprendre.

Léa – Eh bien, tu n'as qu'à me regarder maintenant et rester chez toi ce soir.

Mon cousin a souri.

Nicolas – Tu as tellement peur que j'éclipse l'homme en noir par ma seule présence ?

Léa – Aucun risque !

Ingrid qui venait d'arriver a interrompu ce charmant tête-à-tête.

Ingrid – Nicolas, j'ai un truc à te demander. Tu serais d'accord ?

Nicolas – Ça dépend pour quoi.

Ingrid – Tu veux bien m'embrasser là tout de suite ?

Nicolas – Quoi ???

Euh, c'est dommage qu'il n'y ait pas le son dans les livres, sinon vous auriez plutôt entendu un QQQUUUOOOIIII ???

Ingrid – S'il te plaît, tu te jettes sur moi et tu m'embrasses avec fureur. Mais vite, ça va être trop tard.

Comme Nicolas restait interdit, Ingrid a pris les devants. Elle a littéralement fondu sur mon cousin et l'a embrassé façon fin de film hollywoodien. Un baiser qui exige au moins un brevet supérieur de plongée en apnée.

Mais elle est totalement cinglée ! Pourquoi elle fait ça ?

J'ai vite compris. 2 d'tens assis sur un muret dix mètres plus loin regardait la scène, hébété. Le pauvre garçon en a lâché son livre de physique.

Ah c'est ça, elle essaie de le rendre jaloux. Elle aurait pu choisir un autre love-toy pour son stratagème à deux euros !

Quand la peste a arrêté de ventouser Nicolas, il a titubé comme un type privé d'oxygène et a regardé Ingrid, effaré.

Nicolas – Mais t'es branque, ma pauvre fille !

La peste ne s'est pas justifiée. Elle était trop occupée à vérifier l'effet que son scénario avait produit sur Guilhem.

Ce que ça peut rendre stupide l'amour. Certaines filles sont vraiment prêtes à faire n'importe quoi. Comment, je n'ai pas de leçon à donner ? Je ne vois pas de quoi vous voulez parler.

Thibault – J'ai loupé un épisode ?

Thibault, qui avait assisté depuis le fond de la cour au baiser légendaire, était aussi ébahi que nous. Léa s'est chargée de l'instruire et j'ai senti à son ton que le cirque de la peste l'avait agacée.

Léa – C'est rien. Ingrid avait juste besoin d'une bouche à embrasser et comme celle de Nicolas passait par là, elle l'a prise. Si tu étais arrivé deux minutes plus tôt, ça aurait été la tienne. L'important, c'était de rendre Guilhem jaloux et je crois que c'est réussi.

Nicolas qui avait retrouvé une respiration normale a hurlé :

Nicolas – C'est vrai Ingrid ?

Ingrid – Oui, bon ça va. Tu ne vas pas me faire tout un scandale parce que je t'ai collé un petit smack.

Je ne voudrais pas jouer les voyeuses mais ce n'était pas un petit smack. C'était un baiser avec la langue donné dans les règles de l'art. Une sorte de démonstration pratique à destination d'ados n'ayant jamais embrassé.

Devant l'air méchant de mon cousin, la croqueuse d'hommes a ajouté :

Ingrid – Il y a des tonnes de garçons qui se damneraient pour que ça leur arrive !

Nicolas – Eh ben pas moi. J'ai l'habitude de choisir tout seul les meufs à qui je roule une pelle. En plus, c'était pour rendre l'autre crétin jaloux. Hypervalorisant le truc !

Et il est parti très en colère.

Ingrid – Oh non... Il ne faut pas qu'il s'en aille fâché.

Léa – Excuse-moi, il a des raisons !

Ingrid – Peut-être mais Guilhem va comprendre que j'ai joué la comédie et je vais passer pour une idiote.

La sonnerie a retenti sur cette phrase, modèle d'égocentrisme absolu !

À la pause de dix heures, lorsque mon cousin a vu Ingrid dans la cour, il s'est jeté dans les bras de Thibault en criant :

Nicolas – Au secours, protège-moi ! Elle va encore me sauter dessus.

On a tous éclaté de rire. La peste a haussé les épaules.

Ingrid – Ne rêve pas.

Nicolas – Le problème, c'est que ce n'est pas un rêve, c'est un cauchemar !

Ça, c'était vraiment méchant. Léa a volé au secours d'Ingrid.

Léa – N'exagère pas non plus.

Nicolas – Tu veux que je te montre là, tout de suite, ce que ça fait quand quelqu'un se jette sur toi pour t'embrasser ?

Léa – Non merci.

Nicolas – J'insiste, ce sera un plaisir.

Léa – Pas la peine.

Nicolas – Allez, ça nous rappellera des souvenirs.

Des souvenirs ? Ma théorie sur Léa ayant cédé à Nicolas durant la période Charlotte serait donc fondée ?

Le silence de ma meilleure amie a laissé planer le doute.

Personne n'a ajouté un mot. Heureusement, on peut toujours compter sur Ingrid pour relancer l'action.

Alors qu'on nageait en plein lycée-réalité, elle a sorti de son sac un énorme paquet de M&M'S. Le modèle XXL qu'on ne trouve que dans les hypermarchés et que seuls les grands dépressifs à forte tendance suicidaire achètent.

Elle en a pris une pleine poignée et l'a enfournée avec autant d'appétit que le cyclope Polyphème quand il mange six compagnons d'Ulysse pour son goûter.

L'ODYSSÉE

Qui était le cyclope dans L'Odyssée ?

Fils de Poséidon et de la nymphe Thoosa, **Polyphème** est le plus redouté de tous les cyclopes – monstres dotés d'un œil unique au centre du front.

Lorsque Ulysse le Grec se réfugie avec une douzaine de compagnons dans sa caverne, le Cyclope dévore plusieurs marins. Rusé, Ulysse l'enivre et, profitant de son sommeil, enfonce dans son œil un pieu acéré.

Le matin, les Grecs s'enfuient en s'accrochant sous le ventre des béliers afin d'échapper au géant aveugle, qui touche de ses mains le troupeau sortant de sa caverne.

Le temps que l'un d'entre nous lui fasse remarquer qu'il n'était que dix heures du matin et qu'elle devrait ralentir côté sucres, elle a replongé la main dans le paquet et en a extrait de quoi provoquer une hyperglycémie.

On l'a regardée se goinfrer avec un certain dégoût. Elle a fini par ranger l'objet du délit.

Mais qu'est-ce qu'elle tient dans sa main ?

Un Toblerone. Elle a décidé de se suicider en live ou quoi ?

Thibault – Ça va Ingrid ?

Ingrid – Oui, pourquoi ?

Thibault – Parce que...

Le pauvre Thibault n'a pas fini sa phrase. Il a eu un haut-le-cœur en apercevant le sachet de boules de coco qu'elle s'apprêtait à ouvrir.

Entre les pizzas qu'elle avait englouties la veille et les bonbons qu'elle venait d'ingurgiter, il devait y en avoir pour à peu près dix millions de calories.

Je vous épargne le repas de midi au self ! Fini les carottes râpées sans assaisonnement et l'assiette de légumes verts. Ingrid était passée à une alimentation de chauffeur routier : salade de pommes de terre en entrée, hachis parmentier-frites, banane. On a attendu qu'elle aille chercher du pain une troisième fois pour parler de son cas.

Thibault – Je ne voudrais pas me mêler de ce qui ne me regarde pas, mais ça devient n'importe quoi son alimentation.

Justine – Oui. C'est le moins qu'on puisse dire.

Nicolas – Après des années de famine, c'est normal qu'elle craque ! Si j'avais brouté du céleri et de la salade depuis mes quatorze ans, j'aurais la dalle maintenant.

Léa – C'est juste un mauvais moment. Tatiana n'a pas été très délicate hier en parlant de boulimie et de chagrin d'amour, mais elle avait raison.

Nicolas – Tiens au fait Thibault, ça s'est arrangé avec Tatiana ? Vous vous êtes rappelés hier soir après son départ en fanfare ?

Quel départ en fanfare ? Il arrive des tonnes de choses dans la vie de mes proches et je ne suis jamais au courant.

Thibault s'est gratté la tête comme Théo lorsqu'il est ennuyé.

Thibault – Non, on ne s'est pas rappelés. Mais franchement, ça ne me pose pas plus de problèmes que ça. Elle commence à me...

Je me suis arrêtée net de manger. Est-ce mon regard fixe qui a empêché mon prince d'achever sa phrase ? Je ne sais pas. En tous cas, il s'est tu.

Léa m'a donné un léger coup de coude et m'a chuchoté discrètement :

Léa – Pose ta pomme et ferme la bouche. T'as vraiment l'air gourde.

J'ai essayé de prendre un air dégagé et j'ai demandé du vin à Nicolas. Il s'est esclaffé :

Nicolas – Du vin ? À la cantine ?

Justine – Non... Je voulais dire du pain...

Nicolas – Avec ta pomme ? Tu vas manger du pain avec ta pomme ?

Justine – Oui, pourquoi ? T'as jamais essayé ? C'est très bon.

Et je me suis forcée à avaler ma golden avec l'équivalent d'une demi-baguette pour rester cohérente. Parfois je me déteste.

La journée est passée comme un rien. Il faut dire que je n'ai pas vraiment écouté ce que racontaient les profs. J'ai plutôt pensé au rendez-vous à quatre heures au café avec Thibault ! Bien sûr, ça ne serait pas un tête-à-tête mais Tatiana ne serait pas là.

Il fallait absolument que je sois subtile et délicate. Que mon prince sente de façon diffuse le désir que j'avais pour lui sans qu'il puisse en être sûr.

J'ai attendu Léa devant sa salle à la fin des cours pour lui expliquer mon plan. Je n'ai pas eu le temps de lui raconter quoi que ce soit. Elle était totalement surexcitée.

Léa – J'ai mal au ventre.

Justine – Déjà ? Il n'est que quatre heures ! Il te reste trois heures avant ta représentation.

Léa – Oui mais là, je rejoins Peter.

Justine – Tu ne viens pas avec nous au *Louis XVI* ?

Léa – Non, il a laissé un message sur mon portable, il veut qu'on retravaille le texte tous les deux avant.

Justine – Ah bon...

Léa – Je dois absolument lui parler. J'ai quelque chose à lui avouer qui risque de bouleverser notre histoire. Je ne peux plus continuer à vivre comme ça. Allez, à tout à l'heure...

Et elle s'est envolée sans me laisser le temps de réagir.

Je suis restée dans le couloir un long moment, me demandant ce que ma meilleure amie avait de si terrible à avouer à Peter.

Je me suis gardée de répéter aux garçons ce que Léa m'avait confié lorsque je suis arrivée au café. Le fait qu'elle soit avec Peter en répétition énervait suffisamment Nicolas.

Nicolas – Et il avait absolument besoin de la voir trois heures avant ?

Justine – Ben oui... Pour tout mettre au point.

Nicolas – C'est dans la gueule que je lui mettrais bien mon poing !

Justine – Oh, ce que tu es pénible de t'exprimer de cette façon. Tu fais vraiment une fixette sur ce type.

Nicolas – Pas du tout, j'en ai rien à faire de ce ringard.

Jim – Ah bon ? C'est nouveau !

Nicolas – Oh, foutez-moi la paix.

Devant l'air revêche de mon cousin, on a stoppé net la discussion. Jim a sorti son portable de sa poche et a fait semblant de lire ses messages tandis que j'enlevais une tache imaginaire sur mon jean. J'ai quand même fini par demander :

Justine – Thibault ne vient pas ?

Jim – Il est allé voir Tatiana. Je crois qu'il y a de la réconciliation dans l'air.

Mon cœur a chuté de huit mille mètres.

Jim – Finalement, entre Thibault qui est parti rejoindre sa belle, Léa qui est sur les planches avec Peter et Ingrid qui est rentrée pour se changer, on se retrouve tous les trois comme des idiots.

Nicolas – Putain, ça fait chier.

Au niveau de la forme, ce n'était pas terrible, d'accord, mais sur le fond j'étais plutôt d'accord avec mon cousin.

Sept heures ont fini par sonner et on a regagné le lycée pour voir notre comédienne préférée. Thibault n'avait pas réapparu et je l'imaginais collé à Tatiana sur le canapé de son salon. Inutile de vous dire que ça me provoquait des palpitations très violentes.

Quelques parents, des profs et surtout des copains étaient installés quand on est entrés dans la grande salle surnommée par les élèves « salle à tout faire » : salle de spectacle, salle de réunion avec les parents, salle de conférence, salle de photos de classe...

Les lumières éclairaient la scène et on devinait le décor à travers les draps blancs suspendus au plafond avec des punaises. Quand je dis la scène, n'imaginez pas celle d'un vrai théâtre. C'était juste un espace délimité avant la première rangée de chaises.

Ingrid nous a interpellés depuis le premier rang avec la discrétion qu'on lui connaît.

Ingrid – Ouh ouh... Je suis là ! J'ai gardé vos places.

Tout le monde s'est retourné pour voir qui hurlait ainsi. Ingrid a adressé un petit geste de la main façon reine d'Angleterre saluant son bon peuple. Il y a eu quelques sourires et quelques haussements d'épaules. La peste n'y a pas prêté attention. Elle s'est levée pour nous accueillir.

Heureusement que je suis myope et que je n'ai pas vu tout de suite la tenue qu'elle avait choisie, sinon je serais morte de honte pour elle ! Elle était vêtue d'une « chose » constituée uniquement de bandelettes à la manière d'une momie égyptienne, d'un jaune fluo emprunté aux gilets de signalisation.

Nicolas ne s'est pas gêné pour commenter :

Nicolas – Elle a un rencard avec Toutankhamon ou quoi ?

Jim – Je le crains.

Ingrid nous a rejoints.

Ingrid – Coucou ! Désolée de n'être pas venue au café, je devais absolument me préparer.

Nicolas – T'as bien fait, ç'aurait été vraiment dommage que tu ne mettes pas ta... ton... tes...

Non, Nicolas ne récitait pas la liste des adjectifs possessifs de la deuxième personne, il éprouvait juste une difficulté réelle à trouver le mot exact pour nommer ce que portait Ingrid.

Ingrid – Vous avez vu cette merveille ?

Nicolas – Difficile de la louper !

Ingrid – Ça fait une semaine que je me la suis achetée et que j'attendais l'occasion pour la porter.

Nicolas – Eh ben c'est parfait. Et si on rejoignait nos pyramides, euh... nos chaises ?

Évidemment Nicolas a prononcé cette dernière phrase en nous adressant un clin d'œil discret. Il a été difficile de ne pas éclater de rire.

À peine étions-nous assis qu'une ombre derrière le « rideau de scène » est apparue. Mon cousin a crié :

Nicolas – Regardez, c'est Léa !

J'ai plissé mes yeux comme une vieille taupe. Les deux spots qui éclairaient la scène projetaient les ombres sur le drap. J'ai effectivement reconnu la silhouette de ma meilleure amie.

Jim – Qu'est-ce qu'elle fabrique ?

Justine – On dirait qu'elle pose une cage à oiseaux sur une table. Ah ce n'est pas Peter qui la rejoint, là ?

Jim – Si, c'est lui. On reconnaît bien sa silhouette avec son manteau noir.

Nicolas – C'est vraiment nul de garder son manteau à l'intérieur. Tout ça pour frimer !

Ingrid – Il a un chapeau, non ?

Jim – Ouais. Un genre de Borsalino.

Justine – C'est drôle de voir les gens à travers un drap, on croirait un théâtre d'ombres. Ils devraient nous présenter le spectacle comme ça.

– Bonjour la compagnie !
Oh mon prince... Il est seul.
Oserais-je espérer que Tatiana est sortie de sa vie ?

Justine

À apprendre par cœur pour ne pas faire honte à Léa ce soir !!!
Pourquoi dit-on « côté cour » ou « côté jardin » au théâtre ? Internet nous en apprend plus...
En 1770, dans l'attente d'un nouveau bâtiment, la Comédie-Française s'installe aux Tuileries dans la salle dite des « Machines ». Cette salle donnait, d'un côté, sur l'intérieur des bâtiments (la cour), de l'autre sur le parc (le jardin). Le côté gauche de la scène est donc devenu le côté jardin, et le côté droit le côté cour.

Aujourd'hui, 13h22 · J'aime · Commenter

Léa aime ça.

Nicolas Et la sortie, c'est par où ?

Aujourd'hui, 13h28 · J'aime

Jim Moi, j'ai une info qui en jette ! Savez-vous pourquoi les comédiens ne portent rien de vert sur eux en scène ? Par superstition, Molière étant, paraît-il, mort vêtu d'un habit vert lors de sa dernière représentation. Surtout, la teinture verte de l'époque était composée d'arsenic et elle a dû intoxiquer beaucoup d'acteurs du fait de la chaleur.

Aujourd'hui, 14h09 · J'aime

Thibault – Le spectacle a déjà commencé ?

Ingrid – Non, c'est juste les préparatifs.

Thibault – Présario le proviseur est là. Je suis arrivé en même temps que lui. J'ai eu droit à une série de questions sur la vie de mon père à Beyrouth et sur mon planning de révision des bacs blancs. Il m'a aussi demandé si j'avais réussi à me faire des amis. Je lui ai répondu que j'avais trouvé ici de quoi être le garçon le plus heureux du monde.

Thibault s'est assis à côté de moi et m'a chuchoté :

Thibault – Et que, malgré quelques cafouillages ces derniers temps, je sais maintenant ce que je veux.

Qu'est-ce qu'il veut ???

Mon ex-futur prince n'a pas ajouté un seul mot et a fixé les ombres qui s'agitaient derrière le drap. Euh, je ne voudrais pas vous ennuyer avec une analyse méthodique de sa dernière réplique mais il me semble qu'il y a possibilité d'une ouverture, non ?

Si on prend en compte que cette phrase a été chuchotée près de MON oreille et qu'elle laisse entendre que Tatiana a été une erreur, nous pouvons en déduire que Thibault m'a annoncé que celle qu'il veut vraiment, c'est moi...

Des esprits chagrins pourraient remarquer que la seule chaise libre se trouvant à côté de la mienne, mon prince n'a pas eu d'autres possibilités que de s'asseoir là et que comme il est un garçon bien élevé, il parle à voix basse dans une salle de spectacle.

Oui mais les cafouillages, ce serait quoi alors ?

Juste une allusion à notre histoire lamentable dans laquelle j'ai joué un rôle désastreux ?

Bon ben, j'ai compris. Celle qu'il veut vraiment c'est Tatiana avec qui il a passé une fin d'après-midi torride et qui en ce moment dort, épanouie, sur leur lit.

Où est Ingrid ? Je voudrais qu'elle me passe son sac XXL de M&M'S et ses boules de coco. Ne vous inquiétez pas, ça ira vite, je ne souffrirai pas.

Nicolas – Il se passe quoi là ???

Alors que, depuis plus de cinq minutes, Léa et Peter préparaient le décor chacun de leur côté, on a soudain vu Peter se précipiter sur Léa et chercher à l'attraper. Elle s'est défendue.

Nicolas – Ça fait partie du spectacle ?

Jim – Je ne crois pas, non. On dirait plutôt une dispute en live.

Ingrid – Tout le monde regarde ! Même le proviseur...

Nicolas – Oh putain, il essaie de l'embrasser maintenant.

Ingrid – Ça c'est un baiser. Tu vois Nicolas la différence avec le petit smack que je t'ai collé dans la cour ce matin.

Ingrid avait à peine fini sa phrase que Léa a repoussé Peter. Il a semblé vaciller.

Ma meilleure amie a reculé de quelques pas, puis s'est de nouveau approchée de l'homme en noir.

Il a de nouveau tenté de l'embrasser. On a entendu un cri.

Des murmures se sont élevés parmi les spectateurs.

La voix de Présario a alors retenti :

Le proviseur – Qu'est-ce qui se passe ici ? Ouvrez ce rideau.

Mon cœur a battu la chamade. Si le rideau s'écartait, l'histoire entre Léa et Peter serait connue de tous. Vu le nombre de parents dans la salle, ça provoquerait un scandale. Il n'y aurait aucun moyen de régler l'affaire discrètement et le proviseur se sentirait obligé de faire un exemple. Ma meilleure amie serait renvoyée à trois mois du bac et son prof de théâtre accusé de détournement de mineure.

Quelle horreur, j'allais assister en direct à une véritable mise à mort.

Alors que j'étais tétanisée par l'angoisse, Jim a dit :

Jim – On essaie de trouver une solution, arrangez-vous pour créer une diversion pendant deux minutes.

Et il a disparu.

Comment ça une diversion ? Qu'est-ce qu'il faut faire ?

Une idée...

Pitié, une idée !

Ingrid a grimpé sur sa chaise et a déclamé dans une diction digne des sociétaires de la Comédie-Française.

Ingrid – La vie n'est-elle qu'une illusion ? Suis-je un personnage de mon rêve qui croit qu'elle vit sa vie ou suis-je un être réel qui vit son rêve ? De quel côté de ce rideau se trouve la réalité ?

Les lumières sur la scène se sont éteintes. Génial, on ne distingue plus rien...

Entre le monologue d'Ingrid et l'opération extinction des feux, Léa avait dû en profiter pour se sauver.

Thibault m'a pincé le bras.

Thibault – Le proviseur arrive avec l'air mauvais pour voir ce qui se passe. Il doit se douter qu'il y a un truc pas net...

Pour des raisons que j'ignore, les lumières se sont rallumées d'un coup. Malheur ! Léa et son prof de théâtre s'embrassaient à pleine bouche derrière le drap.

Mais ils sont fous ou quoi ?

Le proviseur était maintenant à un mètre du rideau, la main tendue, prêt à lever le voile. On l'a entendu marmonner à son adjoint :

Le proviseur – Ce n'est quand même pas monsieur Gardner, le professeur de théâtre, que je vois se conduire ainsi avec une élève ?

L'adjoint – Je le crains, monsieur.

Le proviseur – Croyez-moi, ça ne se passera pas ainsi.

Il a tiré le rideau. Peter, de dos, embrassait Léa avec ferveur. Elle se laissait faire. Le proviseur a hurlé :

Le proviseur – Monsieur Gardner !

Peter a continué à enlacer fiévreusement ma meilleure amie.

Le proviseur l'a attrapé par l'épaule, le forçant à se retourner. Et là... Le choc...

Thibault – Incroyable !

Ingrid – Comme quoi mes leçons portent !

Nicolas se tenait, l'air faussement surpris, face au proviseur. Il était affublé du grand manteau noir et du chapeau de Peter. J'ai failli tomber de ma chaise. Mais qu'est-ce qu'il fabriquait avec ce déguisement ?

Présario a bafouillé :

Le proviseur – Puis-je savoir ce que vous faites là, jeunes gens ?

Léa a pris un air indigné.

Léa – Nous avons commencé la représentation de *Lucille ou le chemin*, monsieur, et je m'étonne de...

Peter est arrivé du fond de la scène.

Peter – Un problème, monsieur Présario ? Vous souhaitez interrompre le spectacle ?

Le proviseur – Non... Je... Euh... Vous...

Peter – Je sais, la mise en scène est un peu audacieuse mais, comme l'a annoncé Ingrid, nous avons travaillé sur l'illusion. Votre confusion est un véritable hommage. Si vous le voulez bien, nous allons poursuivre.

Présario est reparti penaud, flanqué de son adjoint, en bredouillant des excuses incompréhensibles.

Peter a souri au public et a répété mot pour mot le monologue d'Ingrid.

Peter – La vie n'est-elle qu'une illusion ? Suis-je un personnage de mon rêve qui croit qu'elle vit sa vie ou suis-je un être réel qui vit son rêve ? De quel côté de ce rideau se trouve la réalité ? Bon spectacle à tous...

La salle a applaudi. Thibault s'est penché vers moi.

Thibault – Ça, c'est vraiment du théâtre.

Justine – Oh oui ! Je n'en reviens pas ! Nicolas dans le rôle de l'amant de Léa !

Thibault – Il n'est pas sûr que ce soit un rôle de composition.

Justine – Qu'est-ce que tu veux dire ?

Thibault – Que le baiser que Léa et Nicolas ont échangé n'est peut-être pas seulement de la fiction.

Justine – Tu crois ?

Thibault – Pour celui qui sait être attentif, il y a une différence entre baiser de cinéma et vrai baiser.

Je me suis rapprochée de mon prince et, pleine d'une audace que je ne me connaissais pas, je lui ai chuchoté :

Justine – Tu ne voudrais pas me montrer ce qu'est un vrai baiser ?

Retrouvez Justine et la bande des C1K+1
dès le 3 octobre 2012
dans *Le happy end que j'espérais*

À bientôt pour la suite...

... et fin !

Le jour où tout a commencé

C'est encore l'été mais ça sent déjà le lycée !

À quatre jours de l'entrée en terminale, j'ai donné rendez-vous à mes meilleurs amis chez moi... Moi, c'est Justine, et vous ?

La rencontre qui a tout changé

Je vous ai déjà parlé de Thibault, mon nouveau voisin ?

Il a suffi qu'il pose les yeux sur moi pour que j'aie la gorge serrée, les mains moites, les jambes tremblantes...

Et même si Léa me dit qu'il est trop tôt pour le savoir, moi, j'en suis certaine, c'est lui l'homme de ma vie !

Le grand moment que j'attendais

Je ne sais plus quoi penser de Thibault. Pourquoi a-t-il pris ses distances ? Et que veut donc me révéler Jim ? Quoi qu'il en soit, c'est bientôt mon anniversaire et je suis sûre qu'il sera I-NOU-BLI-ABLE !

L'auteur

Après avoir passé toute son enfance à rêver au milieu des livres dans la librairie de son père ou dans l'imprimerie de son grand-père, Sylvaine Jaoui a décidé une fois pour toutes que la vie était un roman. Elle s'est donc mise à raconter des tas d'histoires à dévorer entre deux tranches de carton.

Aujourd'hui, si vous ne la trouvez pas en train d'écrire sur la table de sa cuisine, vous avez quatre possibilités : soit elle écoute son amoureux lui jouer du piano, soit elle regarde des séries avec ses filles en mangeant des ours en chocolat, soit elle négocie avec les taupes de son jardin pour qu'elles aillent plutôt chez le voisin, soit elle est dans son lycée, lisant des romans à sa tribu d'ados.

L'illustratrice

Lorsqu'elle est née, la petite Colonel Moutarde a déclaré à sa maman qu'elle voulait être dessinateuse. C'est chose faite. Il lui faudra cependant quelques années avant d'être publiée, mais on ne décourage pas facilement un Capricorne.

Elle publie dorénavant chez de grands éditeurs de bandes dessinées (sa passion), en presse et en publicité.

Elle aime par-dessus tout mettre en images de chouettes histoires et ne boude pas pour autant les petits plaisirs de la vie comme de réveiller le chat qui fait la sieste, porter des bijoux gothiques pour effrayer ses enfants et s'acheter des tutus.

Retrouvez toutes nos collections
sur le site www.rageot.fr

RAGEOT s'engage pour l'environnement en réduisant l'empreinte carbone de ses livres.
Celle de cet exemplaire est de :
766 g éq. CO_2
Rendez-vous sur
www.rageot-durable.fr

Achevé d'imprimer en France en octobre 2012
chez Normandie Roto Impression sas
Dépôt légal : octobre 2012
N° d'édition : 5774 - 03
N° d'impression : 124321